큐브 수학 심화

KB046933

6·2

진도북

구성과 특징

진도북

큐브수학 S 심화

레벨UP공략법 51개로
상위 1%에 도전하세요.

개념 넓히기

핵심 개념, 응용 개념, 선행 개념으로 개념을 확장하여
문제 적용력을 키웁니다.

응용 개념 문제에 직접 적용되는 개념입니다.
선행 개념 학습 흐름에서 다음에 배울 개념입니다.

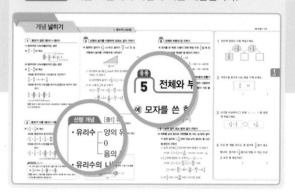

상위권 TEST

자신의 실력을 최종적으로 점검하여 최고수준을 완성
합니다.

성취도	재도전	우수	최우수
맞힌 개수	0~6개	7~10개	11~12개

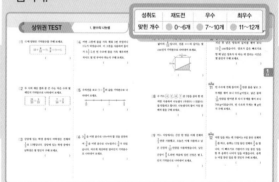

경시대비북

경시대회 예상 문제

수학경시대회에서 자주 출제되는 문제들을 단원별로
2회씩 풀어 보고, 수학경시대회를 대비합니다.

실전! 경시대회 모의고사

수학경시대회에서 출제될 수 있는 신유형 문제, 사고력
문제들을 통해 실전에 더욱 강해집니다.

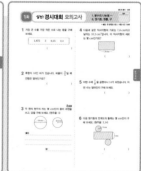

큐브수학S
심화**의 특징**

① **레벨UP공략법**을 통해 **상위권에 도전하는** 3단계 학습
② 교과 응용 문제부터 최상위 문제까지 **다양한 고난도 문제 유형을 통해 사고력 UP!**
③ 수학경시대회에 완벽하게 대비할 수 있는 **경시대비북 제공**

STEP 1 응용 공략하기

교과 응용 문제부터 심화 문제까지 다양한 대표 응용 유형에 **레벨UP공략법**을 적용하여 문제 해결 능력을 키웁니다.

(레벨UP공략) 유형별 문제 해결 전략입니다.

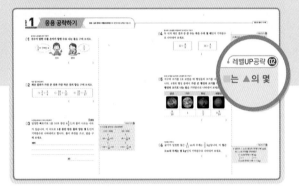

STEP 2 심화 해결하기

레벨UP공략법을 활용한 난이도 높은 문제를 스스로 해결하여 실력을 레벨UP합니다.

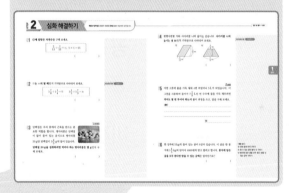

STEP 3 최상위 도전하기

경시 수준의 최상위 문제에 도전하여 사고력을 키우고, **1% 도전 문제를 통해 상위권을 정복합니다.**

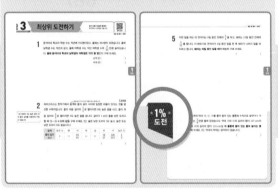

정답 및 풀이

- 친절하고 자세하게 모든 문항의 풀이를 제공
- 해결 순서, 레벨UP공략법, 선행 개념을 이용한 풀이, 문제 분석과 친절한 보충 설명을 통해 고난도 문제를 쉽게 해결
- 모바일 빠른 정답 서비스 제공

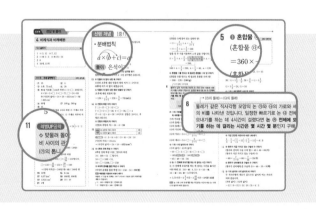

차례

분수의 나눗셈

개념 넓히기

1 분모가 같은 (분수)÷(분수)

(1) 분자끼리 나누어떨어지는 경우

예 $\dfrac{6}{7} \div \dfrac{2}{7}$의 계산

$$\dfrac{6}{7} \div \dfrac{2}{7} = 6 \div 2 = 3$$

$\dfrac{6}{7}$은 $\dfrac{1}{7}$이 6개

$\dfrac{2}{7}$는 $\dfrac{1}{7}$이 2개

(2) 분자끼리 나누어떨어지지 않는 경우

예 $\dfrac{5}{9} \div \dfrac{8}{9}$의 계산

방법 ❶ 분자끼리의 나눗셈으로 계산하기

$$\dfrac{5}{9} \div \dfrac{8}{9} = 5 \div 8 = \dfrac{5}{8}$$

방법 ❷ 분수의 나눗셈을 분수의 곱셈으로 바꾸어 계산하기

$$\dfrac{5}{9} \div \dfrac{8}{9} = \dfrac{5}{9} \times \dfrac{9}{8} = \dfrac{5}{8}$$

나누는 분수의 분모와 분자를 바꿉니다.

참고 분모가 같은 분수끼리의 나눗셈에서는 **방법 ❶** 로 계산하는 것이 더 편리합니다.

2 분모가 다른 (분수)÷(분수)

예 $1\dfrac{1}{4} \div \dfrac{7}{9}$의 계산

방법 ❶ 통분하여 분자끼리의 나눗셈으로 계산하기

$$1\dfrac{1}{4} \div \dfrac{7}{9} = \dfrac{5}{4} \div \dfrac{7}{9} = \dfrac{45}{36} \div \dfrac{28}{36} = \dfrac{45}{28} = 1\dfrac{17}{28}$$

방법 ❷ 분수의 나눗셈을 분수의 곱셈으로 바꾸어 계산하기

$$1\dfrac{1}{4} \div \dfrac{7}{9} = \dfrac{5}{4} \div \dfrac{7}{9} = \dfrac{5}{4} \times \dfrac{9}{7} = \dfrac{45}{28} = 1\dfrac{17}{28}$$

나누는 분수의 분모와 분자를 바꿉니다.

선행 개념 [중1] 역수

· 두 수의 곱이 1이 될 때 한 수를 다른 수의 **역수**라고 합니다.

예 $\dfrac{2}{3}$의 역수: $\dfrac{2}{3} \times \dfrac{3}{2} = 1$ ➡ $\dfrac{3}{2}$

참고 (분수)÷(분수)를 곱셈으로 바꾸어 계산할 때 나누는 분수의 역수를 이용하여 계산합니다.

응용 3 도형의 넓이를 이용하여 모르는 길이 구하기

예 밑변의 길이가 $3\dfrac{1}{9}$ cm이고 넓이가 $\dfrac{22}{9}$ cm²인 삼각형에서 높이를 기약분수로 나타내기

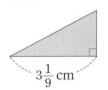

$3\dfrac{1}{9}$ cm

① 삼각형의 높이를 □ cm라 하여 삼각형의 넓이를 구하는 식 만들기

➡ (삼각형의 넓이)$= 3\dfrac{1}{9} \times \square \div 2 = \dfrac{22}{9}$

② 위 ①에서 □의 값 구하기

➡ $\square = \dfrac{22}{9} \times 2 \div 3\dfrac{1}{9} = \dfrac{22}{9} \times 2 \div \dfrac{28}{9}$

$$= \dfrac{22}{9} \times 2 \times \dfrac{9}{28} = \dfrac{11}{7} = 1\dfrac{4}{7}$$

4 (자연수)÷(분수)

예 $8 \div \dfrac{4}{9}$의 계산 → 자연수가 분자로 나누어떨어지는 경우

방법 ❶ 나누는 분수를 자연수로 바꾸어 계산하기

$$8 \div \dfrac{4}{9} = (8 \div 4) \times 9 = 2 \times 9 = 18$$

방법 ❷ 분수의 나눗셈을 분수의 곱셈으로 바꾸어 계산하기

나누는 분수의 분모와 분자를 바꿉니다.

$$8 \div \dfrac{4}{9} = 8 \times \dfrac{9}{4} = 18$$

선행 개념 [중1] 유리수의 나눗셈

· 유리수 ┌ 양의 유리수: 분수에 ＋를 붙인 수
　　　　│　　　　　　양의 부호　음의 부호
　　　　├ 0
　　　　└ 음의 유리수: 분수에 －를 붙인 수

· 유리수의 **나눗셈**: 나누는 수를 역수로 바꾼 다음 나눗셈을 곱셈으로 고쳐서 계산합니다.

예 $(+3) \div \left(+\dfrac{3}{5}\right) = (+3) \times \left(+\dfrac{5}{3}\right) = +5$

역수

5 전체와 부분의 양 구하기

㉠ 모자를 쓴 학생 10명이 전체 학생 수의 $\frac{1}{4}$일 때 모자를 쓰지 않은 학생은 몇 명인지 구하기

① (전체 학생 수)$\times\frac{1}{4}=10$

→ (전체 학생 수)$=10\div\frac{1}{4}=10\times4=40$(명)

② (모자를 쓰지 않은 학생 수)$=40-10=30$(명)

 6 몫이 가장 크거나 가장 작은 나눗셈식 만들기

㉠ 3장의 수 카드 ③, ④, ⑦을 한 번씩만 사용하여 만든 나눗셈식 (자연수)÷(진분수)의 몫이 가장 클 때와 가장 작을 때 각각 구하기

(1) 몫이 가장 클 때

(가장 큰 자연수)÷(진분수)

$=7\div\frac{3}{4}=7\times\frac{4}{3}=\frac{28}{3}=9\frac{1}{3}$

(2) 몫이 가장 작을 때

(가장 작은 자연수)÷(진분수)

$=3\div\frac{4}{7}=3\times\frac{7}{4}=\frac{21}{4}=5\frac{1}{4}$

 7 낮의 길이 또는 밤의 길이 구하기

㉠ 하루를 낮과 밤으로 구분했을 때, 어느 날 밤의 길이가 낮의 길이의 $1\frac{2}{15}$라면 이날 낮의 길이는 몇 시간 몇 분인지 구하기

① 낮의 길이를 □시간이라 하여 알맞은 식 만들기

→ $24-\square=\square\times1\frac{2}{15}$ → (밤의 길이)=(낮의 길이)$\times1\frac{2}{15}$

② □ 안에 알맞은 수 구하기 → $\square\times\frac{17}{15}+\square=24$

→ $24-\square=\square\times\frac{17}{15}$, $\square\times\frac{32}{15}=24$,

$\square=24\div\frac{32}{15}=\overset{3}{24}\times\frac{15}{\underset{4}{32}}=\frac{45}{4}=11\frac{1}{4}$

③ $11\frac{1}{4}$시간$=11\frac{15}{60}$시간$=11$시간 15분

---

1 빈칸에 알맞은 수를 써넣으세요.

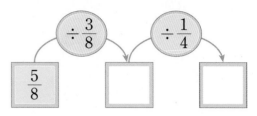

2 자연수를 분수로 나눈 몫을 구해 보세요.

$$\frac{3}{4} \qquad 12$$

( )

3 크기를 비교하여 ○ 안에 $>$, $=$, $<$를 알맞게 써넣으세요.

$$1\frac{1}{6}\div\frac{2}{5} \quad \bigcirc \quad 2\frac{7}{12}$$

4 도넛 한 개를 만드는 데 밀가루 $\frac{7}{8}$컵이 필요합니다. 밀가루 $7\frac{7}{8}$컵으로 만들 수 있는 도넛은 모두 몇 개인가요?

( )

응용 공략하기

응용·심화 문제와 레벨UP공략법으로 문제 해결 능력을 키웁니다.

분수의 나눗셈의 몫 구하기

01 진수가 말한 수를 은아가 말한 수로 나눈 몫을 구해 보세요.

진수   은아

(   )

계산 결과 비교하기

02 계산 결과가 가장 큰 것과 가장 작은 것의 합을 구해 보세요.

$$\text{㉠}\ \frac{3}{4} \div \frac{1}{4} \qquad \text{㉡}\ \frac{10}{13} \div \frac{5}{13} \qquad \text{㉢}\ \frac{15}{17} \div \frac{3}{17}$$

(   )

시간을 분수로 고쳐서 계산하기   📝 서술형

03 일정한 빠르기로 1분 10초 동안 $8\frac{5}{9}$ L의 물이 나오는 수도가 있습니다. 이 수도로 **1분 동안 받은 물의 양은 몇 L**인지 기약분수로 나타내려고 합니다. 풀이 과정을 쓰고, 답을 구해 보세요.

풀이

답

◁ 레벨UP공략 **01**

◆ 시간을 분수로 나타내려면?

1시간=60분	1분=60초
↓	↓
1분=$\frac{1}{60}$시간	1초=$\frac{1}{60}$분
↓	↓
■분=$\frac{■}{60}$시간	▲초=$\frac{▲}{60}$분

분수의 나눗셈을 이용하여 몇 배인지 구하기

04 두 식의 계산 결과 중 **큰 수는 작은 수의 몇 배**인지 기약분수로 나타내어 보세요.

$$12 \div \frac{8}{9}$$

$$16 \div \frac{4}{5}$$

( )

레벨UP공략 **02**

◆ 분수의 나눗셈을 이용하여 ▧는 ▲의 몇 배인지 구하려면?

▧를 ▲로 나눈 몫을 구합니다.

▧는 ▲의 몇 배 → (▧ ÷ ▲)배

수의 크기를 비교하여 나눗셈의 몫 구하기   ♀ 창의융합

05 지구의 크기를 1로 보았을 때 행성들의 크기를 나타낸 것입니다. 4개의 행성 중에서 **가장 큰 행성의 크기를 가장 작은 행성의 크기로 나눈 몫**을 기약분수로 나타내어 보세요.

금성	지구	화성	해왕성
		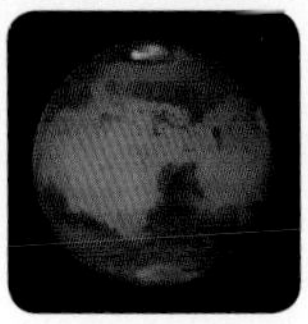	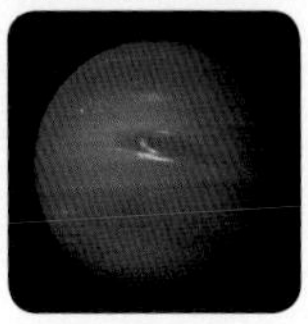
$\frac{9}{10}$	1	$\frac{1}{2}$	$3\frac{9}{10}$

( )

단위량 구하기

06 굵기가 일정한 철근 $\frac{4}{11}$ m의 무게는 $\frac{2}{5}$ kg입니다. 이 **철근 2 m의 무게는 몇 kg**인지 기약분수로 나타내어 보세요.

( )

레벨UP공략 **03**

◆ 길이가 ▧ m인 물건의 무게가 ● kg일 때 1 m의 무게를 구하려면?

(▧ m의 무게)=● kg

↓ ÷▧   ↓ ÷▧

(1 m의 무게)=(● ÷ ▧) kg

도형의 넓이를 이용하여 모르는 길이 구하기

07 오른쪽 그림과 같은 마름모의 넓이는 $24\dfrac{1}{2}$ cm²입니다. 한 대각선의 길이가 $8\dfrac{3}{4}$ cm일 때 **다른 대각선의 길이는 몇 cm**인지 기약분수로 나타내어 보세요.

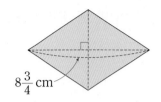

$8\dfrac{3}{4}$ cm

( )

◀ 레벨UP공략 **04**

◇ 도형의 넓이를 이용하여 모르는 길이를 구하려면?

• 평행사변형: (밑변의 길이)×(높이)
• 삼각형: (밑변의 길이)×(높이)÷2
• 마름모: (한 대각선의 길이)
  　　　　×(다른 대각선의 길이)÷2
• 사다리꼴:
  {(윗변의 길이)+(아랫변의 길이)}
  　　×(높이)÷2

↓

구하려는 길이를 □로 놓고 넓이를 구하는 식을 세웁니다.

분수의 나눗셈에서 조건에 알맞은 수 구하기

08 □ 안에 들어갈 수 있는 자연수는 모두 몇 개인가요?

$$\dfrac{8}{9}\div\dfrac{2}{3}<\square<3\div\dfrac{1}{2}$$

( )

전체와 부분의 양 구하기

new 신유형

09 오른쪽 조각상에서 상반신의 길이는 조각상의 전체 키의 $\dfrac{5}{13}$입니다. 이 조각상의 상반신의 길이를 30 cm로 하여 새로 만든다면 **하반신의 길이는 몇 cm**가 되어야 하는지 구해 보세요.

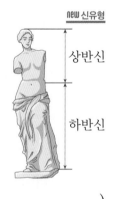

상반신

하반신

( )

◀ 레벨UP공략 **05**

◇ 부분의 양이 주어졌을 때 전체의 양을 구하려면?

전체의 ▲／■가 ●일 때

(전체)×▲／■=● → (전체)=●÷▲／■

약속에 따라 계산하기

10 기호 ♥를 다음과 같이 약속할 때 $\frac{1}{6}$ ♥ $\frac{1}{2}$의 값을 구해 보세요.

$$㉮ ♥ ㉯ = (㉮ + ㉯) \div (㉯ - ㉮)$$

(   )

몫이 자연수일 때 나누는 수 또는 나누어지는 수 구하기

11 나눗셈의 몫이 자연수일 때 □ 안에 들어갈 수 있는 자연수는 모두 몇 개인지 구해 보세요.

$$\frac{5}{8} \div \frac{\square}{24}$$

(   )

◀레벨UP공략 **06**

◆ 나눗셈의 몫이 자연수가 되려면?

계산 결과가 $\frac{\blacksquare}{㉠}$일 때 → $\blacksquare$는 ㉠의 약수

어떤 수를 구하여 바르게 계산하기   ▨서술형

12 예진이가 어떤 분수를 $\frac{5}{8}$로 나누어야 할 것을 잘못하여 곱했더니 $2\frac{1}{12}$이 되었습니다. **바르게 계산하면 얼마**인지 기약분수로 나타내려고 합니다. 풀이 과정을 쓰고, 답을 구해 보세요.

풀이

답

칠할 수 있는 벽의 넓이 구하기

13 오른쪽 직사각형 모양의 벽을 모두 칠하는 데 $2\frac{2}{7}$ L의 페인트가 필요합니다. **15 L의 페인트로 칠할 수 있는 벽의 넓이는 몇 m²인가요?**

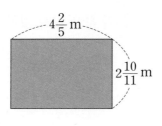

$4\frac{2}{5}$ m

$2\frac{10}{11}$ m

(   )

공을 떨어뜨린 높이 구하기   ✍서술형

14 어떤 공을 떨어뜨리면 떨어진 높이의 $\frac{3}{5}$만큼씩 일정하게 튀어 오릅니다. 이 공이 두 번째로 튀어 오른 높이가 $4\frac{4}{5}$ m였다면 **처음 공을 떨어뜨린 높이는 몇 m**인지 기약분수로 나타내려고 합니다. 풀이 과정을 쓰고, 답을 구해 보세요.

풀이

답

몫이 가장 크거나 가장 작은 나눗셈식 만들기

15 수 카드 4장 중에서 3장을 골라 한 번씩만 사용하여 나눗셈식 (자연수)÷(진분수)를 만들려고 합니다. **나눗셈식의 몫이 가장 클 때와 가장 작을 때의 몫**을 각각 구해 보세요.

[3]   [5]   [7]   [8]

가장 클 때 (   )

가장 작을 때 (   )

레벨UP공략 **07**

◆ 3개의 수로 (자연수)÷(진분수)의 나눗셈식을 만들려면?

수의 크기가 ①<②<③일 때

몫이 가장 클 때	몫이 가장 작을 때
③÷$\frac{①}{②}$	①÷$\frac{②}{③}$
└● 가장 큰 수	└● 가장 작은 수

양초가 다 타는 데 걸리는 시간 구하기

16 길이가 12 cm인 양초에 불을 붙이고 4분이 지난 후 남은 양초의 길이를 재어 보니 $10\frac{1}{2}$ cm였습니다. 양초가 같은 빠르기로 탈 때 **남은 양초가 다 타는 데 걸리는 시간은 몇 분인지** 구해 보세요.

( )

◀ 레벨UP공략 **08**

◈ 양초가 다 타는 데 걸리는 시간을 구하려면?

(1분 동안 탄 양초의 길이)
＝(●분 동안 탄 양초의 길이)÷●
↓
(양초가 다 타는 데 걸리는 시간)
＝(양초의 길이)
÷(1분 동안 탄 양초의 길이)

1단원

낮의 길이 또는 밤의 길이 구하기

♀ 창의융합

17 우리나라의 절기 중에 하나인 동지는 일 년 중에서 밤의 길이가 가장 길고 낮의 길이가 가장 짧습니다. 하루를 낮과 밤으로 구분했을 때 어느 동짓날의 낮의 길이가 밤의 길이의 $\frac{13}{19}$이라면 이날 **밤의 길이는 몇 시간 몇 분**인지 구해 보세요.

( )

◀ 레벨UP공략 **09**

◈ 낮의 길이와 밤의 길이의 관계는?

낮	밤
24시간	

(낮의 길이)＋(밤의 길이)＝24시간

일정한 빠르기로 걷는 거리 구하기

18 승훈이는 $2\frac{2}{5}$ km를 가는 데 $1\frac{1}{3}$시간이 걸리고, 재민이는 $1\frac{7}{9}$ km를 가는 데 $\frac{4}{5}$시간이 걸립니다. 이 빠르기로 두 사람이 같은 곳에서 동시에 출발하여 한 시간 동안 쉬지 않고 간다면 **누가 몇 km 더 멀리 가는지** 기약분수로 나타내어 보세요.

(,)

01 ㉡에 알맞은 **자연수**를 구해 보세요.

$$\frac{3}{13} \div \frac{2}{13} = ㉠, \quad ㉠ \times ㉡ = 21$$

(   )

02 ■는 **▲의 몇 배**인지 기약분수로 나타내어 보세요.

《009쪽 04번 레벨UP공략

$$1\frac{7}{8} \div 1\frac{1}{4} = ■ \qquad 3\frac{1}{3} \div 1\frac{7}{9} = ▲$$

(   )

♀ 창의융합

03 단백질은 우리 몸에서 근육을 만드는 중요한 역할을 합니다. 병아리콩은 단백질이 많이 들어 있는 음식으로 병아리콩 $20\,g$당 단백질이 $3\frac{4}{5}\,g$씩 들어 있습니다.

단백질 $38\,g$을 섭취하려면 먹어야 하는 병아리콩은 몇 g인지 구해 보세요.

(   )

04 평행사변형 가와 사다리꼴 나의 넓이는 같습니다. **사다리꼴 나의 높이는 몇 m**인지 기약분수로 나타내어 보세요.

《010쪽 07번 레벨UP공략

가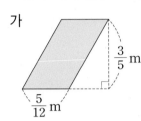

나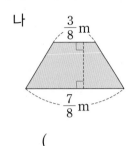

( )

1 단원

📝 서술형

05 어떤 그릇에 물을 가득 채워 4번 부었더니 5 L가 되었습니다. 이 그릇을 사용하여 들이가 $7\frac{2}{9}$ L인 빈 수조에 물을 가득 채우려면 **적어도 몇 번 부어야 하는지** 풀이 과정을 쓰고, 답을 구해 보세요.

풀이

답

06 한 상자에 5 kg씩 들어 있는 귤이 6상자 있습니다. 이 귤을 한 봉지에 $1\frac{4}{5}$ kg씩 담아서 4000원씩 받고 팔려고 합니다. **봉지에 담은 귤을 모두 판다면 받을 수 있는 금액**은 얼마인가요?

( )

| 해결 순서 |
❶ 전체 귤의 무게 구하기
❷ 팔 수 있는 귤의 봉지 수 구하기
❸ 봉지에 담은 귤을 모두 팔고 받을 수 있는 금액 구하기

07 수직선을 보고 ㉠ $\div \dfrac{12}{25}$ 의 값을 기약분수로 나타내어 보세요.

$$\frac{8}{25} \qquad\qquad ㉠ \qquad \frac{3}{5}$$

(   )

08 연주는 어제까지 과학책 전체의 $\dfrac{1}{2}$ 을 읽었고, 오늘은 어제까지 읽고 남은 쪽수의 $\dfrac{4}{5}$ 를 읽었습니다. 오늘까지 읽고 남은 쪽수가 24쪽이라면 **과학책의 전체 쪽수는 몇 쪽**인지 풀이 과정을 쓰고, 답을 구해 보세요.

〃서술형

≪010쪽 09번 레벨UP공략

풀이

답

09 비만도는 비만의 정도를 나타내는 것으로 다음과 같이 키와 몸무게를 이용하여 계산할 수 있습니다. 키가 150 cm인 학생의 비만도가 정상이려면 **몸무게는 최소 몇 kg**이어야 하는지 구해 보세요.

new 신유형

- (표준체중)＝(키－100)$\div 1\dfrac{1}{9}$
- (비만도)＝(몸무게)$\div \dfrac{(표준체중)}{100}$

비만도	수치
저체중	90 미만
정상	90 이상 110 미만
과체중	110 이상 120 미만
비만	120 이상

(   )

잠깐!

비만을 예방할 수 있는 방법은 무엇일까요?

① 고지방 음식이나 인스턴트 음식을 피하고 채소와 단백질을 골고루 먹습니다.
② 식사는 천천히 30번 이상 꼭꼭 씹어 먹습니다.
③ 규칙적인 운동 습관을 가집니다.

10 어떤 직사각형의 가로를 $1\frac{5}{6}$배로 늘이고 세로를 $\frac{8}{9}$배로 줄였더니 넓이가 $88\,\text{cm}^2$가 되었습니다. **처음 직사각형의 넓이는 몇 cm²인 가요?**

(   )

≪011쪽 11번 레벨UP공략

11 $\frac{6}{7}$으로 나누어도 $\frac{9}{14}$로 나누어도 몫이 항상 자연수가 되는 어떤 분수가 있습니다. **어떤 분수가 될 수 있는 수 중에서 가장 작은 분수를 구해 보세요.**

(   )

12 삼각형 ㄱㄴㅁ의 넓이는 직사각형 ㄱㄴㄷㄹ의 넓이의 $\frac{14}{45}$입니다. **선분 ㄴㅁ의 길이는 몇 cm인지 기약분수로 나타내어 보세요.**

| 해결 순서 |
❶ 직사각형 ㄱㄴㄷㄹ의 넓이 구하기
❷ 삼각형 ㄱㄴㅁ의 넓이 구하기
❸ 선분 ㄴㅁ의 길이 구하기

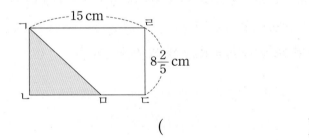

(   )

1
단원

13 다음은 민아의 국어, 수학, 과학 점수에 대한 설명입니다. 세 과목의 점수의 평균이 84점이라면 **수학 점수는 몇 점**인지 구해 보세요.

> • 국어 점수는 수학 점수의 $\dfrac{3}{4}$배입니다.
>
> • 과학 점수는 국어 점수의 $1\dfrac{1}{6}$배입니다.

( )

14 세계 최초의 고속 철도는 일본의 신칸센입니다. 길이가 $\dfrac{9}{20}$ km인 신칸센이 일정한 빠르기로 $8\dfrac{1}{12}$ km인 어떤 다리를 완전히 통과하는 데 $2\dfrac{3}{5}$ 분이 걸렸습니다. 같은 빠르기로 이 열차가 **1시간 30분 동안 달린 거리는 몇 km**인지 기약분수로 나타내어 보세요.

💡 창의융합

( )

| 해결 순서 |
❶ 열차가 1분 동안 달린 거리 구하기
❷ 열차가 1시간 30분 동안 달린 거리 구하기

15 빈 물병에 전체 들이의 $\dfrac{3}{8}$만큼 물을 넣고 그 무게를 재어 보니 424 g이었고, 넣은 물의 $\dfrac{5}{6}$만큼을 마신 후 다시 무게를 재어 보니 304 g이었습니다. **빈 물병의 무게는 몇 g**인지 구해 보세요.

( )

1 윤석이네 학교의 학생 수는 작년에 782명이었고, 올해는 804명이 되었습니다. 올해 남학생 수는 작년과 같고, 올해 여학생 수는 작년 여학생 수의 $\frac{2}{35}$ 만큼 늘어났습니다. **올해 윤석이네 학교의 남학생과 여학생은 각각 몇 명**인지 구해 보세요.

남학생 ( )

여학생 ( )

음을 높이의 차례대로 배열한 음의 충계입니다.

♀ 창의융합

2 피타고라스는 현악기에서 음계와 줄의 길이 사이에 일정한 비율이 있다는 것을 발견한 수학자입니다. 줄이 처음 길이의 $\frac{1}{2}$ 로 짧아지면 8도 높은 음을 내고, 줄이 처음 길이의 $\frac{2}{3}$ 로 짧아지면 5도 높은 음을 냅니다. 길이가 1 m인 줄을 낮은 도라고 할 때 **㉠ − ㉡ + ㉢의 값**을 구해 보세요. (단, 솔은 낮은 도보다 5도 높고, 높은 도는 낮은 도보다 8도 높습니다.)

㉠은 레보다 5도 높은 음인 라의 줄의 길이를 이용하여 구할 수 있습니다.

음계	낮은 도	레	미	파	솔	라	시	높은 도
줄의 길이 (m)	1	㉠	$\frac{64}{81}$	㉡	㉢	$\frac{16}{27}$	$\frac{128}{243}$	$\frac{1}{2}$

( )

3

●의 넓이는 ◆의 넓이의 ★배
입니다.
(●의 넓이)
＝(◆의 넓이)×★

원 가, 나, 다가 다음과 같이 겹쳐져 있습니다. ㉠의 넓이는 원 나의 넓이의 $\frac{2}{9}$배이고, ㉡의 넓이는 원 다의 넓이의 $\frac{1}{6}$배입니다. ㉠의 넓이가 ㉡의 넓이의 $\frac{3}{5}$배일 때 **원 나의 넓이는 원 다의 넓이의 몇 배**인지 구해 보세요.

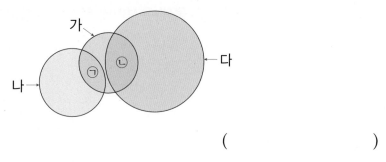

(   )

4

동준이의 시계는 하루에 $\frac{4}{15}$분씩 빨라지고, 진주의 시계는 하루에 $\frac{1}{3}$분씩 느려집니다. 두 사람이 3월 1일 오전 9시에 시계를 정확히 맞추었다면 **두 사람의 시계가 $\frac{3}{4}$시간만큼 차이가 날 때는 몇 월 며칠 몇 시**인지 구해 보세요.

(   )

5 어떤 일을 하는 데 연석이는 9일 동안 전체의 $\frac{3}{4}$ 을 하고, 혜미는 15일 동안 전체의 $\frac{5}{12}$ 를 합니다. 이 빠르기로 연석이가 4일 동안 일을 한 후 혜미가 나머지 일을 마치려고 합니다. **혜미는 며칠 동안 일을 해야 하는지** 구해 보세요.

(   )

1 단원

1% 도전

6 길이가 다른 3개의 막대 ㉮, ㉯, ㉰를 물이 들어 있는 물통에 수직으로 넣었더니 ㉮ 는 $\frac{3}{7}$ 만큼, ㉯는 $\frac{5}{8}$ 만큼 물에 잠겼습니다. 막대 ㉮와 ㉰의 길이의 합이 127 cm이 고, 막대 ㉯와 ㉰의 길이의 합이 116 cm일 때 **물통에 들어 있는 물의 높이는 몇 cm인지** 구해 보세요. (단, 막대의 부피는 생각하지 않습니다.)

(   )

01 ⓒ에 알맞은 기약분수를 구해 보세요.

$$12 \div \frac{8}{11} = ⓐ, \quad \frac{9}{8} \div ⓐ = ⓒ$$

( )

02 두 식의 계산 결과 중 큰 수는 작은 수의 몇 배인지 기약분수로 나타내어 보세요.

$$\frac{21}{23} \div \frac{3}{23} \qquad \frac{7}{10} \div \frac{2}{9}$$

( )

03 강당에 있는 학생 중에서 여학생은 전체의 $\frac{1}{5}$로 12명입니다. 강당에 있는 학생 중에서 남학생은 몇 명인지 구해 보세요.

( )

04 어떤 그릇에 물을 가득 채워 3번 부었더니 2 L가 되었습니다. 이 그릇을 사용하여 들이가 $5\frac{1}{7}$ L인 빈 수조에 물을 가득 채우려면 적어도 몇 번 부어야 하는지 구해 보세요.

( )

05 수직선을 보고 ⓐ$\div\frac{8}{9}$의 값을 기약분수로 나타내어 보세요.

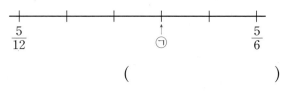

( )

06 $3\frac{3}{8}$을 어떤 분수로 나누어야 할 것을 잘못하여 $\frac{3}{8}$을 어떤 분수로 나누었더니 $\frac{5}{6}$가 되었습니다. 바르게 계산하면 얼마인지 기약분수로 나타내어 보세요.

( )

07 삼각형 ㅁㄴㄷ의 넓이는 직사각형 ㄱㄴㄷㄹ의 넓이의 $\frac{4}{15}$입니다. 선분 ㅁㄷ의 길이는 몇 cm인지 기약분수로 나타내어 보세요.

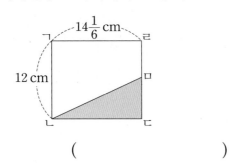

(   )

08 수 카드 $\boxed{4}$, $\boxed{2}$, $\boxed{8}$, $\boxed{7}$ 중 3장을 골라 한 번씩만 사용하여 나눗셈식 (자연수)÷(진분수)를 만들려고 합니다. 나눗셈식의 몫이 가장 클 때의 몫을 구해 보세요.

(   )

09 어느 식당에서는 간장 한 병을 어제 전체의 $\frac{2}{5}$만큼 사용했고, 오늘은 어제 사용하고 남은 간장의 $\frac{7}{12}$만큼을 사용하였습니다. 남은 간장이 $\frac{8}{9}$ L라면 처음에 있던 간장은 몇 L 인지 기약분수로 나타내어 보세요.

(   )

10 길이가 14 cm인 양초에 불을 붙이고 4분이 지난 후 남은 양초의 길이를 재어 보니 $12\frac{3}{5}$ cm였습니다. 양초가 같은 빠르기로 탈 때 남은 양초가 다 타는 데 걸리는 시간은 몇 분인지 구해 보세요.

(   )

^{최상위}
11 빈 수조에 전체 들이의 $\frac{5}{8}$만큼 물을 넣고 그 무게를 재어 보니 925 g이었고, 넣은 물의 $\frac{3}{10}$만큼을 덜어 낸 후 다시 무게를 재어 보니 766 g이었습니다. 빈 수조의 무게는 몇 g 인지 구해 보세요.

(   )

^{최상위}
12 어떤 일을 하는 데 가람이는 8일 동안 전체의 $\frac{2}{5}$를 하고, 송희는 12일 동안 전체의 $\frac{3}{4}$을 합니다. 이 빠르기로 가람이가 5일 동안 일을 한 후 송희가 나머지 일을 마쳤습니다. 송희는 며칠 동안 일을 한 것인지 구해 보세요.

(   )

마부작침

磨 斧 作 針

갈 **마**　　　도끼 **부**　　　지을 **작**　　　바늘 **침**

바로 뜻 도끼를 갈아 바늘을 만든다는 뜻.
깊은 뜻 끊임없이 노력하면 성공을 거둘 수 있다는 말이에요.

라이트 형제는 어려서부터 하늘을 나는 것에 대해 관심이 매우 많았어요.

모형 글라이더를 만들어 하늘을 나는 실험을 계속 하였고,

동력 장치를 이용하여 하늘을 나는 비행기를 만들겠다고 결심했어요.

"하늘을 날려면 바람을 탈 수 있는 날개와 가벼우면서도 강한 엔진이 필요합니다."

라이트 형제는 중요한 깨달음을 얻고 여러 번의 실패를 거듭하면서도

결코 포기하지 않았어요.

라이트 형제는 ☐☐☐☐의 마음으로 끊임없이 도전하여

마침내 비행에 성공하였어요. 하늘을 나는 인류의 꿈이 실현되었답니다!

잠깐! Quiz

Q ☐☐☐☐에 들어갈 말은?

A 왼쪽 한자와 오른쪽 음을 알맞은 것
끼리 선으로 이어 봅니다.

磨 ·　　　· 작

斧 ·　　　· 마

作 ·　　　· 침

針 ·　　　· 부

2

소수의 나눗셈

개념 넓히기

1 자릿수가 같은 (소수)÷(소수)

예 5.6÷0.4의 계산

방법 ❶ 분수의 나눗셈으로 바꾸어 계산하기

$$5.6 \div 0.4 = \frac{56}{10} \div \frac{4}{10} = 56 \div 4 = 14$$

방법 ❷ 세로로 계산하기

$$\overset{10배}{5.6 \div 0.4} = 14 \rightarrow \overset{}{56 \div 4} = 14 \quad \underset{10배}{}$$

$$\begin{array}{r} 1\,4 \\ 0.4\overline{)5.6} \\ 4 \\ \hline 1\,6 \\ 1\,6 \\ \hline 0 \end{array}$$

중요 나누는 수와 나누어지는 수의 소수점을 각각 오른쪽으로 같은 자리씩 옮겨서 계산합니다.

2 자릿수가 다른 (소수)÷(소수)

예 1.08÷0.4의 계산

$$\overset{10배}{1.08 \div 0.4} = 2.7 \rightarrow \overset{}{10.8 \div 4} = 2.7 \quad \underset{10배}{}$$

$$\begin{array}{r} 2.7 \\ 0.4\overline{)1.0\,8} \\ 8 \\ \hline 2\,8 \\ 2\,8 \\ \hline 0 \end{array}$$

중요 몫을 쓸 때 옮긴 소수점의 위치에서 소수점을 찍어야 합니다.

응용 3 조건에 알맞은 수 구하기

예 □ 안에 들어갈 수 있는 자연수 모두 구하기

$$19.14 \div 5.8 < 3.\square < 14.04 \div 3.6$$

① 나눗셈의 몫 구하기

→ 19.14 ÷ 5.8 = 3.3

14.04 ÷ 3.6 = 3.9

② 3.3 < 3.□ < 3.9에서 □ 안에 들어갈 수 있는 자연수 모두 구하기 •소수 첫째 자리 수의 크기 비교: 3<□<9

→ □ = 4, 5, 6, 7, 8

4 (자연수)÷(소수)

예 9÷2.25의 계산

방법 ❶ 분수의 나눗셈으로 바꾸어 계산하기

$$9 \div 2.25 = \frac{900}{100} \div \frac{225}{100} = 900 \div 225 = 4$$

방법 ❷ 세로로 계산하기

$$\overset{100배}{9 \div 2.25} = 4 \rightarrow \overset{}{900 \div 225} = 4 \quad \underset{100배}{}$$

$$\begin{array}{r} 4 \\ 2.25\overline{)9.0\,0} \\ 9\,0\,0 \\ \hline 0 \end{array}$$

5 몫을 반올림하여 나타내기

예 3.8÷0.7의 몫을 반올림하여 나타내기

3.8 ÷ 0.7 = 5.428……이므로 몫을 반올림하여 주어진 자리까지 각각 나타내면 다음과 같습니다.

① 일의 자리까지: 5.4…… → 5
└ • 버림

② 소수 첫째 자리까지: 5.42…… → 5.4
└ • 버림

③ 소수 둘째 자리까지: 5.428…… → 5.43
└ • 올림

응용 6 몫의 소수점 아래 숫자 구하기

예 다음 나눗셈의 몫의 소수 21째 자리 숫자 구하기

$$43.5 \div 5.5$$

① 나눗셈하기

→ 43.5 ÷ 5.5 = 7.90 90……

② 몫의 소수점 아래 반복되는 숫자 구하기

→ 9, 0 (2개)

③ 몫의 소수 21째 자리 숫자 구하기

→ 21 ÷ 2 = 10 … 1이므로 소수 21째 자리 숫자는 소수 첫째 자리 숫자와 같은 9입니다.

선행 개념 [중2] 유한소수와 무한소수

• 유한소수: 소수점 아래의 0이 아닌 숫자가 셀 수 있게 정해져 있는 소수

예 0.1, 2.45, 3.167

• 무한소수: 소수점 아래의 0이 아닌 숫자가 무한히 많은 소수

예 0.222……, 1.232323……, 3.1415926535……

7 나누어 주고 남는 양 구하기

예 끈 25.8 m를 한 사람에게 3 m씩 나누어 줄 때 나누어 줄 수 있는 사람 수와 남는 끈의 길이 구하기

(전체 끈의 길이)÷(한 사람이 가지는 끈의 길이)
$=25.8÷3=8\cdots1.8$

→ 나누어 줄 수 있는 사람 수: 8명
  남는 끈의 길이: 1.8 m

└• 사람 수를 구하는 것이므로 몫을 자연수 부분까지 구합니다.

응용 8 남는 양이 없으려면 더 필요한 양 구하기

예 수정과 17.4 L를 한 병에 2 L씩 담아 남김없이 모두 판매하려면 수정과는 적어도 몇 L 더 필요한지 구하기

① 수정과를 병에 담고 남은 양 구하기
  → $17.4÷2=8\cdots1.4$ └• 남은 1.4 L도 병에 담아 한 병을 만들어야 합니다.

② (더 필요한 수정과의 양)
  $=2-1.4=0.6 (L)$

응용 9 몫이 가장 크거나 가장 작은 나눗셈식 만들기

예 4장의 수 카드 2 , 3 , 6 , 8 을 한 번씩만 사용하여 다음 나눗셈식을 만들어 몫이 가장 클 때와 가장 작을 때의 몫을 각각 반올림하여 소수 첫째 자리까지 나타내기

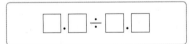

(1) 몫이 가장 클 때
  (가장 큰 소수 한 자리 수)
    ÷(가장 작은 소수 한 자리 수)
  $=8.6÷2.3=3.73\cdots→3.7$
  └• 버림

(2) 몫이 가장 작을 때
  (가장 작은 소수 한 자리 수)
    ÷(가장 큰 소수 한 자리 수)
  $=2.3÷8.6=0.26\cdots→0.3$
  └• 올림

---

1 빈칸에 알맞은 수를 써넣으세요.

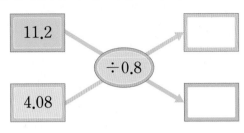

2 자연수를 소수로 나눈 몫을 구해 보세요.

| 2.5 | 30 |

(   )

3 몫을 반올림하여 소수 둘째 자리까지 나타내어 보세요.

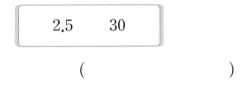

(   )

4 철사 248.1 cm를 한 도막에 9 cm씩 자르려고 합니다. 철사를 몇 도막까지 자를 수 있고, 남는 철사는 몇 cm인지 구해 보세요.

(,   )

소수의 나눗셈의 몫 구하기

01 수직선에서 ㉠이 나타내는 소수를 2.3으로 나눈 몫을 구해 보세요.

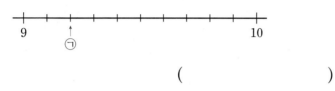

( )

계산 결과 비교하기

02 나눗셈의 몫이 다른 사람을 찾아 이름을 써 보세요.

| 1.28÷0.8 | 13.76÷3.2 | 8.17÷1.9 |
| 소영 | 은석 | 주아 |

( )

소수의 나눗셈을 이용하여 몇 배인지 구하기 ♀창의융합

03 그림지도에서는 다음과 같이 건물을 기호로 나타냅니다. 다음 그림지도를 보고 **학교에서 우체국까지의 거리는 학교에서 경찰서까지의 거리의 몇 배**인지 구해 보세요.

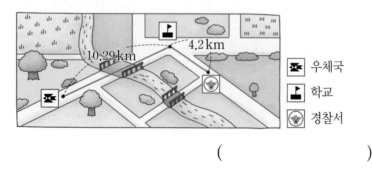

10.29 km
4.2 km

우체국
학교
경찰서

( )

레벨UP공략 **01**

◆ 소수의 나눗셈을 이용하여 ■는 ▲의 몇 배인지 구하려면?

■를 ▲로 나눈 몫을 구합니다.

■는 ▲의 몇 배 → (■ ÷ ▲)배

몫을 반올림하여 나타내기

04 나눗셈의 몫을 반올림하여 일의 자리까지 나타낸 값을 ㉠, 소수 첫째 자리까지 나타낸 값을 ㉡, 소수 둘째 자리까지 나타낸 값을 ㉢이라 할 때 **㉠＋㉡－㉢의 값**을 구해 보세요.

$$7.2 \div 1.3$$

(   )

전체의 양을 구하여 똑같이 나눈 몫 구하기   ⫶서술형

05 빨간색 페인트 5.6 L와 파란색 페인트 7.4 L를 섞어서 보라색 페인트를 만들었습니다. 만든 보라색 페인트를 한 통에 2.6 L씩 나누어 담으려면 **필요한 통은 몇 개**인지 풀이 과정을 쓰고, 답을 구해 보세요.

풀이

_____

_____

_____

답 _____

⟮레벨UP공략 ⑫⟯

◈ 전체의 양을 구하여 똑같이 나눈 몫을 구하려면?

| 전체의 양 구하기 | → | 몫 구하기 |
| 덧셈 또는 곱셈 | | (전체의 양)÷● |

2
단원

나누어 담고 남는 양 구하기

06 성현이네 밭에서 5일 동안 수확한 감자의 양을 나타낸 것입니다. 5일 동안 수확한 감자를 한 상자에 3 kg씩 담아 포장한다면 **포장하고 남는 감자는 몇 kg**인가요?

5일 동안 감자 수확량

요일	월	화	수	목	금
수확량(kg)	13.5	12.8	9.6	14.3	15.7

(   )

도형의 넓이를 이용하여 변의 길이 구하기 💡창의융합

07 다음은 지연이가 도로에 있는 교통표지판을 보고 그린 것입니다. 지연이가 그린 교통표지판은 넓이가 $62.28 \, \text{cm}^2$이고 높이가 $10.38 \, \text{cm}$인 삼각형 모양일 때 **밑변의 길이는 몇 cm**인지 구해 보세요.

10.38 cm ----- 어린이보호 표지판

(   )

소수의 나눗셈에서 조건에 알맞은 수 구하기 ✏서술형

08 1부터 9까지의 자연수 중에서 ☐ 안에 들어갈 수 있는 수들의 **합**을 구하려고 합니다. 풀이 과정을 쓰고, 답을 구해 보세요.

$$14.28 \div 6.8 < 2.\square < 11.75 \div 4.7$$

풀이

답

남는 양이 없으려면 더 필요한 양 구하기

09 토마토 $68.7 \, \text{kg}$을 한 상자에 $5 \, \text{kg}$씩 담아 판매하려고 합니다. 이 토마토를 상자에 담아 남김없이 모두 판매하려면 **토마토는 적어도 몇 kg 더 필요한지** 구해 보세요.

(   )

레벨UP공략 **03**

◇ 남는 양 없이 담을 때 더 필요한 양을 구하려면?
전체 ■만큼을 한 통에 ▲만큼씩 담을 때
■÷▲=●…♥에서 ♥만큼이 남습니다.
→ (더 필요한 양)=▲－♥

약속에 따라 계산하기

10 기호 ★을 다음과 같이 약속할 때 **27 ★ 1.3의 값을** 구해 보세요.

$$㉮ ★ ㉯ = ㉮ \div 0.45 - 5.2 \div ㉯$$

(   )

일정하게 놓인 물건의 수 구하기

11 길이가 111.72 m인 직선 도로의 양쪽에 처음부터 끝까지 5.32 m 간격으로 가로수를 심으려고 합니다. **필요한 가로수는 모두 몇 그루**인가요? (단, 가로수의 두께는 생각하지 않습니다.)

(   )

레벨UP공략 **04**

◆ 일정하게 놓인 물건의 수를 구하려면?

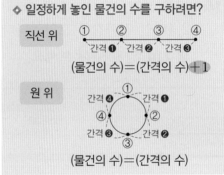

직선 위

(물건의 수)=(간격의 수)+1

원 위

(물건의 수)=(간격의 수)

어떤 수 구하기

12 어떤 수를 6으로 나누었더니 몫이 12이고 나머지가 0.28이었습니다. **어떤 수를 5.4로 나누었을 때의 몫을 반올림하여 소수 둘째 자리까지** 나타내어 보세요.

(   )

레벨UP공략 **05**

◆ 어떤 수를 ▲로 나눈 몫이 ●이고 나머지가 ♥일 때 어떤 수를 구하려면?

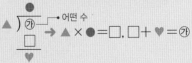

나눗셈을 확인하는 과정을 통해 어떤 수를 구할 수 있습니다.

몫의 소수점 아래 숫자 구하기

♀ 창의융합

13 다음은 지구 온난화에 대한 신문 기사의 일부분입니다. 기사를 읽고 ㉠에 알맞은 수의 **소수 50째 자리 숫자**를 구해 보세요.

> ### 지구 온난화 이대로 괜찮은가?
> 지난 100년 동안 지구의 온도는 7.4 %, 바닷물의 높이는 22 cm 높아졌습니다. 지구의 온도가 1 % 높아질 때마다 바닷물의 높이는 ㉠ cm씩 높아진 셈입니다.

( )

레벨UP공략 **06**

◆ 몫이 나누어떨어지지 않는 소수의 나눗셈에서 몫의 소수점 아래에 ●개의 숫자가 반복될 때 소수 ▥째 자리 숫자는?
  ■ ÷ ● = □ … ♥일 때 소수 ▥째 자리 숫자는
  • ♥ = 0이면
    반복되는 ●개의 숫자 중 마지막 숫자
  • ♥ = 0이 아니면
    소수 ♥째 자리 숫자

도형의 둘레를 이용하여 변의 길이 구하기

14 어느 백화점의 상품권은 둘레가 44.2 cm이고, 가로가 세로의 2.4배인 직사각형 모양입니다. 이 백화점의 **상품권의 넓이는 몇 cm²**인지 구해 보세요.

백화점 상품권
50000 Cube GIFT CERTIFICATE

( )

몫이 가장 크거나 가장 작은 나눗셈식 만들기

15 4개의 공에 적힌 수를 한 번씩만 사용하여 몫이 가장 큰 나눗셈식 (소수 한 자리 수) ÷ (소수 한 자리 수)를 만들려고 합니다. 만든 **나눗셈식의 몫을 반올림하여 소수 첫째 자리까지** 나타내어 보세요.

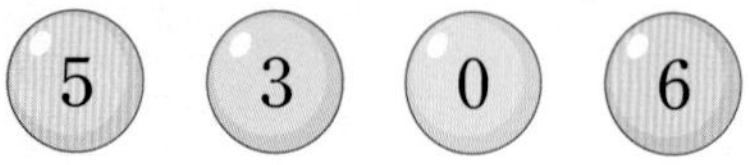

(5) (3) (0) (6)

( )

레벨UP공략 **07**

◆ 몫이 가장 크거나 가장 작은 나눗셈식을 만들려면?
• 몫이 가장 큰 나눗셈식
  → (가장 큰 수) ÷ (가장 작은 수)
• 몫이 가장 작은 나눗셈식
  → (가장 작은 수) ÷ (가장 큰 수)

전체와 부분의 관계를 이용하여 문제 해결하기

16 동준이는 아버지와 함께 담장에 페인트를 칠하는 데 어제는 전체의 0.3만큼 칠했고, 오늘은 전체의 0.54만큼 칠했습니다. 어제와 오늘 페인트를 칠하고 남은 담장의 넓이가 20 m^2일 때 **담장 전체의 넓이는 몇 m^2**인지 구해 보세요.

(   )

반올림하여 나타낸 몫을 보고 나누어지는 수 구하기

17 다음 나눗셈의 몫을 반올림하여 소수 첫째 자리까지 나타내면 2.8입니다. 0부터 9까지의 수 중에서 ☐ 안에 들어갈 수 있는 수는 모두 **몇 개**인지 구해 보세요.

$$20.\boxed{}6 \div 7.4$$

(   )

레벨UP공략 **08**

◇ ■ ÷ ▲의 몫을 반올림하여 나타내었을 때 나누어지는 수(■)의 범위를 구하려면?

몫이 될 수 있는 수의 범위 나타내기
● 이상 ♥ 미만인 수
↓
나누어지는 수(■)의 범위 구하기
(● × ▲) 이상 (♥ × ▲) 미만인 수

2
단원

단위량 구하기

18 휘발유 2.1 L로 33.18 km를 가는 자동차가 있습니다. 휘발유 1 L의 값이 1400원일 때 이 자동차가 **205.4 km를 가는 데 필요한 휘발유의 값**은 얼마인지 풀이 과정을 쓰고, 답을 구해 보세요.

🖋서술형

풀이

_____

_____

_____

답 _____

빈 병의 무게 구하기

19 오미자청 4 L가 들어 있는 병의 무게는 4.28 kg입니다. 이 병에서 오미자청 1.5 L를 덜어 낸 후 무게를 재어 보니 2.81 kg이었습니다. **빈 병의 무게는 몇 kg**인지 구해 보세요.

(   )

일정한 간격으로 겹쳐져 있을 때 전체의 수 구하기

new 신유형

20 지름이 15.4 cm인 원을 2.5 cm씩 겹치게 한 줄로 길게 그렸더니 전체 길이가 196 cm가 되었습니다. **그린 원은 모두 몇 개**인지 구해 보세요.

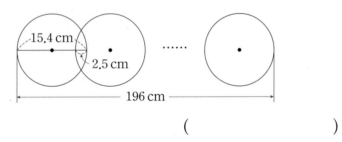

(   )

일정한 빠르기로 가는 데 걸리는 시간 구하기

21 한 시간 동안 15.6 km를 가는 빠르기로 흐르는 강이 있습니다. 일정한 빠르기로 1시간 24분 동안 35 km를 가는 **배가 강물이 흐르는 방향으로 203 km를 가는 데 걸리는 시간은 적어도 몇 시간**인지 구해 보세요.

(   )

레벨UP공략 **09**

◆ 흐르는 강물에서 배가 가는 거리를 구하려면?

배가 한 시간 동안 가는 거리를 ●km, 강물이 한 시간 동안 가는 거리를 ■km라 할 때 배가 가는 거리는 다음과 같습니다. (단, ●는 ■보다 큽니다.)

01 ㉮가 나타내는 소수를 ㉯가 나타내는 소수로 나눈 **몫**을 구해 보세요.

> ㉮ 16.8의 $\dfrac{1}{10}$배인 수
>
> ㉯ 0.1이 21개인 수

(   )

02 두 식의 계산 결과는 같습니다. □ 안에 알맞은 수를 구해 보세요.

| 1.26÷0.21 | | 28.8÷□ |

(   )

‖ 서술형

03 넓이가 4.94 m²이고 세로가 1.3 m인 직사각형 모양의 칠판이 있습니다. 이 칠판의 **가로는 세로의 몇 배인지 반올림하여 소수 첫째 자리까지** 나타내려고 합니다. 풀이 과정을 쓰고, 답을 구해 보세요.

≪028쪽 03번   레벨UP공략

1.3 m

풀이

답

04 어머니께서 현미, 쌀, 흑미를 각각 다음과 같이 봉지에 나누어 담았습니다. 현미, 쌀, 흑미 중에서 **봉지에 나누어 담고 남는 양이 가장 적은 것**을 찾아 써 보세요.

> • 현미: 31.7 kg을 한 봉지에 4 kg씩 담았습니다.
> • 쌀: 46.8 kg을 한 봉지에 3 kg씩 담았습니다.
> • 흑미: 9.9 kg을 한 봉지에 2 kg씩 담았습니다.

( )

┌ 한자어 척(尺)은 손을 펴서 물건의 길이를
│ 재는 모습을 본 떠서 만든 글자입니다.

💡 창의융합

05 척은 길이를 재는 단위입니다. 다음은 기록에 남아 있는 삼국 시대 왕들의 키입니다. 1 m를 3.3척이라고 할 때 **키가 가장 큰 왕과 가장 작은 왕의 키의 합은 몇 m인지 반올림하여 소수 둘째 자리까지** 나타내어 보세요.

삼국 시대의 왕	무령왕	고국천왕	법흥왕
키	8척	9척	7척

( )

| 해결 순서 |
❶ 키가 가장 큰 왕과 가장 작은 왕의 키의 합 구하기
❷ 키가 가장 큰 왕과 가장 작은 왕의 키의 합은 몇 m인지 반올림하여 소수 둘째 자리까지 나타내기

06 어느 제과점에서 단팥 빵 한 개를 만드는 데 필요한 밀가루는 35 g이고, 팥은 56 g입니다. 이 제과점에서 팥 909.7 g을 사용하여 단팥 빵을 가능한 많이 만든다면 **필요한 밀가루는 몇 g**인가요?

( )

| 해결 순서 |
❶ 만들 수 있는 단팥 빵의 수 구하기
❷ 필요한 밀가루의 양 구하기

07 가장 큰 수를 가장 작은 수로 나눈 **몫의 소수 95째 자리 숫자**를 구해 보세요.

| 40 | 3.3 | 6.32 | 41.5 |

(   )

≪032쪽 13번 레벨UP공략

※ 서술형

08 선생님께서 수영이에게 내 준 문제입니다. **수영이가 답해야 하는 수**는 얼마인지 풀이 과정을 쓰고, 답을 구해 보세요.

> 어떤 수에 0.7을 곱했더니 10.36이 되었습니다. 어떤 수를 2.5로 나눈 몫을 구해 보세요.

풀이

답

09 연주네 집에서는 3 L짜리 대용량 주방 세제를 샀습니다. 이 중에서 전체의 0.4만큼은 이웃집에 나누어 주고, 남은 주방 세제를 한 통에 0.35 L씩 남김없이 모두 나누어 담으려고 합니다. **필요한 통은 모두 몇 개**인가요?

(   )

≪030쪽 09번 레벨UP공략

10 주어진 조건을 모두 만족하는 두 수 중에서 **큰 수를 작은 수로 나눈 몫**을 구해 보세요.

> • 두 수의 합은 43.4입니다.
> • 두 수의 차는 40.6입니다.

(   )

11 길이가 116.64 m인 직선 도로의 양쪽에 처음부터 끝까지 깃발을 세웠습니다. 도로의 한쪽은 4.86 m 간격으로 세웠고, 다른 한쪽은 3.24 m 간격으로 세웠습니다. **직선 도로의 양쪽에 세운 깃발은 모두 몇 개**인가요? (단, 깃발의 두께는 생각하지 않습니다.)

《031쪽 11번 〔레벨UP공략〕

(   )

⫶ 서술형

12 일정한 빠르기로 1분에 0.8 cm씩 타는 양초가 있습니다. 이 양초에 불을 붙이고 12분이 지난 후에 양초의 길이를 재어 보니 처음 양초 길이의 0.4만큼이었습니다. **처음 양초의 길이는 몇 cm**인지 풀이 과정을 쓰고, 답을 구해 보세요.

풀이

답

13 다음 나눗셈은 나누어떨어지지 않습니다. 이 나눗셈의 나누어지는 수에 ㉠을 더하여 몫이 소수 첫째 자리에서 나누어떨어지게 하려고 합니다. **㉠이 될 수 있는 수 중에서 가장 작은 수**를 구해 보세요.

$$35.8 \div 1.4$$

(   )

14 다음과 같은 5장의 수 카드를 한 번씩만 사용하여 나눗셈식 (소수 두 자리 수)÷(소수 한 자리 수)를 만들려고 합니다. **몫이 가장 클 때와 가장 작을 때의 몫을 각각 반올림하여 소수 둘째 자리까지 나타낸 값의 차**를 구해 보세요.

≪032쪽 15번 레벨UP공략

| 2 | 4 | 5 | 7 | 8 |

(   )

🔍창의융합

15 소리가 퍼져 나가는 빠르기는 기온에 따라 변합니다. 공기 중에서 기온이 0 ℃일 때 소리는 1초에 331.5 m를 이동하고, 온도가 1 ℃씩 높아질 때마다 0.61 m씩 더 멀리 이동합니다. 공기 중에서 **소리가 4초 동안 이동한 거리가 1384.56 m일 때 기온은 몇 ℃인지** 구해 보세요.

(   )

잠깐!

번개와 천둥소리에 대해 알아볼까요?

공기 중에서 빛의 빠르기는 소리의 빠르기보다 약 90만 배 빠릅니다. 따라서 번개가 번쩍한 뒤에 천둥소리가 들리게 됩니다.

new 신유형

16 토끼와 거북이 경주를 하고 있습니다. 토끼는 1시간 30분 동안 4.95 km를 가고, 거북은 1시간 15분 동안 3.75 km를 갑니다. 토끼와 거북 중에서 **한 시간 동안 가는 거리는 누가 몇 km 더 먼지** 구해 보세요.

(,   )

| 해결 순서 |
❶ 토끼가 한 시간 동안 가는 거리 구하기
❷ 거북이 한 시간 동안 가는 거리 구하기
❸ 한 시간 동안 가는 거리는 누가 몇 km 더 먼지 구하기

17 어떤 물건의 원가에 20 %만큼의 이익을 붙여서 정가를 정했습니다. 그런데 물건이 팔리지 않아 정가의 0.1만큼을 할인하여 팔았더니 1400원의 이익이 생겼습니다. 이 **물건의 원가**는 얼마인지 구해 보세요.

(   )

18 2분 15초 동안 32.85 L의 물이 나오는 ㉮ 수도와 3분 30초 동안 56.84 L의 물이 나오는 ㉯ 수도가 있습니다. ㉮ 수도와 ㉯ 수도에서 각각 1분 동안 나오는 물의 양이 일정할 때 두 수도를 동시에 틀어서 **177.33 L의 물을 받으려면 적어도 몇 분 몇 초가 걸리는지** 구해 보세요.

(   )

최상위 도전하기

경시 수준의 **최상위 문제**에
도전하여 사고력을 키웁니다.

문제 강의

정답 및 풀이 ▶ 14쪽

1 그림에서 삼각형 ㄹㅁㄷ의 넓이는 삼각형 ㄱㄴㄷ의 넓이의 1.2배입니다. **선분 ㄴㅁ
은 몇 cm**인지 구해 보세요.

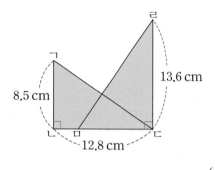

(   )

2
단원

🔍 창의융합

2 연어는 강에서 태어나 바다에서 살다가 알을 낳을 때에
는 다시 강으로 돌아오는 물고기입니다. 한 시간 동안
47.5 km를 가는 빠르기로 흐르는 강이 있습니다. 일정
한 빠르기로 1시간 48분 동안 93.6 km를 가는 **연어가
강물이 흐르는 반대 방향으로 18 km를 가는 데 걸리는
시간은 적어도 몇 시간**인지 구해 보세요.

(   )

3 다음 나눗셈의 몫을 자연수 부분까지 구하면 3의 배수가 됩니다. 1부터 9까지의 자연수 중에서 ☐ **안에 들어갈 수 있는 수들의 합을** 구해 보세요.

$$7.3\square \div 0.06$$

(   )

4 길이가 $70\ \text{m}$인 기차가 한 시간에 $128.4\ \text{km}$씩 달리고 있습니다. 이 기차가 같은 빠르기로 **길이가 $0.85\ \text{km}$인 터널을 완전히 통과하는 데 걸리는 시간은 몇 분인지 반올림하여 소수 첫째 자리까지** 나타내어 보세요.

기차가 터널을 완전히 통과하려면 기차의 끝이 터널 밖으로 나와야 합니다.

(   )

5 떨어뜨린 높이의 0.8만큼 튀어 오르는 공이 있습니다. 다음과 같이 공을 계단 위에서 떨어뜨렸을 때 세 번째로 튀어 오른 공의 높이는 바닥에서부터 121.92 cm였습니다. **처음 공을 떨어뜨린 높이는 몇 cm**인지 구해 보세요.

(튀어 오른 공의 높이)
＝(떨어뜨린 높이)×0.8

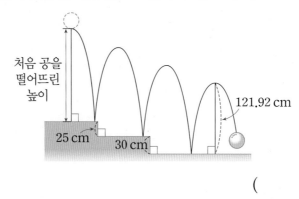

(   )

2 단원

★1%★ 도전

6 사다리꼴 ㄱㄴㄷㄹ의 넓이는 106.6 cm²입니다. 선분 ㄴㅁ과 선분 ㅁㄹ의 길이가 같을 때 **삼각형 ㄱㅁㄷ의 넓이는 몇 cm²**인지 구해 보세요.

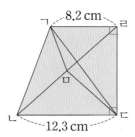

(   )

01 가장 큰 수를 가장 작은 수로 나눈 몫을 구해 보세요.

| 2.8 | 8.4 | 5.6 | 1.4 |

(   )

02 나눗셈의 몫을 반올림하여 소수 첫째 자리까지 나타낸 값과 소수 둘째 자리까지 나타낸 값의 합을 구해 보세요.

$$49.7 \div 6$$

(   )

03 다음 마름모의 넓이는 $5.04\,\text{cm}^2$이고 한 대각선의 길이는 $3.6\,\text{cm}$입니다. 이 마름모의 다른 대각선의 길이는 몇 cm인가요?

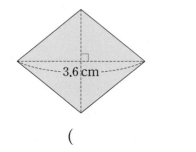
3.6 cm

(   )

04 ☐ 안에 들어갈 수 있는 자연수들의 합을 구해 보세요.

$$12.67 \div 1.81 < \square < 24 \div 1.6$$

(   )

05 어느 가게에서 사탕 한 개를 만드는 데 필요한 설탕은 $54\,\text{g}$이고, 물엿은 $12\,\text{g}$입니다. 이 가게에서 설탕 $520.8\,\text{g}$을 사용하여 사탕을 가능한 많이 만든다면 필요한 물엿은 몇 g인지 구해 보세요.

(   )

06 어떤 수를 8로 나누었더니 몫이 15이고 나머지가 0.46이었습니다. 어떤 수를 3.7로 나누었을 때의 몫을 반올림하여 소수 둘째 자리까지 나타내어 보세요.

(   )

07 휘발유 3.4 L로 53.72 km를 가는 자동차가 있습니다. 휘발유 1 L의 값이 1450원일 때 이 자동차가 331.8 km를 가는 데 필요한 휘발유의 값은 얼마인지 구해 보세요.

( )

08 일정한 빠르기로 1분에 0.9 cm씩 타는 양초가 있습니다. 이 양초에 불을 붙이고 14분이 지난 후에 양초의 길이를 재어 보니 처음 양초 길이의 0.3만큼이었습니다. 처음 양초의 길이는 몇 cm인지 구해 보세요.

( )

09 5장의 수 카드를 한 번씩만 사용하여 나눗셈식 (두 자리 수)÷(소수 두 자리 수)를 만들려고 합니다. 몫이 가장 클 때와 가장 작을 때의 몫을 각각 반올림하여 소수 둘째 자리까지 나타낸 값의 차를 구해 보세요.

3	2	0	8	6

( )

10 한 장의 길이가 23.5 cm인 색 테이프를 3.2 cm씩 겹치게 한 줄로 길게 이어 붙였더니 색 테이프의 전체 길이가 348.3 cm가 되었습니다. 이어 붙인 색 테이프는 모두 몇 장인지 구해 보세요.

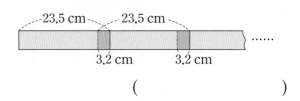

( )

★최상위
11 ㉮ 수도에서는 4분 45초 동안 133 L의 물이 나오고, ㉯ 수도에서는 3분 9초 동안 50.4 L의 물이 나옵니다. ㉮ 수도와 ㉯ 수도에서 각각 1분 동안 나오는 물의 양이 일정할 때 두 수도를 동시에 틀어서 140.8 L의 물을 받으려면 적어도 몇 분 몇 초가 걸리는지 구해 보세요.

( )

★최상위
12 길이가 80 m인 기차가 한 시간에 129.6 km씩 달리고 있습니다. 이 기차가 같은 빠르기로 길이가 0.66 km인 터널을 완전히 통과하는 데 걸리는 시간은 몇 분인지 반올림하여 소수 첫째 자리까지 나타내어 보세요.

( )

선견지명

先 見 之 明

먼저 **선**　볼 **견**　갈 **지**　밝을 **명**

바로 뜻 앞을 내다보는 안목이라는 뜻.
깊은 뜻 어떤 일이 일어나기 전에 미리 앞을 내다보는 지혜를 이르는 말이에요.

율곡은 **임진왜란**을 예상하고 10만 명의 군사를 기르자고 주장하였지만 **선조**가 받아들이지 않자 벼슬을 버리고 고향으로 내려가 **임진강**에 있는 화석정에서 제자들을 가르쳤어요.

율곡은 **창고** 건물에 오랜 시간 동안 기름칠을 하며 전쟁을 **대비**했어요.

머지않아 임진왜란이 일어나자 선조는 **의주**로 피난을 가게 되었고, 비가 많이 쏟아지는 밤에 임진강을 건너게 되었어요. 그러나 사방이 어둡고 비가 쏟아져서 불을 켤 수가 없었어요.

이 모습을 본 **율곡**은 **제자**들에게 소리쳤어요.

"기름칠을 한 창고에 불을 질러 **사방**을 환히 비추어라!"

선조는 율곡의 　□□□□　으로 무사히 임진강을 건너 전쟁을 치룰 수 있었답니다.

잠깐! Quiz

Q □□□□에 들어갈 말은?

A 위의 글을 읽고 파란색 글자들을 아래에서 모두 찾아 /표로 지웁니다.

	창	고		임
율		선		진
곡	의	주	견	대	강
선	조		지	비	
	사	방	명		제
	임	진	왜	란	자

3

공간과 입체

개념 넓히기

1 쌓은 모양과 위에서 본 모양 알아보기

예 쌓기나무로 쌓은 모양과 위에서 본 모양을 보고 쌓기나무의 개수 구하기

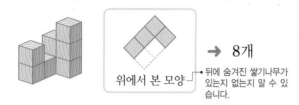

위에서 본 모양 → 8개

└ 뒤에 숨겨진 쌓기나무가 있는지 없는지 알 수 있습니다.

2 쌓은 모양을 위, 앞, 옆에서 본 모양 그리기

예 쌓기나무로 쌓은 모양과 위에서 본 모양을 보고 앞과 옆에서 본 모양 각각 그리기

앞과 옆에서 본 모양은 각 방향에서 각 줄의 가장 높은 층의 모양과 같게 그립니다.

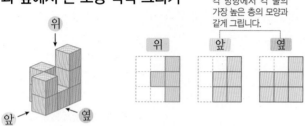

3 위에서 본 모양에 수를 써서 나타내기

예 쌓기나무로 쌓은 모양을 보고 위에서 본 모양에 수를 써서 똑같은 모양으로 쌓는 데 필요한 쌓기나무의 개수 구하기

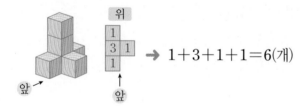

$1+3+1+1=6$(개)

응용 4 주어진 층에 쌓인 쌓기나무의 개수 구하기

예 쌓기나무로 쌓은 모양을 위에서 본 모양에 수를 쓴 것을 보고 2층에 쌓인 쌓기나무의 개수 구하기

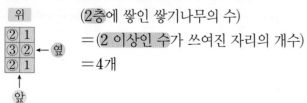

(2층에 쌓인 쌓기나무의 수)
= (2 이상인 수가 쓰여진 자리의 개수)
= 4개

5 층별로 나타낸 모양 알아보기

예 층별로 나타낸 모양을 보고 똑같은 모양으로 쌓는 데 필요한 쌓기나무의 개수 구하기

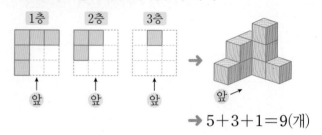

→ $5+3+1=9$(개)

응용 6 쌓기나무의 개수가 최대 또는 최소인 경우 (1)

예 쌓기나무를 면끼리 맞닿게 쌓은 모양에서 쌓기나무가 가장 많이 사용된 경우의 쌓기나무의 개수 구하기

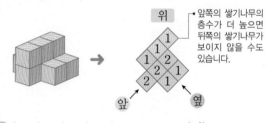

앞쪽의 쌓기나무의 층수가 더 높으면 뒤쪽의 쌓기나무가 보이지 않을 수도 있습니다.

→ $\underline{1+1}+2+1+1+2+1+2=11$(개)

└ 뒤에 숨겨진 쌓기나무의 수

응용 7 가장 작은 정육면체 모양 만들기

예 쌓기나무로 쌓은 모양에 쌓기나무를 더 쌓아서 가장 작은 정육면체 모양을 만들 때 더 필요한 쌓기나무의 개수 구하기

위에서 본 모양

① (사용한 쌓기나무의 수)
　= $3+1+1+2+1=8$(개)
② (가장 작은 정육면체 모양에 필요한 쌓기나무의 수)
　= $3×3×3=27$(개)
③ (더 필요한 쌓기나무의 수)
　= $27-8=19$(개)

응용 8 쌓은 모양의 겉넓이 구하기

◉ 한 모서리의 길이가 1 cm인 쌓기나무 11개로 쌓은 모양의 겉넓이 구하기

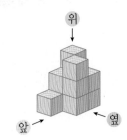

① 위, 앞, 옆에서 본 모양 알아보기

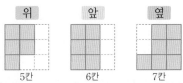

② (모든 겉면의 수)=$(5+6+7)×2$
  　　　　　　　=$18×2=36$(개)

③ (쌓기나무 한 개의 한 면의 넓이)=$1\ cm^2$
  ➡ (쌓은 모양의 겉넓이)=$36\ cm^2$

응용 9 쌓기나무의 개수가 최대 또는 최소인 경우 (2)

◉ 위, 앞, 옆에서 본 모양을 보고 쌓은 쌓기나무가 가장 많은 경우와 가장 적은 경우의 쌓기나무의 개수 각각 구하기

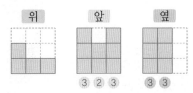

오른쪽과 같이 위에서 본 모양의 각 자리에 확실하게 알 수 있는 쌓기나무의 수를 씁니다.

가장 많은 경우	가장 적은 경우
위 3 3 2 3 ⊙=3일 때	위 3 1 2 3 ⊙=1일 때
$3+3+2+3=11$(개)	$3+1+2+3=9$(개)

1 쌓기나무로 쌓은 모양을 보고 위에서 본 모양에 수를 썼습니다. 관계있는 것끼리 이어 보세요.

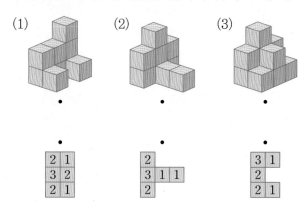

2 쌓기나무로 쌓은 모양과 위에서 본 모양입니다. 앞과 옆에서 본 모양을 각각 그려 보세요.

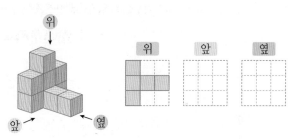

3 쌓기나무로 쌓은 모양을 층별로 나타낸 모양입니다. 물음에 답하세요.

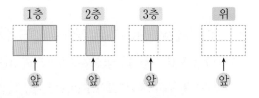

(1) 위에서 본 모양을 그리고, 각 자리에 쌓은 쌓기나무의 수를 써 보세요.

(2) 똑같은 모양으로 쌓는 데 필요한 쌓기나무는 몇 개인지 구해 보세요.

　　　　　(　　　　　　　　)

여러 방향에서 본 모양 알아보기

01 연정이는 오른쪽과 같은 장식품을 여러 방향에서 관찰하였습니다. **가능하지 않은 경우**를 찾아 기호를 써 보세요.

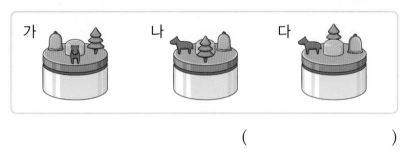

(   )

쌓기나무를 더 쌓아 올린 모양 알아보기

02 쌓기나무로 쌓은 모양과 위에서 본 모양입니다. 쌓기나무를 ㉠에 2개, ㉡에 1개를 더 쌓아 올렸을 때 **옆에서 본 모양**을 그려 보세요.

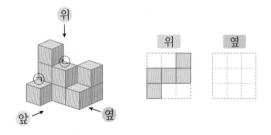

쌓은 모양과 위에서 본 모양을 보고 쌓기나무의 개수 구하기

03 가와 나는 각각 쌓기나무로 쌓은 모양과 위에서 본 모양입니다. **두 모양과 똑같이 쌓는 데 필요한 쌓기나무의 수의 합은 몇 개**인지 풀이 과정을 쓰고, 답을 구해 보세요.

📝 서술형

가

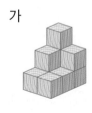

위에서 본 모양

나

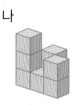

위에서 본 모양

풀이

_____

_____

_____

답 _____

레벨UP공략 **01**

◆ 쌓기나무로 쌓은 모양과 위에서 본 모양으로 알 수 있는 것은? →뒤에 숨겨진 쌓기나무

위에서 본 모양

위에서 본 모양을 알면 뒤에 숨겨진 쌓기나무가 있는지 없는지 알 수 있습니다.

쌓기나무의 개수가 주어졌을 때 위, 앞, 옆에서 본 모양 그리기

04 쌓기나무 11개로 쌓은 모양입니다. **위, 앞, 옆에서 본 모양**을 각각 그려 보세요.

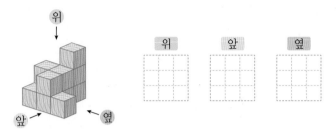

◀ 레벨UP공략 **02**

◆ 쌓기나무 ▓개로 쌓은 모양을 보고 위에 서 본 모양을 그리려면?
1층에 쌓인 쌓기나무의 수를 알면 위에서 본 모양을 그릴 수 있습니다.

(1층에 쌓인 쌓기나무의 수)
= ▓ −(2층 이상에 쌓인 쌓기나무의 수)

위에서 본 모양에 수를 쓴 것을 보고 앞과 옆에서 본 모양 알아보기

05 유진, 시윤, 혜미가 각각 쌓기나무로 쌓은 모양을 보고 위에 서 본 모양에 수를 쓴 것입니다. 쌓은 모양을 **앞과 옆에서 본 모양이 같은 사람의 이름**을 써 보세요.

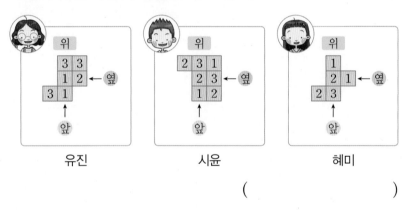

유진   시윤   혜미

(   )

위, 앞, 옆에서 본 모양을 보고 사용한 쌓기나무의 개수 구하기

06 쌓기나무로 쌓은 모양을 위, 앞, 옆에서 본 모양입니다. 쌓기 나무 15개 중에서 몇 개를 사용하여 똑같은 모양으로 쌓았습 니다. **남은 쌓기나무는 몇 개**인지 구해 보세요.

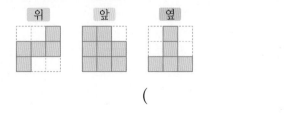

(   )

쌓기나무를 빼내고 남는 모양 알아보기

07 쌓기나무로 쌓은 모양과 1층 모양입니다. 쌓은 모양에서 **빨간색 쌓기나무 3개를 빼내었을 때 2층과 3층 모양**을 각각 그려 보세요.

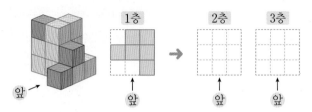

주어진 층에 쌓인 쌓기나무의 개수 구하기

08 오른쪽은 쌓기나무로 쌓은 모양을 보고 위에서 본 모양에 수를 쓴 것입니다. **2층과 3층에 쌓인 쌓기나무는 모두 몇 개**인지 풀이 과정을 쓰고, 답을 구해 보세요.

✎ 서술형

위

	2	4	3
	2	3	
1	1	2	
		1	

풀이

답

◆ 레벨UP공략 **03**

◆ 위에서 본 모양을 보고 주어진 층에 쌓인 쌓기나무의 개수를 구하려면?

| ●층에 쌓인 쌓기나무의 개수 | = | ● 이상인 수가 쓰여진 자리의 개수 |

쌓기나무를 빼내어도 모양이 변하지 않는 경우 알아보기

09 쌓기나무로 쌓은 모양과 위에서 본 모양입니다. 앞과 옆에서 본 모양이 모두 변하지 않도록 쌓기나무를 가능한 많이 빼내려고 합니다. **쌓기나무를 몇 개까지 빼낼 수 있는지** 구해 보세요.

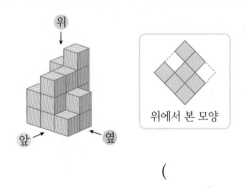

위에서 본 모양

( )

쌓은 모양을 보고 쌓기나무의 개수가 최대 또는 최소인 경우 구하기

10 오른쪽 쌓기나무로 쌓은 모양에서 뒤쪽에 쌓인 쌓기나무는 보이지 않을 수 있습니다. **쌓기나무가 가장 많이 사용된 경우의 쌓기나무는 몇 개인지** 구해 보세요. (단, 쌓기나무는 면끼리 맞닿게 쌓습니다.)

( )

여러 가지 모양 만들기 크기가 같은 작은 정육면체로 이루어진 ● 7개의 조각으로 모양을 만드는 퍼즐

💡 창의융합

1층

11 오른쪽은 | **보기** |에 있는 7개의 소마 큐브 조각 중 3개를 이용하여 만든 모양과 1층 모양입니다. ㉠, ㉢, ▢ 조각을 이용하여 만들었을 때 ▢ **안에 들어갈 수 없는 조각**을 찾아 기호를 써 보세요.

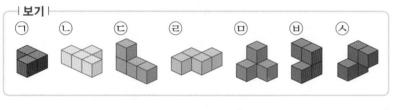
| 보기 |
㉠ ㉡ ㉢ ㉣ ㉤ ㉥ ㉦

( )

쌓기나무로 가장 작은 정육면체 모양 만들기

12 쌓기나무로 쌓은 모양과 위에서 본 모양입니다. 이 모양에 쌓기나무를 더 쌓아서 만들 수 있는 가장 작은 정육면체 모양을 만들 때 **더 필요한 쌓기나무는 몇 개**인지 구해 보세요.

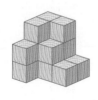 

위에서 본 모양

( )

◀ 레벨UP공략 **04**

◆ 쌓은 모양을 보고 쌓기나무의 개수가 가장 많은 경우와 가장 적은 경우를 알아보려면?
앞쪽의 쌓기나무의 층수가 뒤쪽의 쌓기나무의 층수보다 더 높을 때에는 뒤쪽의 쌓기나무가 보이지 않을 수 있습니다.

위에서 본 모양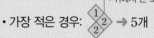

• 가장 적은 경우: ➡ 5개

• 가장 많은 경우: ➡ 6개

◀ 레벨UP공략 **05**

◆ 쌓기나무로 가장 작은 정육면체 모양을 만들려면?

가장 작은 정육면체 모양의
한 모서리의 길이
‖
쌓은 모양의 가로, 세로, 높이 중
가장 많이 쌓인 쌓기나무의 개수

3
단원

색칠된 쌓기나무의 개수 구하기

13 오른쪽과 같이 정육면체 모양으로 쌓은 쌓기나무의 모든 겉면에 페인트를 칠했습니다. **두 면이 색칠된 쌓기나무는 모두 몇 개**인가요? (단, 바닥에 닿는 면도 색칠합니다.)

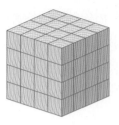

(   )

레벨UP공략 **06**

◆ 정육면체 모양으로 쌓은 쌓기나무의 모든 겉면에 색을 칠할 때

색칠된 면의 수가
· 한 면인 경우: 꼭짓점과 모서리를 모두 포함하지 않는 쌓기나무
· 두 면인 경우: 모서리를 포함하고 꼭짓점은 포함하지 않는 쌓기나무
· 세 면인 경우: 꼭짓점을 포함하는 쌓기나무

연결큐브로 여러 가지 모양 만들기

14 오른쪽은 연결큐브 4개로 만든 모양입니다. 이 모양에 **연결큐브 1개를 더 붙여서 만들 수 있는 모양은 모두 몇 가지**인가요? (단, 뒤집거나 돌렸을 때 같은 모양은 한 가지로 생각합니다.)

(   )

쌓은 모양의 겉넓이 구하기

💡 창의융합

15 석빙고는 조선 시대에 얼음이 녹지 않도록 보관하기 위하여 만든 창고입니다. 한 모서리의 길이가 10 cm인 정육면체 모양 얼음 17개를 다음과 같이 쌓아 석빙고에 보관하려고 합니다. **쌓은 얼음의 겉넓이는 몇 cm^2**인지 구해 보세요. (단, 바닥에 닿는 면도 포함합니다.)

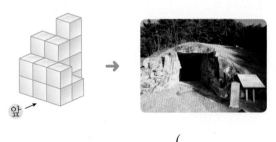

앞 →

(   )

레벨UP공략 **07**

◆ 쌓기나무로 쌓은 모양의 겉넓이를 구하려면?
위, 앞, 옆에서 보았을 때 보이지 않는 겉면이 없는 경우

모든 겉면의 수
(위, 앞, 옆에서 본 면의 수의 합)×2
↓
쌓은 모양의 겉넓이
(쌓기나무 한 면의 넓이)×(모든 겉면의 수)

조건을 만족하는 모양 만들기 **new 신유형**

16 쌓기나무로 주어진 세 조건을 만족하는 모양을 만들려고 합니다. **만들 수 있는 모양은 모두 몇 가지**인가요?

> • 쌓기나무 8개로 쌓은 모양입니다.
> • 4층짜리 모양입니다.
> • 위에서 본 모양은 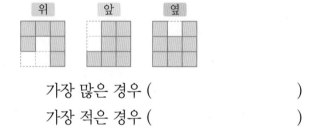입니다.

(   )

위, 앞, 옆에서 본 모양을 보고 쌓기나무의 개수가 최대 또는 최소인 경우 구하기

17 쌓기나무로 쌓은 모양을 위, 앞, 옆에서 본 모양입니다. 쌓은 쌓기나무가 **가장 많은 경우와 가장 적은 경우의 쌓기나무는 각각 몇 개**인지 구해 보세요.

위   앞   옆

가장 많은 경우 (   )
가장 적은 경우 (   )

◀레벨UP공략 **03**

◆ 위, 앞, 옆에서 본 모양을 보고 쌓기나무의 개수가 가장 많은 경우와 가장 적은 경우를 알아보려면?

> 위에서 본 모양의 각 자리에 확실하게 알 수 있는 쌓기나무의 수 쓰기
>
> ↓
>
> 나머지 자리에 쌓은 쌓기나무가 가장 많은 경우와 가장 적은 경우 쌓기나무의 수 각각 구하기

3 단원

규칙에 따라 쌓은 쌓기나무의 개수 구하기

18 규칙에 따라 쌓기나무로 쌓은 모양을 보고 위에서 본 모양에 수를 쓴 것입니다. **12째에 올 모양의 쌓기나무는 몇 개**인지 구해 보세요.

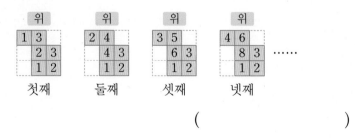

첫째   둘째   셋째   넷째

(   )

01 쌓기나무로 쌓은 모양과 위에서 본 모양입니다. 쌓기나무 20개 중에서 몇 개를 사용하여 똑같은 모양으로 쌓았습니다. **남은 쌓기나무는 몇 개**인지 구해 보세요.

≪050쪽 03번 레벨UP공략

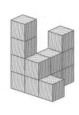

위에서 본 모양

(   )

02 쌓기나무 14개로 쌓은 모양과 위에서 본 모양입니다. **㉠에 쌓인 쌓기나무는 몇 개**인지 구해 보세요.

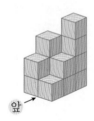
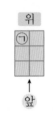

위

앞

앞

(   )

03 위, 앞, 옆에서 본 모양이 다음과 같도록 쌓기나무를 쌓으려고 합니다. **쌓기나무 40개로 이와 같은 모양을 모두 몇 개 만들 수 있는지** 구해 보세요.

| 해결 순서 |
❶ 모양 한 개를 만드는 데 필요한 쌓기나무의 수 구하기
❷ 만들 수 있는 모양의 수 구하기

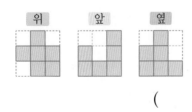

위   앞   옆

(   )

new 신유형

04 쌓기나무 2개를 붙여서 만든 왼쪽 모양을 여러 개 이용하여 오른쪽과 같은 모양을 만들었습니다. **오른쪽 모양은 왼쪽 모양 몇 개로 만든 것**인지 구해 보세요.

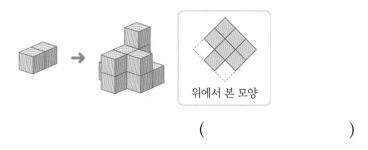

위에서 본 모양

( )

서술형

05 왼쪽 정육면체 모양에서 쌓기나무 몇 개를 빼내었더니 오른쪽과 같은 모양이 되었습니다. **빼낸 쌓기나무는 몇 개**인지 풀이 과정을 쓰고, 답을 구해 보세요.

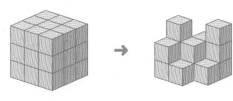 

위에서 본 모양

풀이

_____

_____

_____

답 _____

06 오른쪽 쌓기나무로 쌓은 모양에 쌓기나무 몇 개를 더 쌓은 후 위, 앞, 옆에서 본 모양을 각각 그린 것입니다. **더 쌓은 쌓기나무는 몇 개**인가요?

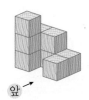

앞 →

위에서 본 모양

| 해결 순서 |
❶ 처음 모양의 쌓기나무의 수 구하기
❷ 새로 만든 모양의 쌓기나무의 수 구하기
❸ 더 쌓은 쌓기나무의 수 구하기

위　　앞　　옆

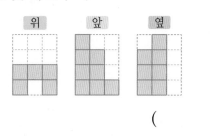

( )

🖉 서술형

07 준서와 민아는 각각 쌓기나무로 모양을 만들었습니다. 준서는 쌓은 모양을 위에서 본 모양에 수를 썼고, 민아는 쌓은 모양을 층별로 나타내었습니다. **2층 이상에 쌓인 쌓기나무는 누가 몇 개 더 많은지** 풀이 과정을 쓰고, 답을 구해 보세요.

《052쪽 08번 레벨UP공략

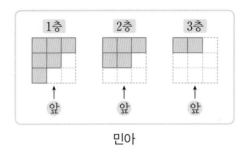

준서   민아

풀이

_____

_____

_____

답 _____ , _____

💡 창의융합

08 익산 미륵사지 석탑은 우리나라에서 가장 오래되고 규모가 큰 탑입니다. 민국이는 이 탑을 보고 한 모서리의 길이가 1 cm인 쌓기나무 31개로 다음과 같이 앞, 뒤가 똑같은 탑 모양을 쌓았습니다. 쌓기나무로 **쌓은 모양의 겉넓이는 몇 cm²인지** 구해 보세요. (단, 바닥에 닿는 면도 포함합니다.)

잠깐!

익산 미륵사지 석탑이 복원되기 전의 모습을 알아볼까요?

익산 미륵사지 석탑은 서쪽면이 무너져 내려 6층까지만 남아 있는 상태였습니다. 지난 20년간의 복원 작업 끝에 현재는 원래의 모습으로 재탄생하였습니다.

 →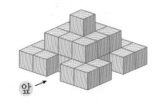

(   )

09 쌓기나무로 쌓은 모양에서 뒤쪽에 쌓인 쌓기나무는 보이지 않을 수 있습니다. **쌓기나무가 가장 많이 사용된 경우의 위, 앞, 옆에서 본 모양**을 각각 그려 보세요. (단, 쌓기나무는 면끼리 맞닿게 쌓습니다.)

«053쪽 10번 레벨UP공략

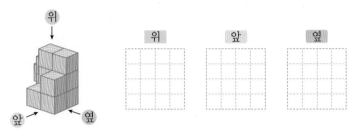

10 오른쪽은 쌓기나무 12개로 만든 모양입니다. 이 모양을 똑같은 모양으로 나눈다면 **나눌 수 있는 모양은 모두 몇 가지**인지 구해 보세요. (단, 뒤집거나 돌렸을 때 같은 모양은 한 가지로 생각합니다.)

(   )

11 위, 앞, 옆에서 본 모양이 다음과 같이 되도록 쌓기나무를 가장 많이 사용하여 쌓았습니다. 쌓은 모양을 **앞에서 보았을 때 보이지 않는 쌓기나무는 몇 개**인지 구해 보세요.

| 해결 순서 |
❶ 쌓기나무를 가장 많이 사용한 경우 알아보기
❷ 보이지 않는 쌓기나무의 수 구하기

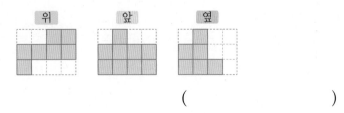

(   )

12 오른쪽은 쌓기나무로 쌓은 모양을 보고 위에서 본 모양에 수를 쓴 것입니다. 쌓은 모양의 모든 겉면에 물감을 칠했을 때 **세 면이 색칠된 쌓기나무는 모두 몇 개**인지 구해 보세요. (단, 바닥에 닿는 면도 색칠합니다.)

위

3		
3	2	2
2		1

(   )

♡ 창의융합

13 3D 프린터는 3차원의 입체적인 공간에 인쇄하는 장치입니다. 3D 프린터로 인쇄한 여러 개의 쌓기나무로 쌓은 모양을 위, 앞, 옆에서 본 모양입니다. 쌓기나무가 **가장 많은 경우와 가장 적은 경우의 쌓기나무의 수의 차는 몇 개**인지 구해 보세요.

《055쪽 17번 레벨UP공략

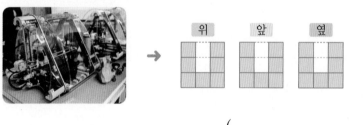

(   )

14 쌓기나무 36개를 오른쪽과 같이 쌓아 놓고 모든 겉면에 색칠하였습니다. 색칠한 쌓기나무를 모두 떼어 놓았더니 색칠된 면의 넓이의 합은 264 cm² 이었습니다. **색칠되지 않은 면의 넓이의 합은 몇 cm²**인지 구해 보세요. (단, 바닥에 닿는 면도 색칠합니다.)

(   )

| 해결 순서 |
① 쌓기나무 한 개의 한 면의 넓이 구하기
② 색칠되지 않은 면의 수 구하기
③ 색칠되지 않은 면의 넓이의 합 구하기

1 왼쪽은 쌓기나무로 쌓은 모양과 위에서 본 모양입니다. 쌓기나무 몇 개를 빼내어서 위에서 본 모양은 처음과 같고, 앞에서 본 모양은 오른쪽과 같게 만들려고 합니다. **쌓기나무를 몇 개 빼내야 하는지** 구해 보세요.

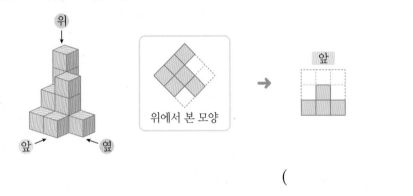

( )

♀ 창의융합

2 네덜란드의 로테르담에 있는 큐브 하우스는 육각기둥 위에 정육면체가 기울어지게 놓여 있는 독특한 건축물입니다. 지수는 큐브 하우스를 보고 정육면체 모양의 나무 블록으로 집을 만들려고 합니다. 만들려는 집의 위, 앞, 옆에서 본 모양이 다음과 같을 때 **만들 수 있는 서로 다른 모양은 모두 몇 가지**인지 구해 보세요.

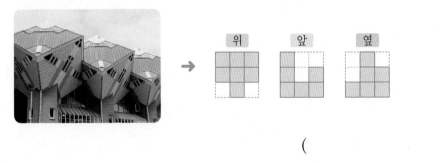

( )

3 다음과 같은 규칙으로 쌓기나무를 8층까지 쌓았습니다. 위, 앞, 옆의 세 방향에서 보았을 때 **어느 방향에서도 보이지 않는 쌓기나무는 모두 몇 개**인지 구해 보세요. (단, 뒤에 숨겨진 쌓기나무는 없습니다.)

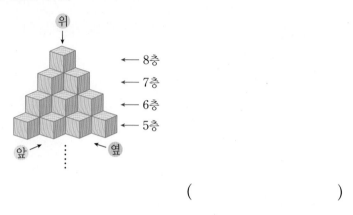

(   )

4 쌓기나무로 쌓은 모양을 위, 앞, 옆에서 본 모양입니다. 이 모양에 쌓기나무 몇 개를 더 쌓아 만들 수 있는 가장 작은 정육면체를 만들었습니다. **더 쌓은 쌓기나무가 가장 적은 경우 더 쌓은 쌓기나무는 몇 개**인지 구해 보세요.

더 쌓은 쌓기나무가 가장 적은 경우는 처음에 쌓은 모양의 쌓기나무의 수가 가장 많은 경우입니다.

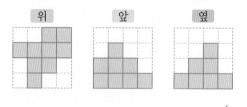

(   )

5 쌓기나무로 쌓은 모양의 모든 겉면에 페인트를 칠했습니다. 오른쪽은 쌓기나무로 쌓은 모양을 위에서 본 모양에 수를 쓴 것입니다. 쌓기나무의 한 모서리의 길이가 3 cm일 때 **페인트를 칠한 면의 넓이는 모두 몇 cm²인지** 구해 보세요. (단, 바닥에 닿는 면도 색칠합니다.)

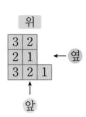

(   )

1% 도전

6 지민이는 쌓기나무 27개로 정육면체 모양을 만들었고, 효주는 쌓기나무 64개로 정육면체 모양을 만들었습니다. 각 모양에서 초록색 부분은 마주 보는 면까지 한 줄이 모두 초록색 쌓기나무로 쌓여져 있습니다. 지민이와 효주 중에서 **사용한 초록색 쌓기나무는 누가 몇 개 더 많은지** 구해 보세요.

지민

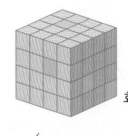
효주

(,   )

01 쌓기나무로 쌓은 모양과 위에서 본 모양입니다. 쌓기나무 60개로 다음과 같은 모양을 모두 몇 개 만들 수 있는지 구해 보세요.

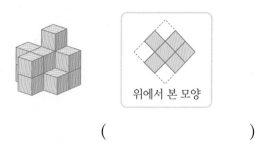

위에서 본 모양

( )

02 쌓기나무 10개로 쌓은 모양입니다. 빨간색 쌓기나무 위에 쌓기나무를 1개씩 더 쌓았을 때 앞과 옆에서 본 모양을 각각 그려 보세요.

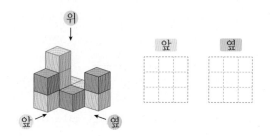

앞   옆

03 쌓기나무로 쌓은 모양을 위, 앞, 옆에서 본 모양입니다. 쌓기나무 13개 중에서 몇 개를 사용하여 똑같은 모양으로 쌓았습니다. 남은 쌓기나무는 몇 개인지 구해 보세요.

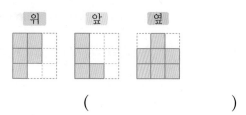

위   앞   옆

( )

04 왼쪽 정육면체 모양에서 쌓기나무 몇 개를 빼내었더니 오른쪽과 같은 모양이 되었습니다. 빼낸 쌓기나무는 몇 개인지 구해 보세요.

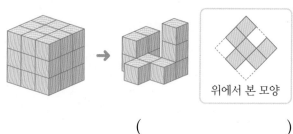

위에서 본 모양

( )

05 오른쪽은 쌓기나무로 쌓은 모양을 보고 위에서 본 모양에 수를 쓴 것입니다. 2층과 3층에 쌓인 쌓기나무는 모두 몇 개인가요?

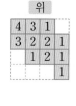

( )

06 한 모서리의 길이가 1 cm인 쌓기나무를 쌓아서 한 모서리의 길이가 5 cm인 정육면체를 만들었습니다. 만든 정육면체 모양의 모든 겉면에 물감을 칠했을 때 한 면도 색칠되지 않은 쌓기나무는 모두 몇 개인지 구해 보세요. (단, 바닥에 닿는 면도 색칠합니다.)

( )

07 쌓기나무로 쌓은 모양과 위에서 본 모양입니다. 이 모양에 쌓기나무를 더 쌓아서 만들 수 있는 가장 작은 정육면체 모양을 만들 때 더 필요한 쌓기나무는 몇 개인지 구해 보세요.

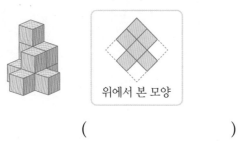

위에서 본 모양

( )

08 오른쪽은 한 모서리의 길이가 2 cm인 쌓기나무 11개로 쌓은 것입니다. 쌓기나무로 쌓은 모양의 겉넓이는 몇 cm²인지 구해 보세요. (단, 바닥에 닿는 면도 포함합니다.)

( )

09 쌓기나무로 쌓은 모양에서 뒤쪽에 쌓인 쌓기나무는 보이지 않을 수 있습니다. 쌓기나무가 가장 많이 사용된 경우의 위와 옆에서 본 모양을 각각 그려 보세요. (단, 쌓기나무는 면끼리 맞닿게 쌓습니다.)

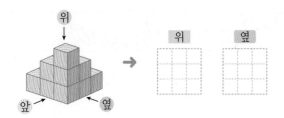

10 쌓기나무로 쌓은 모양을 위, 앞, 옆에서 본 모양입니다. 쌓은 쌓기나무가 가장 많은 경우와 가장 적은 경우의 쌓기나무는 각각 몇 개인지 구해 보세요.

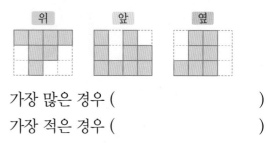

가장 많은 경우 ( )
가장 적은 경우 ( )

★최상위
11 오른쪽은 쌓기나무로 쌓은 모양을 보고 위에서 본 모양에 수를 쓴 것입니다. 쌓은 모양의 모든 겉면에 페인트를 칠했을 때 세 면이 색칠된 쌓기나무는 모두 몇 개인지 구해 보세요.
(단, 바닥에 닿는 면도 색칠합니다.)

( )

★최상위
12 오른쪽에 나타낸 것과 같은 모양으로 쌓기나무를 쌓은 후 모든 겉면에 페인트를 칠했습니다. 쌓기나무의 한 모서리의 길이가 3 cm일 때 페인트를 칠한 면의 넓이는 모두 몇 cm²인지 구해 보세요. (단, 바닥에 닿는 면도 색칠합니다.)

( )

환골탈태

換 骨 奪 胎

바꿀 **환**　　뼈 **골**　　빼앗을 **탈**　　아이 밸 **태**

바로 뜻 뼈대를 바꾸고 태를 벗는다는 뜻.
깊은 뜻 몰라볼 정도로 아름답게 변하거나 완전히 새로워진다는 말이에요.

오늘은 재활용품 분리배출 하는 날!

현민이는 아빠를 도와 분리배출을 하러 갔어요.

아빠는 버려진 의자를 보고 좋은 생각이 떠 올랐어요.

"현민아, 우리 이 의자를 집으로 가지고 가서 멋지게 꾸며 보자!"

아빠께서 집으로 가지고 온 의자에 예쁘게 그림을 그리고 천을 씌우자 멋진 화분 받침대로

바뀌었어요.

"아빠 손을 거치면 재활용품도 쓸모 있는 물건으로 ☐☐☐☐가 되네요!

우리 아빠, 최고!"

잠깐! Quiz

Q ☐☐☐☐에 들어갈 말은?

A 왼쪽 한자와 오른쪽 음을 알맞은 것 끼리 선으로 이어 봅니다.

換　·　　　·　골

骨　·　　　·　태

奪　·　　　·　탈

胎　·　　　·　환

4

비례식과 비례배분

개념 넓히기

1 비의 성질

(1) 전항과 후항

① 전항: 기호 ' : ' 앞에 있는 항

② 후항: 기호 ' : ' 뒤에 있는 항

$$2 : 5$$
전항 후항

(2) 비의 성질

① 비의 전항과 후항에 0이 아닌 같은 수를 곱하여도 비율은 같습니다.

② 비의 전항과 후항을 0이 아닌 같은 수로 나누어도 비율은 같습니다.

예
$$\overset{\times 2}{\overbrace{5 : 6 = 10 : 12}_{\times 2}} \qquad \overset{\div 3}{\overbrace{27 : 12 = 9 : 4}_{\div 3}}$$

선행 개념 [중1] 등식의 성질

- 등식: 등호(＝)를 사용하여 수나 식이 서로 같음을 나타낸 식
  예 $1+3=4$, $2x+1=3$ ← $2 \times x$에서 '×' 기호를 생략하여 나타냅니다.
- 등식의 성질: $a=b$일 때
  ① $a+c=b+c$ ② $a-c=b-c$
  ③ $a \times c = b \times c$ ④ $a \div c = b \div c$ (단, c는 0이 아닌 수)

2 간단한 자연수의 비로 나타내기

(자연수) : (자연수)	비의 전항과 후항을 각각 두 수의 공약수로 나눕니다.
(분수) : (분수)	비의 전항과 후항에 각각 두 분모의 공배수를 곱합니다.
(소수) : (소수)	비의 전항과 후항에 각각 10, 100, 1000……을 곱합니다.

[응용] 3 일의 양을 비로 나타내기

예 똑같은 일을 하는 데 현우는 6시간, 민주는 5시간이 걸릴 때 두 사람이 각각 한 시간 동안 하는 일의 양의 비를 가장 간단한 자연수의 비로 나타내기

① 전체 일의 양을 1이라 할 때 한 시간 동안 하는 일의 양 각각 구하기

→ 현우: $\dfrac{1}{6}$, 민주: $\dfrac{1}{5}$

② $\dfrac{1}{6} : \dfrac{1}{5} = \left(\dfrac{1}{6} \times 30\right) : \left(\dfrac{1}{5} \times 30\right) = 5 : 6$

4 비례식과 비례식의 성질

(1) 비례식: 비율이 같은 두 비를 기호 '＝'를 사용하여 $4 : 3 = 8 : 6$과 같이 나타낸 식

① 외항: 바깥쪽에 있는 두 항 → 4와 6

② 내항: 안쪽에 있는 두 항 → 3과 8

(2) 비례식의 성질

> 비례식에서 외항의 곱과 내항의 곱은 같습니다.

예
$$\overset{\text{외항}}{\overbrace{4 : \underset{\underset{\text{내항}}{\smile}}{3 = 8} : 6}}$$

→
외항의 곱: $4 \times 6 = 24$
내항의 곱: $3 \times 8 = 24$
} 같습니다.

[응용] 5 겹쳐진 두 도형에서 넓이의 비 구하기

예 두 원 ㉮와 ㉯에서 겹쳐진 부분의 넓이는 ㉮의 $\dfrac{3}{8}$, ㉯의 $\dfrac{1}{6}$이고 ㉮의 넓이가 $48\,\text{cm}^2$일 때 ㉯의 넓이 구하기

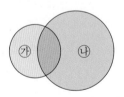

① 곱셈식을 비례식으로 나타내기

㉮ $\times \dfrac{3}{8} = $ ㉯ $\times \dfrac{1}{6}$ → 비례식의 성질을 거꾸로 이용합니다.

→ ㉮ : ㉯ $= \dfrac{1}{6} : \dfrac{3}{8}$

② 위 ①의 비례식을 가장 간단한 자연수의 비로 나타내기

→ $\dfrac{1}{6} : \dfrac{3}{8} = \left(\dfrac{1}{6} \times 24\right) : \left(\dfrac{3}{8} \times 24\right) = 4 : 9$

③ ㉯의 넓이를 $\square\,\text{cm}^2$라 하여 비례식을 세우고 $\square$의 값 구하기

→ $4 : 9 = 48 : \square$, $4 \times \square = 9 \times 48$,
$4 \times \square = 432$, $\square = 108$

응용 6 톱니바퀴의 회전수 구하기

㉠ 맞물려 돌아가는 두 톱니바퀴 ㉮와 ㉯에서 ㉮의 톱니는 48개, ㉯의 톱니는 30개일 때 ㉮가 40번 도는 동안 ㉯는 몇 번 돌게 되는지 구하기

① (㉮의 톱니 수) : (㉯의 톱니 수)
$=48 : 30 = (48 \div 6) : (30 \div 6) = 8 : 5$

② (㉮의 톱니 수)×(㉮의 회전수)
$=$(㉯의 톱니 수)×(㉯의 회전수)

> ㉮와 ㉯가 맞물려 돌아가므로 맞물린 톱니 수는 같습니다.

➡ (㉮의 회전수) : (㉯의 회전수)
$=$(㉯의 톱니 수) : (㉮의 톱니 수)$=5 : 8$

③ ㉯의 회전수를 □번이라 하여 비례식을 세우고 □의 값 구하기
➡ $5 : 8 = 40 : □$, $5 × □ = 8 × 40$,
$5 × □ = 320$, $□ = 64$

7 비례배분

비례배분: 전체를 주어진 비로 배분하는 것

㉠ 12를 $1 : 3$으로 나누기

$$12 × \frac{1}{1+3} = 12 × \frac{1}{4} = 3$$
$$12 × \frac{3}{1+3} = 12 × \frac{3}{4} = 9$$

응용 8 이익금 구하기

㉠ 갑이 360만 원, 을이 210만 원을 투자하여 얻은 이익금을 투자한 금액의 비로 나누었을 때 갑의 이익금이 180만 원이라면 전체 이익금은 얼마인지 구하기

① 갑 : 을$=360만 : 210만$
$=(360만 \div 30만) : (210만 \div 30만)$
$=12 : 7$

② 전체 이익금을 □만 원이라 할 때 비례배분하여 □의 값 구하기

$□ × \frac{12}{12+7} = 180$, $□ × \frac{12}{19} = 180$,

$□ = 285$ ➡ (전체 이익금)$=285$만 원

---

1 비례식을 보고 □ 안에 알맞은 수를 써넣으세요.

$$3 : 7 = 12 : 28$$

(1) 전항은 □, □ 입니다.

(2) 내항은 □, □ 입니다.

2 간단한 자연수의 비로 나타내어 보세요.

(1) $1.6 : 2.4$

(2) $\frac{5}{6} : 0.8$

3 비례식의 성질을 이용하여 □ 안에 알맞은 수를 구해 보세요.

$$\frac{1}{4} : \frac{1}{5} = 10 : □$$

( )

4 초콜릿 32개를 연서와 지훈이가 $5 : 3$으로 나누어 먹었습니다. 두 사람은 초콜릿을 각각 몇 개 먹었는지 구해 보세요.

연서 ( )

지훈 ( )

01 비의 전항 또는 후항 구하기

비율이 0.6인 비가 있습니다. 이 **비의 후항이 25일 때 전항**을 구해 보세요.

(   )

레벨UP공략 **01**

◆ 비의 전항을 ㉠, 후항을 ㉡이라 할 때

• 비 → ㉠ : ㉡

• 비율 → ㉠ ÷ ㉡ = $\dfrac{㉠}{㉡}$

02 간단한 자연수의 비로 나타내기

밑변의 길이와 높이의 비가 4 : 5인 삼각형을 찾아 기호를 써 보세요.

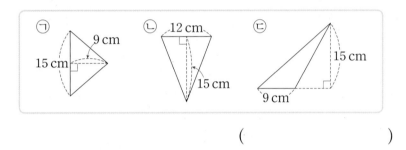

(   )

03 비례배분한 값의 크기 비교하기

🔍 창의융합

측우기는 빗물의 양을 잴 수 있도록 만들어진 도구입니다. 어느 날 측우기로 잰 빗물의 양은 120 mL이고, 이날 오전과 오후에 내린 빗물의 양의 비는 3 : 5였습니다. 오전과 오후 중 **비가 더 많이 내린 때는 언제이고, 이때의 빗물의 양은 몇 mL**인지 구해 보세요.

(,   )

전항과 후항의 합 또는 차를 이용하여 비 구하기

04 전항과 후항의 합이 36이고, 간단한 자연수의 비로 나타내면 7 : 2가 되는 비가 있습니다. 이 비의 **전항과 후항의 차**를 구해 보세요.

(   )

길이의 비를 이용하여 넓이 구하기

서술형

05 오른쪽은 가로와 세로의 비가 4 : 3인 직사각형 모양의 사진입니다. 이 사진의 세로가 18 cm일 때 **넓이는 몇 cm²**인지 풀이 과정을 쓰고, 답을 구해 보세요.

18 cm

풀이

답

백분율을 이용하여 비례식 세우기

06 소연이네 학교 6학년 학생 중 수학 시험에서 마지막 문제를 맞힌 학생은 51명입니다. 이것은 6학년 전체 학생의 34 %일 때 **마지막 문제를 틀린 학생은 몇 명**인지 구해 보세요.

(   )

레벨UP공략 02

◆ 백분율을 이용하여 비례식을 세우려면?
부분이 ■ %일 때 전체는 100 %이므로 다음과 같이 비례식을 세울 수 있습니다.

■ : 100＝(부분의 양) : (전체의 양)

또는

■ : (부분의 양)＝100 : (전체의 양)

간단한 자연수의 비로 나타내어 비례배분하기

07 주영이는 소금과 물을 $\frac{1}{7} : \frac{1}{2}$의 비로 섞어 소금물 720 g을 만들었습니다. 만든 소금물에 들어 있는 **소금과 물의 양은 각각 몇 g**인가요?

소금 소금물

물

소금 (   )

물 (   )

비례식에서 각 항의 값 구하기

08 다음 비례식은 비율이 $\frac{5}{8}$인 두 비로 만든 식입니다. 내항의 곱이 240일 때 **㉠＋㉡＋㉢의 값**을 구해 보세요.

$$㉠ : 24 = ㉡ : ㉢$$

(   )

레벨UP공략 **03**

◆ 외항 또는 내항의 곱을 알 때 비례식에서 각 항의 값을 구하려면?
비례식의 성질을 이용하여 각 항의 값을 구합니다.

| 외항의 곱 | = | 내항의 곱 |

일의 양을 비로 나타내기

서술형

09 똑같은 일을 하는 데 ㉮ 기계로는 8일이 걸리고, ㉯ 기계로는 12일이 걸립니다. 두 기계가 일정한 빠르기로 일을 할 때 **㉮ 기계와 ㉯ 기계로 각각 하루에 하는 일의 양의 비를 가장 간단한 자연수의 비**로 나타내려고 합니다. 풀이 과정을 쓰고, 답을 구해 보세요.

풀이

답

비례배분을 이용하여 전체의 수 구하기

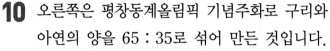

10 오른쪽은 평창동계올림픽 기념주화로 구리와 아연의 양을 $65 : 35$로 섞어 만든 것입니다. 이 기념주화를 만드는 데 구리를 $16\frac{9}{10}$ g 사용했다면 **기념주화의 무게는 몇 g**인지 구해 보세요.

(   )

레벨UP공략 **04**

◈ 비례배분을 이용하여 전체의 수를 구하려면?

전체의 수 □를 ■ : ▲의 비로 비례배분하였을 때

$$\square \times \frac{\blacksquare}{\blacksquare + \blacktriangle} = \heartsuit \rightarrow \square = \heartsuit \div \frac{\blacksquare}{\blacksquare + \blacktriangle}$$

가격이 오르기 전과 오른 후의 가격의 비 구하기

11 어느 가게에서 토끼 인형의 가격을 $15\,\%$ 올려서 9200원에 판매하고 있습니다. 토끼 인형의 **가격이 오르기 전과 오른 후의 가격의 비를 가장 간단한 자연수의 비**로 나타내어 보세요.

(   )

레벨UP공략 **05**

◈ 가격이 오르기 전과 오른 후의 가격의 비를 구하려면?

(오르기 전의 가격)=□원

$$(\bullet\,\% \text{ 오른 후의 가격})=\left(\square + \square \times \frac{\bullet}{100}\right)원$$

$$\rightarrow \square : \left(\square + \square \times \frac{\bullet}{100}\right)$$

두 수의 관계를 비로 나타내고 비례배분하기

12 윤석이와 형의 나이의 합은 24살이고, 형의 나이는 윤석이의 나이의 2배입니다. 윤석이와 형이 36000원을 나이의 비로 나누어 가진다면 **윤석이가 가지게 되는 돈은 얼마**인지 구해 보세요.

(   )

겹쳐진 두 도형에서 넓이의 비 구하기

13 두 정사각형 모양의 셀로판지 ㉠와 ㉡를 다음과 같이 겹쳐 놓았습니다. 겹쳐진 부분의 넓이는 ㉠의 $\frac{1}{9}$이고, ㉡의 $\frac{1}{6}$입니다. ㉠의 넓이가 $21\ cm^2$일 때 **㉡의 넓이는 몇 cm^2**인가요?

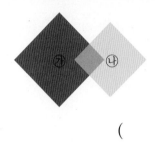

(   )

◀ 레벨UP공략 **06**

◆ 겹쳐진 두 도형에서 넓이의 비를 구하려면?

겹쳐진 두 도형에서 겹쳐진 부분의 넓이가 ㉠의 ♥이고, ㉡의 ▲일 때

㉠ × ♥ = ㉡ × ▲ ⟶ ㉠ : ㉡ = ▲ : ♥
               비례식의 성질

이익금 구하기

서술형

14 갑과 을이 각각 180만 원, 220만 원을 투자하여 얻은 이익금을 투자한 금액의 비로 나누어 가졌습니다. 을이 가진 이익금이 132만 원이라면 두 사람이 얻은 **전체 이익금은 얼마**인지 풀이 과정을 쓰고, 답을 구해 보세요.

풀이

_____

_____

_____

답 _____

톱니바퀴의 회전수 또는 톱니 수 구하기

15 맞물려 돌아가는 두 톱니바퀴 ㉠와 ㉡가 있습니다. 톱니바퀴 ㉠의 톱니는 60개이고, 톱니바퀴 ㉡의 톱니는 36개입니다. 톱니바퀴 ㉡가 30번 돌 때 **톱니바퀴 ㉠는 몇 번 도는지** 구해 보세요.

(   )

◀ 레벨UP공략 **07**

◆ 맞물려 돌아가는 두 톱니바퀴에서 톱니 수의 비와 회전수의 비 사이의 관계는?
(㉠의 톱니 수)=■, (㉡의 톱니 수)=▲

(㉠의 톱니 수) : (㉡의 톱니 수)=■ : ▲

↳㉠와 ㉡가 맞물려 돌아가므로 맞물린 톱니 수는 같습니다.

■ × (㉠의 회전수) = ▲ × (㉡의 회전수)

↓

(㉠의 회전수) : (㉡의 회전수)=▲ : ■

넓이의 비를 이용하여 변의 길이 구하기

16 직선 가와 직선 나는 서로 평행합니다. 평행사변형 ㄱㄴㄷㄹ과 삼각형 ㅁㅂㅅ의 넓이의 비가 3 : 2일 때 **변 ㅂㅅ의 길이는 몇 cm**인지 구해 보세요.

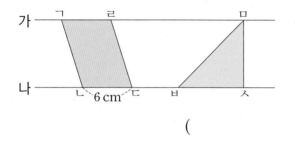

(   )

지도에서 실제 거리 구하기

17 지도에서의 길이와 실제 거리의 비를 축척이라고 합니다. 오른쪽 지도의 축척은 1 : 25000입니다. 이 지도에 그려진 직사각형 모양의 밭의 길이를 재어 보니 가로는 3.8 cm이고, 세로는 2.4 cm였습니다. **밭의 실제 넓이는 몇 km^2**인지 소수로 나타내어 보세요.

3.8 cm
2.4 cm

(   )

💡창의융합

레벨UP공략 **03**

◈ 축척이 1 : ■인 지도에서 실제 거리를 구하려면?
축척: 지도에서의 길이와 실제 거리의 비
➔ 1 : ■ =(지도에서의 길이) : (실제 거리)

4 단원

비례배분을 이용하여 문제 해결하기

18 진희는 문구점에서 영어 공책과 음악 공책을 합하여 9권을 사고 그 값으로 6000원을 냈습니다. 영어 공책과 음악 공책의 수의 비는 1 : 2이고, 영어 공책 한 권과 음악 공책 한 권의 가격의 비는 4 : 3입니다. **영어 공책과 음악 공책의 한 권의 가격은 각각 얼마**인지 구해 보세요.

영어 공책 (   )

음악 공책 (   )

두 비의 관계를 이용하여 모르는 항의 값 구하기

19 오른쪽 사다리꼴에서 ㉠과 ㉡의 길이의 비는 3 : 5이고, ㉡과 ㉢의 길이의 비는 8 : 9입니다. ㉠의 길이가 7.2 cm일 때 **사다리꼴의 넓이는 몇 cm²**인지 소수로 나타내어 보세요.

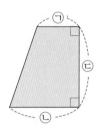

( )

레벨UP공략 ⓪⑨

◆ 두 비의 관계를 이용하여 모르는 항의 값을 구하려면?

㉮ : ㉯ = ■ : ▲, ㉯ : ㉰ = ● : ♥에서 ㉮의 값이 주어졌을 때

㉮ : ㉯를 이용하여 ㉯의 값 구하기

↓

㉯ : ㉰를 이용하여 ㉰의 값 구하기

정가의 비 구하기

20 두 상품 ㉮와 ㉯가 있습니다. 상품 ㉮를 정가에서 20 % 할인하여 판매한 금액과 상품 ㉯를 정가에서 $\frac{1}{4}$만큼 할인하여 판매한 금액은 같습니다. **상품 ㉮와 ㉯의 정가의 비를 가장 간단한 자연수의 비**로 나타내어 보세요.

( )

변하지 않는 값을 이용하여 문제 해결하기

21 지난달 은영이네 학교 6학년 남학생 수와 여학생 수의 비는 12 : 11이었습니다. 이번 달에 여학생 몇 명이 전학을 가서 남학생 수와 여학생 수의 비가 8 : 7이 되었고, 6학년 전체 학생은 180명이 되었습니다. **이번 달에 전학을 간 여학생은 몇 명**인지 구해 보세요. (단, 남학생 수는 변함이 없습니다.)

( )

01 가장 간단한 자연수의 비로 나타내었을 때 **전항이 다른 사람의 이름**을 써 보세요.

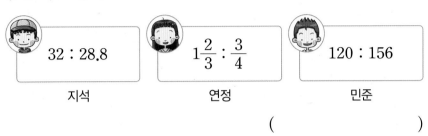

지석 $32 : 28.8$

연정 $1\frac{2}{3} : \frac{3}{4}$

민준 $120 : 156$

( )

02 두 비례식에서 ☐ 안에 들어가는 수는 같습니다. ♥**에 알맞은 수**를 구해 보세요.

$$\cdot\ 4 : \boxed{} = 6 : 10.5$$
$$\cdot\ \boxed{} : 2 = 28 : ♥$$

( )

| 해결 순서 |
❶ ☐ 안에 들어가는 수 구하기
❷ ♥에 알맞은 수 구하기

4
단원

서술형

03 수민이네 학교 6학년 학생들은 텃밭 가꾸기 체험을 하였습니다. 상추 모종은 120포기 심었고, 고추 모종은 상추 모종보다 24포기 적게 심었습니다. 수민이네 학교 6학년 학생들이 심은 **상추 모종의 수와 고추 모종의 수의 비**를 가장 간단한 자연수의 비로 나타내려고 합니다. 풀이 과정을 쓰고, 답을 구해 보세요.

풀이

답

04 ㉯에 대한 ㉮의 비율이 $\frac{5}{9}$인 비가 있습니다. **㉯가 144일 때 ㉮의 값은 얼마**인지 구해 보세요.

(   )

≪070쪽 01번 레벨UP공략

05 원자는 물질을 이루는 가장 작은 알갱이로 원자의 양을 원자량이라고 합니다. 탄소의 원자량을 산소의 원자량으로 나누었더니 몫이 0.75로 나누어떨어졌습니다. **탄소와 산소의 원자량의 비를 가장 간단한 자연수의 비**로 나타내어 보세요.

🔎 창의융합

우리는 더 이상 쪼갤 수 없는 원자야.

(   )

| 해결 순서 |
❶ 탄소의 원자량과 산소의 원자량의 관계 알아보기
❷ 탄소와 산소의 원자량의 비를 가장 간단한 자연수의 비로 나타내기

06 은석이와 강은이는 엽서를 각각 30장씩 가지고 있습니다. 은석이가 강은이에게 엽서를 몇 장 주었더니 은석이와 강은이가 가진 엽서 수의 비가 5 : 7이 되었습니다. **은석이가 강은이에게 준 엽서는 몇 장**인가요?

(   )

07 다음 비례식에서 외항의 곱은 200보다 작은 6의 배수입니다. □ 안에 들어갈 수 있는 **가장 큰 자연수**를 구해 보세요.

《072쪽 08번》 레벨UP공략

$$㉠ : 7 = \boxed{} : ㉡$$

(   )

※ 서술형

08 정사각형 ㉮와 ㉯의 한 변의 길이의 비는 8 : 5입니다. 정사각형 ㉮의 넓이가 256 cm²일 때 **정사각형 ㉯의 넓이는 몇 cm²**인지 풀이 과정을 쓰고, 답을 구해 보세요.

풀이 _____

_____

_____

답 _____

09 일정한 빠르기로 1시간 30분 동안 140.8 km를 달리는 자동차가 있습니다. 유진이네 가족은 이 자동차를 타고 같은 빠르기로 211.2 km 떨어진 할머니 댁에 가려고 합니다. 집에서 오전 10시에 출발하여 쉬지 않고 달린다면 **할머니 댁에 도착하는 시각은 오후 몇 시 몇 분**인지 구해 보세요.

(   )

| 해결 순서 |
❶ 211.2 km를 달리는 데 걸리는 시간을 □시간이라 하고 비례식 세우기
❷ 211.2 km를 달리는 데 걸리는 시간 구하기
❸ 할머니 댁에 도착하는 시각 구하기

10 오른쪽 그림에서 원 ㉮와 ㉯의 넓이의 비는 8 : 15입니다. 겹쳐진 부분의 넓이가 원 ㉮의 $\frac{3}{4}$일 때 **겹쳐진 부분의 넓이는 원 ㉯의 몇 %**인가요?

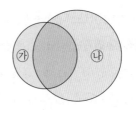

《074쪽 13번 레벨UP공략

( )

11 맞물려 돌아가는 두 톱니바퀴 ㉮와 ㉯가 있습니다. 톱니바퀴 ㉮는 9분 동안 72번을 돌고, 톱니바퀴 ㉯는 7분 동안 105번을 돕니다. 톱니바퀴 ㉮의 톱니가 90개일 때 **톱니바퀴 ㉯의 톱니는 몇 개**인지 구해 보세요.

《074쪽 15번 레벨UP공략

( )

new 신유형

12 혼합색은 두 가지 이상의 색을 섞어서 만든 색을 말합니다. 현준이와 수아는 각각 다음과 같이 물감을 섞어서 혼합색을 만들었습니다. 현준이와 수아 중에서 **노란색 물감을 누가 몇 g 더 많이 사용했는지** 구해 보세요.

잠깐!

색의 3원색에 대해 알아볼까요?

색의 3원색은 여러 가지 다른 색을 만들 수 있는 3가지 색(빨간색, 파란색, 노란색)을 말합니다.

빨간색＋파란색＝보라색
파란색＋노란색＝초록색
노란색＋빨간색＝주황색

(,)

13 일정한 빠르기로 하루에 8분씩 빨라지는 시계가 있습니다. 오늘 오전 6시에 이 시계를 정확하게 맞추어 놓았다면 **다음 날 오후 3시에 이 시계가 가리키는 시각은 오후 몇 시 몇 분**인지 비례식을 만들어 구하는 풀이 과정을 쓰고, 답을 구해 보세요.

풀이

답

💡 창의융합

《076쪽 19번 레벨UP공략

14 오른쪽은 고려 시대에 만들어진 청자 철채퇴화삼엽문 매병입니다. ⊙과 ⓒ의 길이의 비는 2 : 11이고, ⓒ과 ⓒ의 길이의 비는 55 : 18입니다. ⓒ의 길이가 9 cm일 때 **⊙과 ⓒ의 길이의 합은 몇 cm**인지 소수로 나타내어 보세요.

(   )

4
단원

---

15 빈 수영장에 물을 가득 채우는 데 ㉮ 수도로는 5시간이 걸리고, ㉯ 수도로는 4시간이 걸립니다. 빈 수영장에 ㉮와 ㉯ 수도로 동시에 한 시간 동안 물을 채운 후 나머지를 ㉯ 수도로 채웠습니다. **㉮ 수도로 채운 물의 양과 ㉯ 수도로 채운 물의 양의 비를 가장 간단한 자연수의 비**로 나타내어 보세요. (단, ㉮와 ㉯ 수도에서 나오는 물의 양은 일정합니다.)

(   )

| 해결 순서 |
❶ 각각의 수도로 한 시간 동안 채운 물의 양 구하기
❷ ㉯ 수도로 채운 물의 양 구하기
❸ ㉮와 ㉯ 수도로 채운 물의 양의 비를 가장 간단한 자연수의 비로 나타내기

16 오른쪽과 같이 ㉮, ㉯, ㉰로 나누어진 땅이 있습니다. ㉮의 넓이는 전체의 28 %이고, ㉯와 ㉰의 넓이의 비는 5 : 7입니다. ㉰의 넓이가 126 m²일 때 **㉮의 넓이는 몇 m²인지** 구해 보세요.

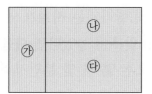

(   )

| 해결 순서 |
❶ ㉮의 넓이와 ㉰의 넓이의 비를 가장 간단한 자연수의 비로 나타내기
❷ ㉮의 넓이 구하기

17 1분 동안 8.4 L의 물이 나오는 수도로 구멍이 난 빈 욕조에 물을 받으려고 합니다. 1분 동안 수도에서 나오는 물의 양과 구멍으로 새는 물의 양의 비는 8 : 1입니다. **20분 후 이 욕조에 들어 있는 물은 몇 L인지** 구해 보세요. (단, 수도에서 나오는 물의 양은 일정합니다.)

(   )

18 신제품을 개발하는 데 ㉮ 회사는 3500만 원, ㉯ 회사는 ㉮ 회사가 투자한 금액의 $1\frac{1}{5}$배를 투자하였습니다. 신제품을 개발하여 얻은 이익금을 투자한 금액의 비로 나누어 각 회사의 투자금과 함께 돌려받기로 하였습니다. ㉯ 회사가 돌려받을 금액이 4800만 원일 때 **㉮ 회사가 돌려받을 금액은 얼마인지** 구해 보세요.

《073쪽 10번 [레벨UP공략]

(   )

1 그림에서 선분 ㄱㄴ을 9 : 5로 나눈 점은 점 ㄷ이고, 선분 ㄱㄴ을 4 : 3으로 나눈 점은 점 ㄹ입니다. 선분 ㄹㄷ의 길이가 3 cm일 때 **선분 ㄹㄴ의 길이는 몇 cm**인지 구해 보세요.

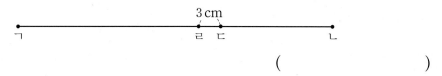

3 cm

ㄱ   ㄹ ㄷ   ㄴ

(   )

2 어떤 물건의 가격은 용준이가 가지고 있는 돈의 $\frac{2}{5}$이고, 민아가 가지고 있는 돈의 $\frac{3}{8}$입니다. 두 사람이 가지고 있는 돈의 차가 800원일 때 이 **물건의 가격은 얼마인**지 구해 보세요.

(   )

3

직선 가와 직선 나는 서로 평행합니다. 직사각형 ㉮와 삼각형 ㉯의 넓이의 비는 4 : 3이고, 삼각형 ㉯와 사다리꼴 ㉰의 넓이의 비는 5 : 8입니다. **사다리꼴 ㉰의 윗변의 길이와 아랫변의 길이의 비를 가장 간단한 자연수의 비로** 나타내어 보세요.

> 직선 가와 직선 나가 서로 평행하다는 것을 이용하여 직사각형 ㉮, 삼각형 ㉯, 사다리꼴 ㉰에서 길이가 같은 구성 요소를 찾아봅니다.

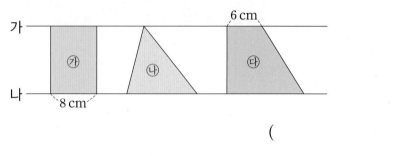

(   )

4

길이가 다른 2개의 나무 막대를 물이 들어 있는 수조에 수직으로 세웠더니 물에 잠기지 않은 부분의 길이는 각각 나무 막대 길이의 $\frac{1}{4}$, $\frac{1}{3}$이었습니다. 두 나무 막대의 길이의 합이 34 cm일 때 **나무 막대를 세운 수조의 물의 높이는 몇 cm**인지 구해 보세요. (단, 나무 막대의 부피는 생각하지 않습니다.)

(   )

🔆 창의융합

5 혼합물은 두 가지 이상의 물질이 각 물질의 성질을 잃지 않고 그대로 섞여 있는 것을 말합니다. 소금과 설탕이 반씩 섞여 있는 혼합물 ㉮와 소금과 설탕이 2 : 1로 섞여 있는 혼합물 ㉯를 섞어 소금과 설탕의 비가 5 : 4가 되도록 혼합물 ㉰를 360 g 만들려고 합니다. 혼합물 ㉰를 만드는 데 필요한 **혼합물 ㉮의 양은 몇 g**인지 구해 보세요.

(   )

★1%★ 도전

6 둘레가 같은 직사각형 모양의 논 ㉮와 ㉯의 가로와 세로의 비를 나타낸 것입니다. 일정한 빠르기로 논 ㉯ 전체에 모내기를 하는 데 4시간이 걸렸다면 같은 빠르기로 **논 ㉮ 전체에 모내기를 하는 데 걸리는 시간은 몇 시간 몇 분**인지 구해 보세요.

논	㉮	㉯
가로와 세로의 비	9 : 5	3 : 4

(   )

🔆 창의융합

01 비례식에서 ㉠과 ㉡에 알맞은 수의 합을 구해 보세요.

$$\cdot 0.8 : 12 = 1 : ㉠$$
$$\cdot 30 : ㉡ = 1\frac{1}{2} : \frac{4}{5}$$

(   )

02 전항과 후항의 합이 42이고, 간단한 자연수의 비로 나타내면 3 : 11이 되는 비가 있습니다. 이 비의 전항과 후항의 차를 구해 보세요.

(   )

03 똑같은 일을 하는 데 예은이는 3일이 걸리고, 정욱이는 4일이 걸립니다. 두 사람이 일정한 빠르기로 일을 할 때 예은이와 정욱이가 각각 하루에 하는 일의 양의 비를 가장 간단한 자연수의 비로 나타내어 보세요.

(   )

04 현우와 선미는 구슬을 각각 40개씩 가지고 있습니다. 현우가 선미에게 구슬을 몇 개 주었더니 현우와 선미가 가진 구슬 수의 비가 7 : 9가 되었습니다. 현우가 선미에게 준 구슬은 몇 개인가요?

(   )

05 다음과 같이 두 직사각형 가와 나를 겹치지 않게 이어 붙여 넓이가 252 cm²인 직사각형을 만들었습니다. 직사각형 가의 넓이는 몇 cm²인가요?

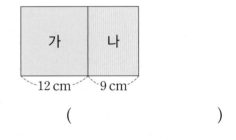

(   )

06 맞물려 돌아가는 두 톱니바퀴 ㉠와 ㉡가 있습니다. 톱니바퀴 ㉠의 톱니는 64개이고, 톱니바퀴 ㉡의 톱니는 56개입니다. 톱니바퀴 ㉡가 40번 돌 때 톱니바퀴 ㉠는 몇 번 도는지 구해 보세요.

(   )

07 원 ㉮와 ㉯의 넓이의 비는 4 : 5입니다. 겹쳐진 부분의 넓이가 원 ㉮의 $\frac{1}{8}$일 때 겹쳐진 부분의 넓이는 원 ㉯의 몇 %인가요?

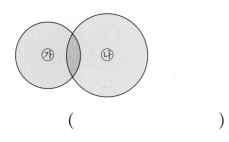

( )

08 연주는 50원짜리, 100원짜리, 500원짜리 동전을 모두 80개 모았습니다. 이 중 50원짜리 동전이 32개이고, 100원짜리 동전과 500원짜리 동전 수의 비는 5 : 3입니다. 연주가 모은 동전은 모두 얼마인지 구해 보세요.

( )

09 일정한 빠르기로 하루에 4분씩 느려지는 시계가 있습니다. 오늘 오전 8시에 이 시계를 정확하게 맞추어 놓았다면 다음 날 오후 2시에 이 시계가 가리키는 시각은 오후 몇 시 몇 분인지 구해 보세요.

( )

10 오른쪽 사다리꼴에서 ㉠과 ㉡의 길이의 비는 13 : 10이고, ㉡과 ㉢의 길이의 비는 2 : 3입니다. ㉢의 길이가 12 cm일 때 사다리꼴의 넓이는 몇 cm²인지 소수로 나타내어 보세요.

( )

[최상위]
11 ㉮ 회사는 1200만 원, ㉯ 회사는 ㉮ 회사가 투자한 금액의 $2\frac{1}{4}$배를 투자하여 얻은 이익금을 투자한 금액의 비로 나누어 각 회사의 투자금과 함께 돌려받기로 하였습니다. ㉯ 회사가 돌려받을 금액이 2790만 원일 때 ㉮ 회사가 돌려받을 금액은 얼마인지 구해 보세요.

( )

[최상위]
12 길이가 다른 2개의 나무 막대를 물이 들어 있는 수조에 수직으로 세웠더니 물에 잠기지 않은 부분의 길이는 각각 나무 막대 길이의 $\frac{1}{6}$, $\frac{4}{9}$였습니다. 두 나무 막대의 길이의 합이 45 cm일 때 나무 막대를 세운 수조의 물의 높이는 몇 cm인지 구해 보세요. (단, 나무 막대의 부피는 생각하지 않습니다.)

( )

위풍당당

威 風 堂 堂

위엄 **위**　　바람 **풍**　　당당할 **당**　　당당할 **당**

바로 뜻 풍채가 위엄이 있어 당당하다는 뜻.
깊은 뜻 위엄이 넘치고 거리낌 없이 떳떳하다는 말이에요.

영국의 작곡가 에드워드 엘가는 관현악을 위한 행진곡으로

☐☐☐☐ 행진곡을 작곡하였어요.

위풍당당이라는 제목은 셰익스피어의 연극 오델로의 대사에서 따 온 말로

모두 5곡으로 구성되어 있어요.

이 중 〈희망과 영광의 나라〉라는 노래 가사로 널리 알려진 부분의 선율은

제목 덕분에 영국에서 제2의 국가처럼 불리고 있어요.

제1차 세계대전이 터지자 이 곡의 인기는 절정에 달했고,

사람들은 이 곡을 듣고 애국심을 느끼며 자랑스러워 했답니다.

잠깐! Quiz

Q ☐☐☐☐에 들어갈 말은?

A 위의 글을 읽고 파란색 글자들을 아래에서 모두 찾아 /표로 지웁니다.

오	델	로	관
행	엘	인	현	희
진	절	가	기	악	망
곡	정		영	국
	영	위	풍	당	당
	광		애	국	심

5

원의 넓이

개념 넓히기

1 원주와 원주율

(1) 원주: 원의 둘레

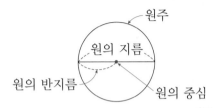

(2) 원주율: 원의 지름에 대한 원주의 비율

원의 크기와 상관없이 (원주)÷(지름)의 값은 일정합니다.

$$(원주율)=(원주)÷(지름)$$

참고 원주율을 소수로 나타내면 3.1415926535897932……와 같이 끝없이 계속됩니다. 따라서 필요에 따라 3, 3.1, 3.14 등으로 어림하여 사용하기도 합니다.

선행 개념 [중1] 원주율

• **원주율**: 원주를 원의 지름의 길이로 나눈 값

$$(원주율)=\frac{(원주)}{(원의\ 지름의\ 길이)}=\pi$$

'파이'라고 읽습니다.

2 원주와 지름 구하기

$$(원주)=(지름)×(원주율)$$
$$(지름)=(원주)÷(원주율)$$

예 **지름이 6 cm인 원의 원주 구하기** (원주율: 3.14)

$$(원주)=(지름)×(원주율)$$
$$=6×3.14=18.84(cm)$$

응용 3 원 모양의 물건을 굴린 횟수 구하기

예 **지름이 40 cm인 원 모양의 타이어를 일직선으로 496 cm만큼 굴렸을 때 타이어를 굴린 횟수 구하기** (원주율: 3.1)

① (타이어의 원주)=40×3.1=124(cm)

② (타이어를 굴린 횟수)
=496÷124=4(바퀴)

타이어가 굴러간 거리

4 원의 넓이 구하기

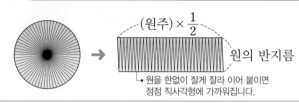

원을 한없이 잘게 잘라 이어 붙이면 점점 직사각형에 가까워집니다.

$$(원의\ 넓이)=(원주)×\frac{1}{2}×(반지름)$$
$$=(원주율)×(지름)×\frac{1}{2}×(반지름)$$
$$=(원주율)×(반지름)×(반지름)$$

예 **지름이 8 cm인 원의 넓이 구하기** (원주율: 3.14)

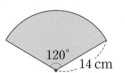

① (반지름)=8÷2=4(cm)

② (원의 넓이)=4×4×3.14
=50.24(cm²)

응용 5 원의 일부분의 둘레와 넓이 구하기

예 **다음 도형은 반지름이 14 cm인 원의 일부분일 때 도형의 둘레와 넓이 각각 구하기** (원주율: 3)

주어진 도형은 원 전체의 $\frac{120}{360}=\frac{1}{3}$입니다.

(1) (도형의 둘레)=$14×2×3×\frac{1}{3}+14×2$
$=28+28=56(cm)$

(원주)×$\frac{1}{3}$+(반지름)×2

(2) (도형의 넓이)=$14×14×3×\frac{1}{3}$ → (원의 넓이)×$\frac{1}{3}$
$=196(cm²)$

선행 개념 [중1] 부채꼴의 호의 길이와 넓이

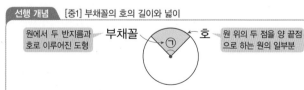

원에서 두 반지름과 호로 이루어진 도형 **부채꼴**

호 원 위의 두 점을 양 끝점으로 하는 원의 일부분

• (부채꼴의 호의 길이)=(원주)×$\frac{⊙}{360}$

• (부채꼴의 넓이)=(원의 넓이)×$\frac{⊙}{360}$

응용 6 색칠한 부분의 둘레와 넓이 구하기

예 다음 도형에서 색칠한 부분의 둘레와 넓이 각각 구하기 (원주율: 3.14)

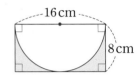

(1) (색칠한 부분의 둘레)

$=$(지름이 16 cm인 원의 둘레)$\div 2$

　　$+$(직사각형의 가로)$+$(직사각형의 세로)$\times 2$

$=16\times 3.14\div 2+16+8\times 2$

$=25.12+16+16=57.12$(cm)

(2) (색칠한 부분의 넓이)

$=$(직사각형의 넓이)$-$(반원의 넓이)

$=16\times 8-8\times 8\times 3.14\div 2$

$=128-100.48=27.52$(cm^2)

응용 7 원이 지나간 자리의 넓이 구하기

예 반지름이 3 cm인 원이 직선을 따라 다음과 같이 한 바퀴 굴러 이동하였을 때 원이 지나간 자리의 넓이 구하기 (원주율: 3.1)

① 원이 지나간 자리 알아보기

(지름)$=3\times 2=6$(cm)

(원의 원주)$=6\times 3.1=18.6$(cm)

② (직사각형의 넓이)

　$=18.6\times 6=\boxed{111.6}$(cm^2)

(반원 2개의 넓이의 합)　→ 원 1개의 넓이

　$=3\times 3\times 3.1=\boxed{27.9}$(cm^2)

③ (원이 지나간 자리의 넓이)

　$=\boxed{111.6}+27.9=139.5$(cm^2)

1 원주를 구해 보세요. (원주율: 3.14)

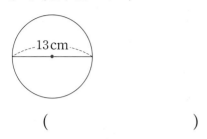

(　　　　　　　　　)

2 원주와 지름의 관계를 이용하여 빈칸에 알맞은 수를 써넣으세요.

원주율	지름(cm)	원주(cm)
3		27
	9	27.9
3.14		28.26

3 원을 한없이 잘게 잘라 이어 붙여서 점점 직사각형에 가까워지는 도형으로 바꿔 보았습니다. □ 안에 알맞은 수를 써넣고, 원의 넓이는 몇 cm^{2}인지 구해 보세요. (원주율: 3)

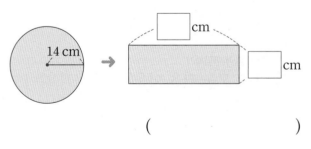

(　　　　　　　　　)

4 원 모양의 꽃밭이 있습니다. 이 꽃밭의 반지름이 8 m일 때 꽃밭의 넓이는 몇 m^{2}인지 구해 보세요. (원주율: 3.1)

(　　　　　　　　　)

원주는 지름의 몇 배인지 구하기

01 지름이 35 cm인 원 모양의 바퀴를 다음과 같이 일직선으로 한 바퀴 굴렸더니 109.9 cm만큼 굴러갔습니다. **바퀴의 원주는 지름의 몇 배**인지 구해 보세요.

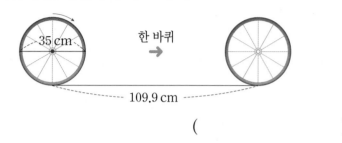

(   )

레벨UP공략 **01**

◇ 원주는 지름의 몇 배인지 구하려면?

원주는 지름의 몇 배	=	(원주)÷(지름) ↳ 원주율

원주의 합 또는 차 구하기

02 크기가 다른 원 모양의 고리가 있습니다. **두 고리의 원주의 합은 몇 cm**인가요? (원주율: 3.1)

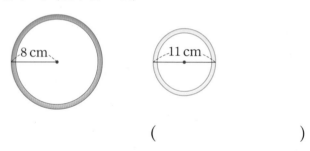

(   )

원의 넓이 어림하기

03 투명 모눈 판을 이용하여 다음과 같이 지름이 9 cm인 원 모양 컵 받침의 넓이를 어림해 보려고 합니다. **컵 받침의 넓이는 몇 cm^2**인지 어림해 보세요.

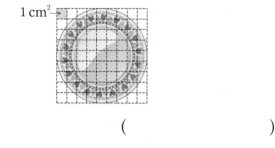

(   )

원의 넓이 비교하기

04 넓이가 서로 다른 원 모양의 쟁반이 있습니다. **넓이가 가장 큰 쟁반**을 찾아 기호를 써 보세요. (원주율: 3.1)

> ㉠ 지름이 15 cm인 쟁반
> ㉡ 원주가 37.2 cm인 쟁반
> ㉢ 넓이가 198.4 cm²인 쟁반

(   )

레벨UP공략 **02**

◆ 넓이가 가장 큰(작은) 원을 찾으려면?

> 넓이가 가장 큰(작은) 원
>
> =
>
> 반지름 또는 지름이 가장 긴(짧은) 원

원주와 지름의 관계

• 오목 렌즈에 빛을 비추면 빛이 퍼져 나갑니다. 💡 창의융합

05 다음은 손전등에서 나온 빛을 오목 렌즈에 통과시킬 때 모눈 종이 가와 나에 차례로 비친 원 모양을 그린 것입니다. 가의 원주는 9.42 cm이고, 나의 지름은 가의 지름의 2배입니다. **나의 지름은 몇 cm**인지 구해 보세요. (원주율: 3.14)

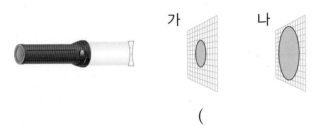

(   )

레벨UP공략 **03**

◆ 지름이 ●배가 될 때 원의 원주와 지름의 관계는?

지름이 ●배가 되면 원주도 ●배가 됩니다.

> 처음 원의 원주
> (지름)×(원주율)
>
> ↓
>
> 지름이 ●배인 원의 원주
> (지름)×●×(원주율)

원주를 이용하여 원의 넓이 구하기

✍ 서술형

06 길이가 48 cm인 종이 띠를 겹치지 않게 붙여서 원을 만들었습니다. 만들어진 **원의 넓이는 몇 cm²**인지 풀이 과정을 쓰고, 답을 구해 보세요. (원주율: 3)

풀이

_____

_____

_____

답 _____

5

단원

원 모양의 물건을 굴린 횟수 구하기

07 리듬 체조 선수가 지름이 84 cm 인 원 모양의 훌라후프를 일직선으로 몇 바퀴 굴렸더니 굴러간 거리가 756 cm였습니다. **훌라후프를 몇 바퀴 굴린 것**인지 구해 보세요.

(원주율: 3)

(   )

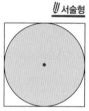

◆ 원 모양의 물건 ㉮를 굴린 횟수를 구하려면?

(원주)=(㉮가 한 바퀴 굴러간 거리)

→ (㉮를 굴린 횟수)
   =(㉮가 굴러간 전체 거리)÷(원주)

레벨UP공략 ④

도형 안에 그린 가장 큰 원의 넓이 구하기

08 효진이는 넓이가 196 cm²인 정사각형 안에 그릴 수 있는 가장 큰 원을 그렸습니다. 효진이가 그린 **원의 넓이는 몇 cm²**인지 풀이 과정을 쓰고, 답을 구해 보세요. (원주율: 3.1)

📖 서술형

풀이

_____

_____

답 _____

원주를 이용하여 지름 구하기

09 지름이 각각 6 cm, 11 cm인 두 원이 있습니다. 이 **두 원의 원주의 차는 지름이 몇 cm인 원의 원주와 같은지** 구해 보세요. (원주율: 3.14)

(   )

크고 작은 원에서 원주 구하기

10 오른쪽 도형은 큰 원 안에 크기가 같은 작은 원 3개를 그린 것입니다. 큰 원의 원주가 148.8 cm일 때 **작은 원 1개의 지름은 몇 cm**인지 구해 보세요. (원주율: 3.1)

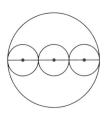

(   )

색칠한 부분의 넓이 구하기   💡 창의융합

11 다음은 좌고에 있는 원 모양의 태극 문양입니다. 태극 문양에서 **노란색 부분의 넓이는 몇 cm²**인가요? (원주율: 3.14)

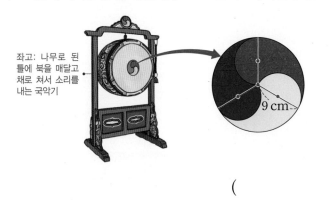

좌고: 나무로 된 틀에 북을 매달고 채로 쳐서 소리를 내는 국악기

9 cm

(   )

레벨UP공략 **05**

◈ 복잡한 도형에서 색칠한 부분의 넓이를 구하려면?

[방법1] 색칠한 부분의 일부를 옮겨서 구하기

[방법2] 원 부분과 다각형 부분으로 나누어서 구하기

5 단원

규칙에 따라 그린 원의 넓이 구하기

12 규칙에 따라 원을 그리고 있습니다. **11째에 그려지는 원의 넓이는 몇 cm²**인지 구해 보세요. (원주율: 3)

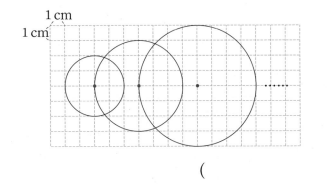

1 cm

1 cm

(   )

원의 일부분의 넓이 구하기

13 길이가 15 cm인 띠 종이의 한쪽 끝을 누름 못으로 고정하고 다음과 같이 72° 회전시켰습니다. **띠 종이가 지나간 부분의 넓이는 몇 cm²인지** 구해 보세요. (단, 띠 종이의 두께는 생각하지 않습니다.) (원주율: 3.1)

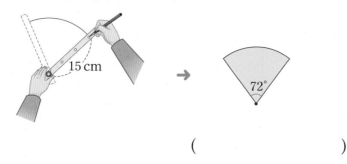

(   )

레벨UP공략 **06**

◆ 원의 일부분의 넓이를 구하려면?

오른쪽 도형의 넓이는 왼쪽 원의 넓이의 $\dfrac{▲}{360}$입니다.

$$(원의\ 일부분의\ 넓이)=(원의\ 넓이)\times\dfrac{▲}{360}$$

색칠한 부분의 둘레 구하기

14 오른쪽 도형은 정사각형 안에 원의 일부분 2개를 그린 것입니다. **색칠한 부분의 둘레는 몇 cm인지** 구해 보세요. (원주율: 3.14)

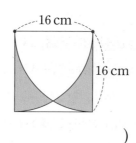

(   )

레벨UP공략 **07**

◆ 복잡한 도형에서 색칠한 부분의 둘레를 구하려면?

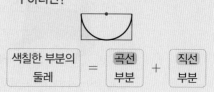

| 색칠한 부분의 둘레 | = | 곡선 부분 | + | 직선 부분 |

두 도형의 넓이가 같을 때 변의 길이 구하기   서술형

15 반지름이 9 cm인 원과 직사각형 ㄱㄴㄷㄹ의 넓이가 같습니다. **직사각형 ㄱㄴㄷㄹ의 둘레는 몇 cm인지** 풀이 과정을 쓰고, 답을 구해 보세요. (원주율: 3)

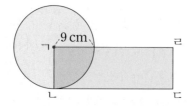

풀이
_____

_____

_____

답

여러 개의 원을 묶는 데 사용한 끈의 길이 구하기

16 다음 그림은 지름이 13 cm인 원 모양의 통조림통 3개를 끈으로 한 바퀴 둘러 묶은 것을 위에서 본 것입니다. 통조림통 3개를 묶는 데 **사용한 끈의 길이는 몇 cm**인가요? (단, 끈을 묶는 데 사용한 매듭의 길이는 생각하지 않습니다.) (원주율: 3.1)

13 cm

( )

두 원이 겹쳐진 부분의 넓이 구하기

17 반지름이 12 cm인 원 2개가 오른쪽과 같이 겹쳐 있습니다. **겹쳐진 부분의 넓이는 몇 cm²**인지 구해 보세요. (원주율: 3)

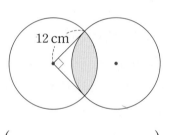

12 cm

( )

원이 지나간 자리의 넓이 구하기

18 반지름이 4 cm인 원이 직선을 따라 다음과 같이 2바퀴 굴러 이동하였습니다. **원이 지나간 자리의 넓이는 몇 cm²**인지 구해 보세요. (원주율: 3.14)

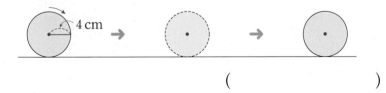

4 cm

( )

◇ 여러 개의 원을 묶는 데 사용한 끈의 길이를 구하려면?

(사용한 끈의 길이)
=(곡선 부분의 길이의 합)
+(직선 부분의 길이의 합)

5
단원

01 원 가와 나의 넓이의 차는 몇 cm^2인지 구해 보세요. (원주율: 3.14)

가   나

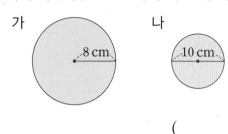

(   )

02 큰 원의 원주가 48 cm일 때 **큰 원과 작은 원의 반지름의 합은 몇 cm**인지 구해 보세요. (원주율: 3)

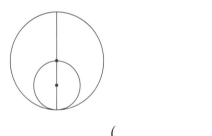

(   )

| 해결 순서 |
❶ 큰 원과 작은 원의 반지름 각각 구하기
❷ 두 원의 반지름의 합 구하기

✏ 서술형

03 원 모양의 굴렁쇠를 일직선으로 6바퀴 굴렸더니 굴러간 거리가 967.2 cm였습니다. **굴렁쇠의 지름은 몇 cm**인지 풀이 과정을 쓰고, 답을 구해 보세요. (원주율: 3.1)

«094쪽 07번   레벨UP공략

풀이

답

04 크기가 다른 원 모양의 쿠키가 있습니다. 작은 쿠키의 반지름은 2 cm이고, 큰 쿠키의 반지름은 작은 쿠키의 반지름의 2배입니다. **큰 쿠키의 넓이는 몇 cm^2인지 구해 보세요.** (원주율: 3.1)

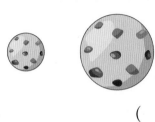

(   )

≪093쪽 05번 **레벨UP공략**

new 신유형

05 나이테는 나무를 가로로 자르면 보이는 원 모양의 띠입니다. 오른쪽은 태준이가 나이테를 보고 원 모양 3개를 그린 것입니다. 태준이가 그린 **원 모양 3개의 둘레의 합은 몇 cm**인가요? (원주율: 3)

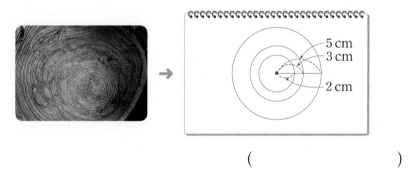

5 cm
3 cm
2 cm

(   )

5
단원

06 지름이 32 cm인 원 모양의 피자를 오른쪽과 같이 똑같이 8조각으로 나누었습니다. **피자 한 조각의 둘레는 몇 cm**인가요? (단, 피자의 두께는 생각하지 않습니다.) (원주율: 3.14)

(   )

| 해결 순서 |
❶ 피자의 반지름 구하기
❷ 피자 한 조각의 둘레 구하기

♀ 창의융합

07 양궁에서 과녁의 가장 안쪽 원의 반지름은 4 cm이고, 이 원을 맞혀서 얻는 점수는 10점입니다. 원이 커질수록 원의 반지름이 4 cm씩 길어질 때 **6점 이하를 얻을 수 있는 부분의 넓이는 몇 cm²인지** 구해 보세요. (단, 경계선에 화살이 꽂히는 경우는 생각하지 않습니다.) (원주율: 3)

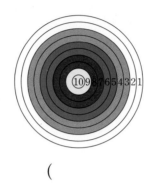

(   )

08 오른쪽 그림에서 가장 작은 반원의 지름은 가장 큰 원의 반지름의 $\frac{1}{2}$입니다. **가장 작은 반원의 넓이는 몇 cm²**인가요? (원주율: 3.1)

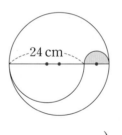

(   )

| 해결 순서 |
❶ 가장 작은 반원의 반지름 구하기
❷ 가장 작은 반원의 넓이 구하기

09 반지름이 5 cm인 원 모양의 휴지 4개를 오른쪽과 같이 끈으로 한 바퀴 둘러 묶었습니다. 매듭을 짓는 데 사용한 끈의 길이가 16 cm라면 휴지 4개를 묶는 데 **사용한 끈의 길이는 몇 cm**인가요? (원주율: 3.14)

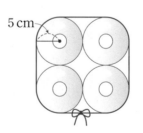

《097쪽 16번 레벨UP공략

(   )

10 색칠한 부분의 둘레와 넓이를 각각 구해 보세요. (원주율: 3.1)

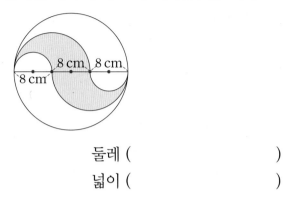

둘레 (   )

넓이 (   )

《096쪽 13번 │ 레벨UP공략

📝 서술형

11 오른쪽 도형은 한 변의 길이가 5 cm인 정오각형 안에 정오각형의 한 꼭짓점을 원의 중심으로 하는 원의 일부분을 그린 것입니다. **색칠한 부분의 넓이는 몇 cm²인지** 풀이 과정을 쓰고, 답을 구해 보세요. (원주율: 3)

5 cm

풀이

답

💡 창의융합

12 우리나라의 국기인 태극기는 가운데 태극 문양과 네 모서리에 건곤감리의 4괘로 이루어져 있습니다. 오른쪽 태극 문양에서 빨간색 부분의 넓이가 100.48 cm²일 때 **빨간색 부분의 둘레는 몇 cm** 인지 구해 보세요. (원주율: 3.14)

(   )

잠깐!

태극기에 담긴 뜻을 알아볼까요?

건괘   감괘

이괘   곤괘

태극 문양은 음(파란색)과 양(빨간색)의 조화를 상징합니다. 건괘는 하늘, 감괘는 물, 이괘는 불, 곤괘는 땅을 뜻합니다.

13 지름이 6 cm인 원이 오른쪽과 같이 한 변의 길이가 13 cm인 정사각형의 둘레를 따라 한 바퀴 이동하여 처음 자리로 돌아왔습니다. **원이 지나간 자리의 넓이는 몇 cm²인가요?** (원주율: 3)

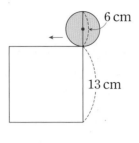

(   )

14 오른쪽 그림에서 색칠한 두 부분의 넓이는 같습니다. **선분 ㄱㅁ의 길이는 몇 cm인지** 구해 보세요. (원주율: 3.1)

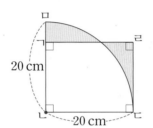

(   )

| 해결 순서 |
❶ 원의 넓이의 $\frac{1}{4}$과 직사각형 ㄱㄴㄷㄹ 의 넓이 사이의 관계 알아보기
❷ 선분 ㄱㄴ의 길이 구하기
❸ 선분 ㄱㅁ의 길이 구하기

15 오른쪽은 반지름이 14 cm인 원의 둘레를 12등분하여 점을 찍은 것입니다. **색칠한 부분의 넓이는 몇 cm²인지** 구해 보세요. (원주율: 3.14)

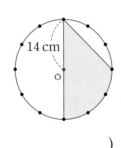

(   )

최상위 도전하기

1 반지름이 6 cm인 반원을 점 ㄱ을 중심으로 30°만큼 회전한 것입니다. **색칠한 부분의 넓이는 몇 cm²인가요?** (원주율: 3.1)

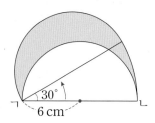

(   )

2 다음은 직각삼각형 ㄱㄴㄷ 안에 그릴 수 있는 가장 큰 원을 그린 것입니다. 직각삼각형 ㄱㄴㄷ 안에 그린 **원의 원주는 몇 cm**인지 구해 보세요. (원주율: 3.14)

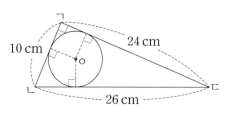

(   )

3 오른쪽은 한 변의 길이가 15 cm인 정사각형 ㄱㄴㄷㄹ 안에 반지름이 15 cm인 원의 일부분 2개를 그린 것입니다. **색칠한 부분의 둘레는 몇 cm**인지 구해 보세요. (원주율: 3.14)

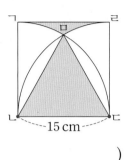

(   )

🔅 창의융합

4 육상 경기장의 트랙은 직선 구간과 곡선 구간으로 이루어져 있습니다. 각 레인마다 곡선 구간의 거리가 다르므로 공정한 경기를 하기 위해서 출발선의 위치를 다르게 해야 합니다. 다음과 같은 트랙에서 200 m 달리기 경기를 하려고 합니다. 각 레인의 폭이 1 m일 때 **3번 레인의 출발선은 1번 레인의 출발선보다 몇 m 앞에 있어야 하는지** 구해 보세요. (단, 출발선의 위치는 레인의 안쪽 선을 기준으로 생각합니다.)

(원주율: 3.1)

> 직선 구간의 거리는 레인에 관계없이 같으므로 각 레인의 곡선 구간 거리의 차이만큼 앞에서 출발하면 됩니다.

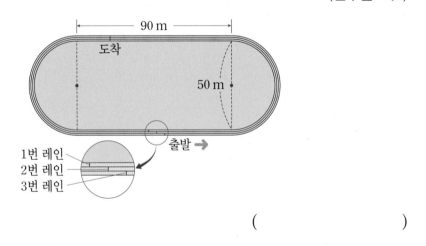

(   )

5 반지름이 각각 25 cm, 20 cm인 두 바퀴가 있습니다. 두 바퀴는 길이가 6.2 m인 벨트로 연결되어 있습니다. 두 바퀴의 회전수의 합이 135번일 때 **벨트의 회전수는 몇 번**인지 구해 보세요. (원주율: 3.1)

두 바퀴의 반지름의 비를 이용하여 회전수의 비를 구해 봅니다.

(   )

---

6 오른쪽 그림과 같이 한 변의 길이가 4 m인 정삼각형 모양 꽃밭의 한 꼭짓점에 길이가 6 m인 줄로 강아지를 묶어 놓았습니다. 꽃밭 밖에서 **강아지가 움직일 수 있는 범위의 넓이는 최대 몇 m²**인지 구해 보세요. (단, 줄의 매듭의 길이와 강아지의 크기는 생각하지 않습니다.) (원주율: 3)

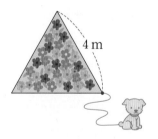

4 m

(   )

01 다음과 같은 원의 넓이는 몇 cm²인지 구해 보세요. (원주율: 3.14)

> 원주가 43.96 cm인 원

( )

02 큰 원의 원주는 작은 원의 원주보다 몇 cm 더 긴지 구해 보세요. (원주율: 3)

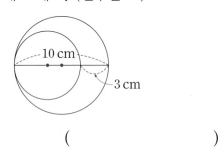

( )

03 정수는 넓이가 144 cm²인 정사각형 안에 그릴 수 있는 가장 큰 원을 그렸습니다. 정수가 그린 원의 넓이는 몇 cm²인가요?

(원주율: 3.1)

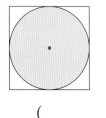

( )

04 색칠한 부분의 넓이는 몇 cm²인지 구해 보세요. (원주율: 3.1)

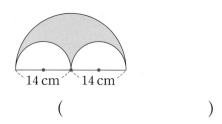

( )

05 지름이 20 cm인 원 모양의 호두 파이를 오른쪽과 같이 똑같이 4조각으로 나누었습니다. 호두 파이 한 조각의 둘레는 몇 cm인가요? (단, 호두 파이의 두께는 생각하지 않습니다.) (원주율: 3.14)

( )

06 다음 그림에서 가장 작은 원 한 개의 원주가 18.84 cm일 때 가장 큰 원의 원주는 몇 cm 인지 구해 보세요. (원주율: 3.14)

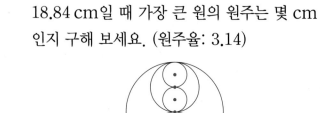

( )

07 반지름이 8 cm인 원과 직사각형 ㄱㄴㄷㄹ의 넓이가 같습니다. 직사각형 ㄱㄴㄷㄹ의 둘레는 몇 cm인지 구해 보세요. (원주율: 3)

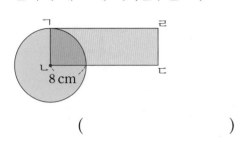

( )

08 다음 그림은 반지름이 3 cm인 원 모양의 통조림통 6개를 끈으로 한 바퀴 둘러 묶은 것을 위에서 본 것입니다. 매듭을 짓는 데 사용한 끈의 길이가 20 cm라면 통조림통 6개를 묶는 데 사용한 끈의 길이는 몇 cm인가요?

(원주율: 3.1)

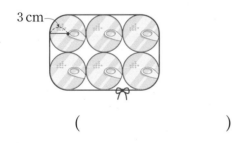

( )

09 반지름이 14 cm인 원 2개가 오른쪽과 같이 겹쳐 있습니다. 겹쳐진 부분의 넓이는 몇 cm²인지 구해 보세요. (원주율: 3)

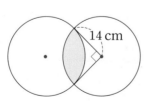

( )

10 오른쪽은 한 변의 길이가 8 cm인 정팔각형 안에 정팔각형의 한 꼭짓점을 원의 중심으로 하는 원의 일부분을 그린 것입니다. 색칠한 부분의 넓이는 몇 cm²인지 구해 보세요. (원주율: 3.14)

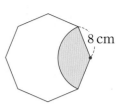

( )

[최상위]
11 오른쪽 그림에서 색칠한 두 부분의 넓이는 같습니다. 선분 ㄷㄹ의 길이는 몇 cm인가요?

(원주율: 3.1)

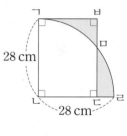

( )

[최상위]
12 반지름이 각각 15 cm, 24 cm인 두 바퀴가 있습니다. 두 바퀴는 길이가 3.6 m인 벨트로 연결되어 있습니다. 두 바퀴의 회전수의 합이 182번일 때 벨트의 회전수는 몇 번인지 구해 보세요. (원주율: 3)

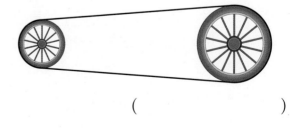

( )

5 단원

지성감천

至 誠 感 天

이를 지   정성 성   느낄 감   하늘 천

바로 뜻 정성이 지극하면 하늘도 감동한다는 뜻.
깊은 뜻 정성껏 최선을 다하면 하늘이 감동하여 도와준다는 말이에요.

옛날에 한 관리가 귀양을 가게 되어 그의 아내가 언제쯤 돌아오는지 묻자 이렇게 대답했어요.
"달걀 위에 달걀을 포갤 수 있다면 돌아올 수 있을지 모르지만 아마도 살아 돌아오지 못할 것입니다."

이 말을 들은 그의 아내는 매일 밥상 위에 달걀을 놓고 포개지게 해 달라고 기원하였어요.

어느 날 임금님이 민가를 둘러보던 중에 달걀을 포개려고 노력하는 부인을 보게 되었어요.

남편을 걱정하는 부인의 정성에 임금님은 감동하여 귀양 간 남편을 풀어 주었어요.

이렇게 불가능한 일이라도 정성으로 최선을 다하면 좋은 결과를 맺을 수 있다는 말을

☐☐☐☐이라고 부르게 되었답니다.

잠깐! Quiz

Q ☐☐☐☐에 들어갈 말은?

A 왼쪽 한자와 오른쪽 음을 알맞은 것끼리 선으로 이어 봅니다.

至 •	• 성
誠 •	• 천
感 •	• 지
天 •	• 감

6

원기둥, 원뿔, 구

개념 넓히기

1 원기둥과 원기둥의 전개도

(1) 원기둥: 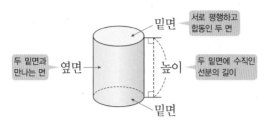 등과 같은 입체도형

밑면 ← 서로 평행하고 합동인 두 면

두 밑면과 만나는 면 → 옆면

높이 ← 두 밑면에 수직인 선분의 길이

밑면

참고 원기둥의 옆면은 굽은 면입니다.

(2) **원기둥의 전개도**: 원기둥을 잘라서 펼쳐 놓은 그림

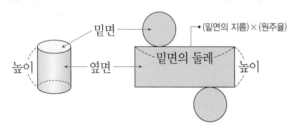

밑면 → •(밑면의 지름)×(원주율)

높이 ← 옆면 → 밑면의 둘레 → 높이

2 원뿔

(1) **원뿔**:  등과 같은 입체도형

원뿔의 꼭짓점과 밑면 인 원의 둘레의 한 점 을 이은 선분 → 모선

옆을 둘러싼 굽은 면 → 옆면

원뿔의 꼭짓점 ← 뾰족한 부분의 점

높이 ← 원뿔의 꼭짓점에서 밑면에 수직인 선분의 길이

밑면 → 평평한 면

(2) **원뿔의 높이, 모선의 길이, 밑면의 지름 재어 보기**

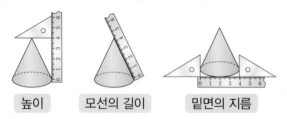

높이 　 모선의 길이 　 밑면의 지름

선행 개념 [중1] 원기둥과 원뿔의 겉넓이와 부피

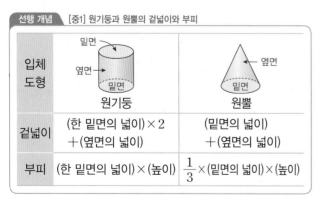

입체 도형	원기둥	원뿔
겉넓이	(한 밑면의 넓이)×2 ＋(옆면의 넓이)	(밑면의 넓이) ＋(옆면의 넓이)
부피	(한 밑면의 넓이)×(높이)	$\frac{1}{3}$×(밑면의 넓이)×(높이)

응용 3 원기둥이 지나간 부분의 넓이 구하기

예 다음과 같은 원기둥을 3바퀴 굴렸을 때 원기둥이 지나간 부분의 넓이 구하기 (원주율: 3.1)

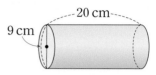

9 cm 　 20 cm

① (옆면의 넓이)＝(밑면의 둘레)×(높이)
$$＝9×3.1×20＝558\,(\text{cm}^2)$$

② (원기둥이 지나간 부분의 넓이)
＝(옆면의 넓이)×(굴린 바퀴 수)
$$＝558×3＝1674\,(\text{cm}^2)$$

응용 4 돌리기 전의 평면도형의 둘레 구하기

예 어떤 평면도형을 한 변을 기준으로 한 바퀴 돌려 만든 입체도형을 보고 돌리기 전의 평면도형의 둘레 구하기

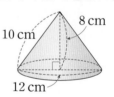

10 cm 　 8 cm 　 12 cm

① 돌리기 전의 평면도형 알아보기

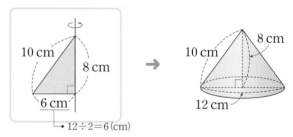

10 cm 　 8 cm 　 6 cm 　 •12÷2＝6 (cm)
→ 10 cm 　 8 cm 　 12 cm

② (돌리기 전의 평면도형의 둘레)
$$＝10＋6＋8＝24\,(\text{cm})$$

선행 개념 [중1] 회전체

• **회전체**: 평면도형을 한 직선을 축으로 하여 1회전 시킬 때 만들어지는 입체도형
• **회전축**: 회전시킬 때 축으로 사용한 직선

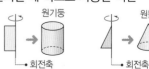

원기둥 　 원뿔
회전축 　 회전축

5 구

• 구: 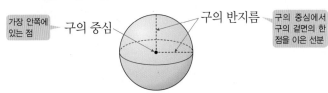 등과 같은 입체도형

가장 안쪽에 있는 점 / 구의 중심 / 구의 반지름 / 구의 중심에서 구의 겉면의 한 점을 이은 선분

응용 6 입체도형을 평면으로 자른 면의 넓이 구하기

예 오른쪽과 같이 선분 ㄱㄴ을 기준으로 한 바퀴 돌려 만든 입체도형을 선분 ㄱㄴ을 포함하는 평면으로 자른 면의 넓이 구하기

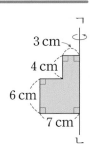
3 cm / 4 cm / 6 cm / 7 cm

① 만든 입체도형을 선분 ㄱㄴ을 포함하는 평면으로 자른 면 알아보기

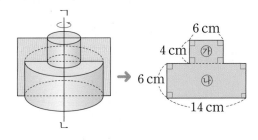
6 cm / 4 cm / ㉮ / 6 cm / ㉯ / 14 cm

② (위 ①의 자른 면의 넓이)
$$=6 \times 4 + 14 \times 6 = 24 + 84 = 108\,(\text{cm}^2)$$
└ ㉮의 넓이 └ ㉯의 넓이

응용 7 잘라 내고 남은 입체도형 알아보기

예 오른쪽 입체도형이 원기둥을 2등분한 것 중의 하나일 때 입체도형의 모든 면의 넓이의 합 구하기
(원주율: 3)

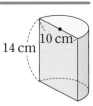
14 cm / 10 cm

① (한 밑면의 넓이)
$$=5 \times 5 \times 3 \div 2 = 37.5\,(\text{cm}^2)$$

② (옆면의 넓이) ┌ 굽은 면의 넓이 ┌ 평평한 면의 넓이
$$=10 \times 3 \div 2 \times 14 + 10 \times 14 = 350\,(\text{cm}^2)$$

③ (모든 면의 넓이의 합)
$$=37.5 \times 2 + 350 = 425\,(\text{cm}^2)$$
└ 두 밑면의 넓이의 합 └ 옆면의 넓이

---

1 원기둥을 찾아 기호를 써 보세요.

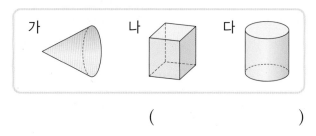
가 / 나 / 다

(   )

2 오른쪽 원뿔에서 모선의 길이와 높이는 각각 몇 cm인지 구해 보세요.

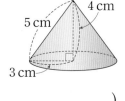
5 cm / 4 cm / 3 cm

모선의 길이 (   )

높이 (   )

3 원기둥의 전개도를 완성해 보세요.

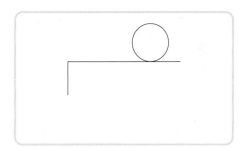

4 구에 대한 설명으로 잘못된 것을 찾아 기호를 써 보세요.

> ㉠ 구의 중심은 1개입니다.
> ㉡ 뾰족한 부분이 없습니다.
> ㉢ 보는 방향에 따라 모양이 다릅니다.

(   )

6 단원

원기둥과 원뿔의 높이 구하기

01 원기둥 가와 원뿔 나의 **높이의 합은 몇 cm**인가요?

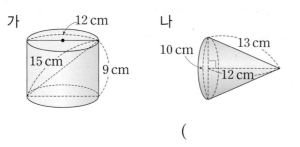

( )

레벨UP공략 **01**

◈ 원기둥과 원뿔의 높이는?

원기둥의 높이	원뿔의 높이
두 밑면에 수직인 선분의 길이	원뿔의 꼭짓점에서 밑면에 수직인 선분의 길이

원기둥, 원뿔, 구 비교하기

02 원기둥, 원뿔, 구에 대한 **설명이 잘못된 것**을 찾아 기호를 써 보세요.

> ㉠ 원기둥과 원뿔에는 굽은 면이 있습니다.
> ㉡ 원뿔에는 꼭짓점이 1개 있습니다.
> ㉢ 원기둥, 원뿔, 구는 어느 방향에서 보아도 모양이 모두 원입니다.

( )

입체도형을 여러 방향에서 본 모양의 둘레와 넓이 구하기

♡ 창의융합

03 다음은 우리 조상들이 살던 원뿔 모양의 움집을 보고 준석이가 만든 원뿔입니다. 이 원뿔을 **앞에서 본 모양의 둘레와 넓이**를 각각 구해 보세요.

└▸ 땅을 파고 지붕을 씌운 집

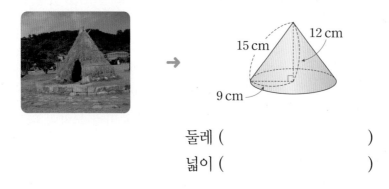

둘레 ( )

넓이 ( )

구의 지름 구하기

04 다음과 같이 넓이가 $54\,\text{cm}^2$인 반원 모양의 종이를 지름을 기준으로 한 바퀴 돌려 입체도형을 만들었습니다. 이 **입체도형의 지름은 몇 cm**인가요? (원주율: 3)

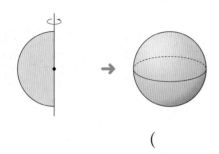

(   )

평면도형을 돌려 만든 입체도형 구하기   ✍서술형

05 혜선이와 은찬이는 직각삼각형 모양의 종이를 각각 다음과 같이 한 바퀴 돌려 입체도형을 만들었습니다. **혜선이와 은찬이가 만든 입체도형의 밑면의 지름의 차는 몇 cm**인지 풀이 과정을 쓰고, 답을 구해 보세요.

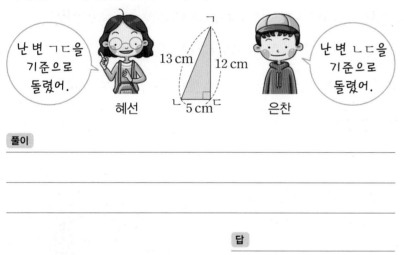

난 변 ㄱㄷ을 기준으로 돌렸어.   혜선   13 cm   12 cm   5 cm   은찬   난 변 ㄴㄷ을 기준으로 돌렸어.

풀이

답

원기둥의 전개도의 둘레 구하기

06 오른쪽은 원기둥의 전개도입니다. 이 **전개도의 둘레는 몇 cm**인지 구해 보세요. (원주율: 3.1)

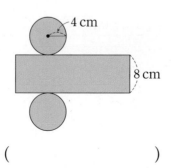

4 cm   8 cm

(   )

레벨UP공략 **02**

◆ 원기둥의 전개도는?
① 두 밑면의 모양은 원이고, 서로 합동입니다.
② 옆면의 모양은 직사각형입니다.
③ 옆면의 가로는 한 밑면의 둘레와 같고, 옆면의 세로는 원기둥의 높이와 같습니다.

구를 평면으로 자른 면의 넓이 구하기

07 구를 평면으로 자르면 면이 생깁니다. 생기는 면이 가장 크게 되도록 오른쪽 구를 평면으로 자르려고 합니다. 이때 **자른 면의 넓이는 몇 cm²**인지 구해 보세요. (원주율: 3.14)

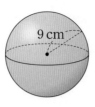

( )

원기둥의 전개도의 넓이를 이용하여 길이 구하기

08 다음 원기둥의 전개도에서 옆면의 넓이는 260.4 cm^2 입니다. 전개도를 접었을 때 만들어지는 **원기둥의 높이는 몇 cm**인지 구해 보세요. (원주율: 3.1)

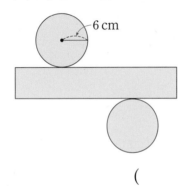

( )

레벨UP공략 **03**

◆ 원기둥의 전개도에서 옆면의 가로와 세로를 구하려면?

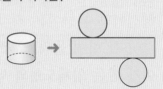

(옆면의 가로)=(한 밑면의 둘레)
(옆면의 세로)=(원기둥의 높이)

원기둥이 지나간 부분의 넓이 구하기

💡창의융합

09 밑면의 지름이 2 m이고 높이가 3.3 m인 원기둥 모양의 아스팔트 롤러를 사용하여 도로를 포장하려고 합니다. 이 롤러를 3바퀴 굴렸을 때 **포장한 도로의 넓이는 몇 m²**인지 구해 보세요. (원주율: 3.1)

└ 아스팔트 롤러: 도로를 포장하는 데 사용하는 장비

 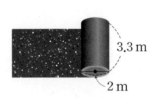

( )

레벨UP공략 **04**

◆ 원기둥이 지나간 부분의 넓이를 구하려면?
원기둥을 한 바퀴 굴렸을 때

원기둥이 지나간 부분의 넓이	=	원기둥의 옆면의 넓이

원뿔의 구성 요소를 이용하여 길이 구하기

10 철사 75 cm를 겹치지 않게 모두 사용하여 오른쪽과 같은 원뿔 모양을 만들었습니다. **선분 ㄱㄷ의 길이는 몇 cm**인지 구해 보세요. (원주율: 3.1)

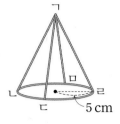

( )

◀ 레벨UP공략 **05**

◈ 원뿔의 구성 요소의 성질은?

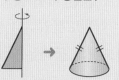

직각삼각형을 한 변을 기준으로 한 바퀴 돌리면 원뿔이 만들어집니다.
➡ 모선의 길이는 모두 같습니다.

조건을 만족하는 입체도형의 구성 요소의 길이 구하기

11 주어진 조건을 모두 만족하는 **원기둥의 밑면의 반지름과 높이는 각각 몇 cm**인지 구해 보세요. (원주율: 3)

> • 원기둥의 높이는 밑면의 지름의 2배입니다.
> • 전개도에서 옆면의 둘레는 60 cm입니다.

밑면의 반지름 ( )

높이 ( )

6 단원

원기둥의 모든 면의 넓이의 합 구하기

12 민수는 오른쪽과 같은 원기둥 모양 상자의 모든 면에 포장지를 겹치지 않게 붙이려고 합니다. **필요한 포장지의 넓이는 적어도 몇 cm²**인지 풀이 과정을 쓰고, 답을 구해 보세요. (원주율: 3)

✎ 서술형

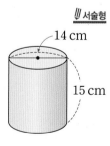
14 cm
15 cm

풀이

_____

_____

_____

답 _____

◀ 레벨UP공략 **06**

◈ 원기둥의 모든 면의 넓이의 합은?

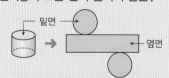

(원기둥의 모든 면의 넓이의 합)
=(한 밑면의 넓이)×2+(옆면의 넓이)

돌리기 전의 평면도형의 둘레 구하기

13 오른쪽 두루마리 휴지는 어떤 평면 도형을 한 바퀴 돌렸을 때 만들어지는 입체도형입니다. **돌리기 전의 평면도형의 둘레는 몇 cm**인가요?

( )

위와 앞에서 본 모양을 이용하여 문제 해결하기

14 어떤 원기둥을 위와 앞에서 본 모양입니다. 이 원기둥의 **모든 면의 넓이의 합은 몇 cm²**인지 풀이 과정을 쓰고, 답을 구해 보세요. (원주율: 3.1)

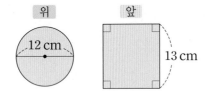

풀이

_____

_____

_____

답 _____

◆ 원기둥을 위와 앞에서 본 모양은?

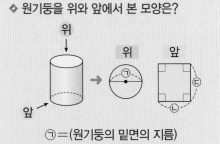

㉠=(원기둥의 밑면의 지름)
㉡=(원기둥의 밑면의 지름)
㉢=(원기둥의 높이)

입체도형을 평면으로 자른 면의 넓이 구하기

15 오른쪽 평면도형을 선분 ㄱㄴ을 기준으로 한 바퀴 돌려 입체도형을 만들었습니다. 만든 입체도형을 **선분 ㄱㄴ을 포함하는 평면으로 자른 면의 넓이는 몇 cm²**인지 구해 보세요.

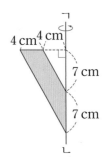

( )

정답 및 풀이 > 41쪽

16 크기가 같은 원기둥을 둘러싼 면의 넓이 구하기

오른쪽과 같이 크기가 같은 원기둥 모양의 음료수 캔 4개를 직사각형 모양의 투명 비닐로 4 cm만큼 겹쳐서 둘러쌌습니다. **사용한 투명 비닐의 넓이는 몇 cm²인가요?** (원주율: 3.14)

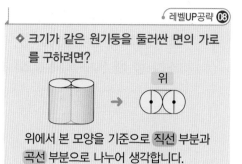

(   )

레벨UP공략 **08**

◆ 크기가 같은 원기둥을 둘러싼 면의 가로를 구하려면?

위

위에서 본 모양을 기준으로 직선 부분과 곡선 부분으로 나누어 생각합니다.

17 잘라 내고 남은 입체도형에서 길이 구하기

다음 입체도형은 원기둥을 2등분한 것 중의 하나입니다. 이 입체도형의 모든 겉면에 색을 칠하였더니 색칠한 부분의 넓이가 768 cm²였습니다. **입체도형의 높이는 몇 cm인지 구해 보세요.** (원주율: 3)

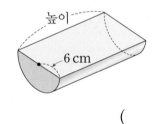

높이

6 cm

(   )

18 평면도형을 돌려 만든 입체도형에서 길이 구하기

오른쪽 평면도형을 한 변을 기준으로 한 바퀴 돌려 입체도형을 만들었습니다. 만든 입체도형을 앞에서 본 모양의 넓이는 480 cm²이고, ㉠과 ㉡의 길이의 비는 3 : 5입니다. **만든 입체도형의 한 밑면의 둘레는 몇 cm인지 구해 보세요.** (원주율: 3.14)

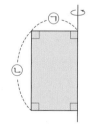

(   )

6 단원

01 다음 입체도형 중에서 원기둥, 원뿔, 구의 개수를 차례로 ㉠개, ㉡개,
㉢개라 할 때 ㉠＋㉡＋㉢**의 값**을 구해 보세요.

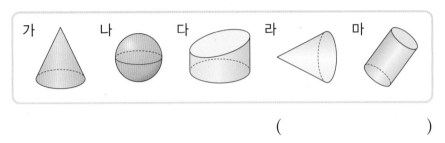

(   )

02 현준이가 어떤 입체도형을 관찰하고 적은 글입니다. 글을 읽고 이
입체도형의 밑면의 지름과 높이는 각각 몇 cm인지 구해 보세요.

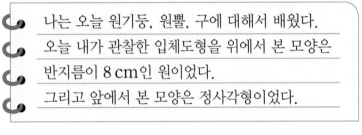

나는 오늘 원기둥, 원뿔, 구에 대해서 배웠다.
오늘 내가 관찰한 입체도형을 위에서 본 모양은
반지름이 8 cm인 원이었다.
그리고 앞에서 본 모양은 정사각형이었다.

밑면의 지름 (   )
높이 (   )

| 해결 순서 |
❶ 입체도형의 종류 알아보기
❷ 입체도형의 밑면의 지름과 높이 각각
　구하기

03 오른쪽 원기둥을 잘라 펼쳐서 전개도를 만들었
을 때 **옆면의 넓이는 몇 cm²**인지 풀이 과정을
쓰고, 답을 구해 보세요. (원주율: 3.1)

✏ 서술형

7 cm
9 cm

≪114쪽 08번 레벨UP공략

풀이

답

정답 및 풀이 > 43쪽

04 원기둥 가와 원뿔 나를 앞에서 본 모양의 넓이는 같습니다. **원기둥 가의 높이는 몇 cm인가요?**

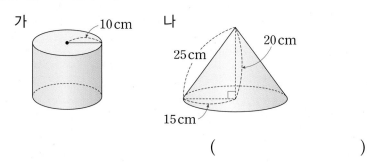

(   )

05 다음은 원기둥의 전개도입니다. 전개도의 둘레가 195.84 cm일 때 **한 밑면의 넓이는 몇 cm²인지** 구해 보세요. (원주율: 3.14)

《113쪽 06번 레벨UP공략

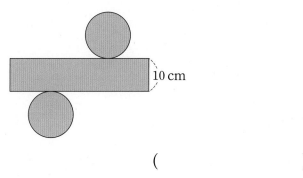

(   )

06 오른쪽 입체도형은 원뿔의 일부를 잘라 냈을 때 생기는 입체도형으로 어떤 평면도형을 한 변을 기준으로 한 바퀴 돌리면 만들어집니다. **돌리기 전의 평면도형의 넓이는 몇 cm²인가요?**

(   )

07 오른쪽은 철사를 사용하여 만든 원뿔 모양의 조형물입니다. 조형물의 꼭짓점을 지나는 **빨간색 부분의 길이는 몇 cm**인지 구해 보세요.

(   )

≪ 115쪽 10번   레벨UP공략

08 수아와 형준이가 각각 원기둥 모양 상자의 모든 면에 색종이를 겹치지 않게 붙였습니다. **사용한 색종이의 넓이는 누가 몇 cm² 더 넓은지** 구해 보세요. (원주율: 3)

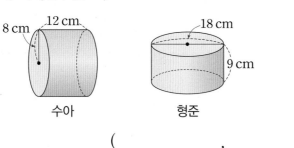

수아   형준

(,   )

≪ 115쪽 12번   레벨UP공략

🔅 창의융합

09 왼쪽 그림과 같이 수학자 아르키메데스의 묘비에는 원기둥에 구와 원뿔을 꼭 맞게 넣은 모양이 그려져 있습니다. 오른쪽 그림은 원기둥에 구를 꼭 맞게 넣은 것입니다. 구의 반지름이 4 cm라면 **원기둥의 전개도의 넓이는 몇 cm²**인지 구해 보세요. (원주율: 3.1)

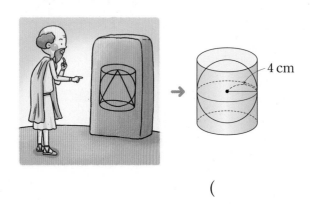

(   )

잠깐!

아르키메데스의 묘비에 대해 알아볼까요?
평소에 수학을 매우 좋아했던 아르키메데스는 생전에 자신의 비석에 '원기둥에 구와 원뿔을 넣은 모양을 조각해 달라'는 유언을 남겼습니다. 로마 전쟁 중에 아르키메데스는 죽음을 맞이하였습니다. 아르키메데스를 존경했던 한 로마의 장군은 그의 죽음을 안타까워하며 유언대로 묘비에 그림을 새겨 넣었습니다.

10 오른쪽과 같이 직각삼각형을 선분 ㄱㄴ을 기준으로 한 바퀴 돌려서 입체도형을 만들었습니다. 만든 입체도형을 **위에서 본 모양의 둘레는 몇 cm**인지 구해 보세요. (원주율: 3.14)

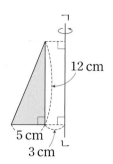

(   )

11 오른쪽은 어떤 평면도형을 한 변을 기준으로 한 바퀴 돌려서 만든 입체도형의 전개도입니다. 전개도의 옆면의 넓이가 471 cm^2일 때 **돌리기 전의 평면도형의 넓이는 몇 cm^2**인지 구해 보세요.

(원주율: 3.14)

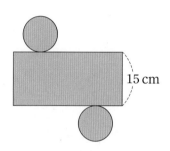

(   )

| 해결 순서 |
❶ 전개도로 만들 수 있는 입체도형의 밑면의 반지름 구하기
❷ 돌리기 전의 평면도형의 넓이 구하기

✎ 서술형

12 오른쪽 도형은 어떤 원기둥을 앞에서 본 모양입니다. 이 원기둥의 한 밑면의 넓이가 310 cm^2일 때 **원기둥의 모든 면의 넓이의 합은 몇 cm^2**인지 풀이 과정을 쓰고, 답을 구해 보세요. (원주율: 3.1)

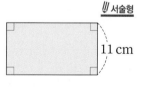

≪116쪽 14번 레벨UP공략

풀이 _____

_____

_____

답 _____

♀ 창의융합

13 하우스재배는 비닐하우스 안에서 채소나 화초를 재배하는 일을 말합니다. 어느 농장에서 다음과 같은 비닐하우스를 만들려고 합니다. 비닐하우스의 바닥을 제외한 모든 겉면에 비닐을 겹치지 않게 덮을 때 **필요한 비닐의 넓이는 몇 m²인지** 구해 보세요.

(원주율: 3.1)

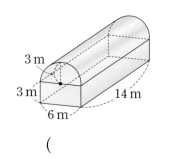

( )

14 오른쪽은 세 정사각형 ㉮, ㉯, ㉰를 겹치지 않게 이어 붙여 만든 평면도형입니다. 이 평면도형을 선분 ㄱㄴ을 기준으로 한 바퀴 돌려 입체도형을 만들었습니다. 만든 입체도형을 **선분 ㄱㄴ을 포함하는 평면으로 잘랐을 때 자른 면의 둘레는 몇 cm인지** 구해 보세요.

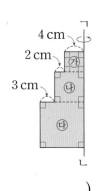

| 해결 순서 |
❶ 입체도형을 평면으로 자른 면 알아보기
❷ 입체도형을 평면으로 자른 면의 둘레 구하기

( )

15 직육면체 모양의 나무토막에 오른쪽과 같이 밑면의 반지름이 3 cm인 원기둥 모양의 구멍을 뚫었습니다. 이 나무토막 전체를 페인트 통에 담갔다가 꺼내면 **페인트가 묻은 부분의 넓이는 몇 cm²인지** 구해 보세요. (원주율: 3.14)

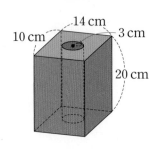

( )

1 주어진 두 평면도형을 각각 다음과 같이 선분 ㄱㄴ, 선분 ㄷㄹ을 기준으로 한 바퀴 돌려서 입체도형을 만들었습니다. 만든 입체도형을 각각 앞에서 본 모양을 차례로 ㉮, ㉯라 할 때 **㉮와 ㉯의 넓이의 비를 가장 간단한 자연수의 비로** 나타내어 보세요.

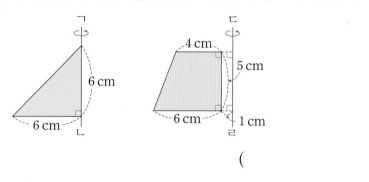

(   )

2 동민, 윤지, 서율이는 각각 가로가 40 cm이고 세로가 28 cm인 종이에 원기둥의 전개도를 그려서 원기둥 모양의 상자를 만들려고 합니다. 다음과 같이 밑면의 반지름을 정하여 최대한 높은 상자를 만들 때 **만든 상자의 높이가 가장 높은 사람과 가장 낮은 사람의 높이의 차는 몇 cm**인지 구해 보세요. (원주율: 3)

이름	동민	윤지	서율
밑면의 반지름	5 cm	6 cm	4 cm

(   )

3 원기둥을 $\frac{1}{4}$로 자른 입체도형과 입체도형의 전개도입니다. **전개도의 넓이는 몇 cm² 인지 구해 보세요.** (원주율: 3)

밑면의 곡선 부분의 길이는 반지름이 8 cm인 원의 원주의 $\frac{1}{4}$ 입니다.

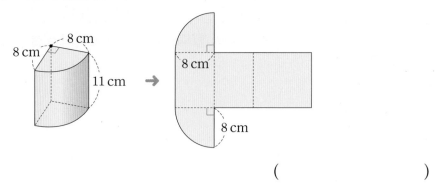

(   )

4 다음과 같이 원기둥 모양으로 구멍이 뚫린 입체도형을 5바퀴 굴렸더니 움직인 거리가 219.8 cm였습니다. 입체도형의 **모든 면의 넓이의 합은 몇 cm² 인지 구해 보세요.** (원주율: 3.14)

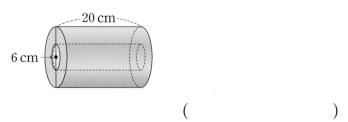

(   )

💡 창의융합

5 왼쪽 평면도형을 한 변을 기준으로 한 바퀴 돌려 만든 입체도형은 오른쪽 맷돌과 모양이 같습니다. 맷돌을 앞에서 본 모양의 넓이는 1272 cm² 입니다. ㉠과 ㉡의 길이의 비가 2 : 5일 때 **맷돌의 높이는 몇 cm**인지 구해 보세요. (단, 맷돌의 손잡이는 생각하지 않습니다.)

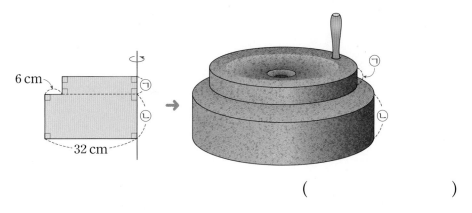

(   )

★1%★
도전

6 다음과 같은 원기둥 모양의 통나무를 같은 간격으로 4번 잘랐습니다. 자른 나무토막의 모든 면의 넓이의 합은 자르기 전 통나무의 모든 면의 넓이의 합의 2배입니다. **자른 나무토막 한 개의 높이는 몇 cm**인지 구해 보세요. (원주율: 3.1)

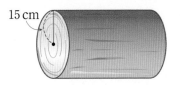

15 cm

(   )

6
단원

01 오른쪽 원뿔에서 높이와 모선의 길이의 차는 몇 cm인지 구해 보세요.

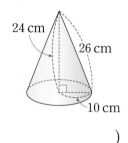

24 cm
26 cm
10 cm

(   )

02 원기둥과 원뿔에 대해 바르게 설명한 것을 찾아 기호를 써 보세요.

> ㉠ 원기둥과 원뿔에는 뾰족한 부분이 있습니다.
> ㉡ 원기둥과 원뿔은 모두 밑면이 2개입니다.
> ㉢ 원기둥과 원뿔은 밑면의 모양이 모두 원입니다.

(   )

03 오른쪽 구를 위에서 본 모양의 둘레와 넓이를 각각 구해 보세요. (원주율: 3.14)

8 cm

둘레 (   )
넓이 (   )

04 철사 90.24 cm를 겹치지 않게 모두 사용하여 다음과 같은 원뿔 모양을 만들었습니다. 선분 ㄱㅁ의 길이는 몇 cm인지 구해 보세요.

(원주율: 3.14)

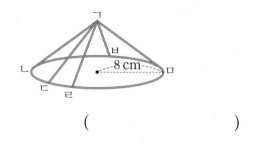

ㄱ
ㅂ
ㄴ
ㄷ ㄹ
8 cm
ㅁ

(   )

05 오른쪽은 원기둥의 전개도입니다. 전개도의 둘레가 170 cm일 때 한 밑면의 넓이는 몇 cm²인지 구해 보세요. (원주율: 3)

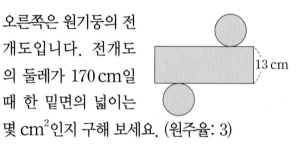

13 cm

(   )

06 윤재와 미정이가 각각 원기둥 모양 상자의 모든 면에 포장지를 겹치지 않게 붙였습니다. 사용한 포장지의 넓이는 누가 몇 cm² 더 넓은지 구해 보세요. (원주율: 3.1)

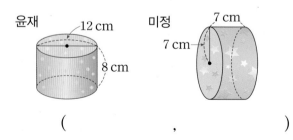

윤재 12 cm 8 cm
미정 7 cm 7 cm

(,   )

07 오른쪽 평면도형을 선분 ㄱㄴ을 기준으로 한 바퀴 돌려 입체도형을 만들었습니다. 만든 입체도형을 선분 ㄱㄴ을 포함하는 평면으로 자른 면의 넓이는 몇 cm²인가요?

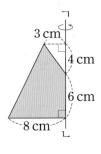

(   )

08 오른쪽은 어떤 평면도형을 한 변을 기준으로 한 바퀴 돌려서 만든 입체도형의 전개도입니다. 전개도의 옆면의 넓이가 520.8 cm²일 때 돌리기 전의 평면도형의 넓이는 몇 cm²인가요? (원주율: 3.1)

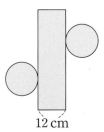

(   )

09 직사각형 모양의 종이에 원기둥의 전개도를 그렸습니다. 전개도를 잘라 내고 남은 종이의 넓이는 몇 cm²인가요? (원주율: 3.1)

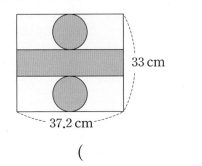

(   )

10 오른쪽은 원기둥을 2등분한 것 중의 하나입니다. 이 입체도형의 모든 겉면에 색을 칠하였더니 색칠한 부분의 넓이가 92 cm²였습니다. 입체도형의 높이는 몇 cm인지 구해 보세요. (원주율: 3)

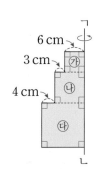

(   )

11 오른쪽은 세 정사각형 ㉮, ㉯, ㉰를 겹치지 않게 이어 붙여 만든 평면도형입니다. 이 평면도형을 선분 ㄱㄴ을 기준으로 한 바퀴 돌려 입체도형을 만들었습니다. 만든 입체도형을 선분 ㄱㄴ을 포함하는 평면으로 잘랐을 때 자른 면의 둘레는 몇 cm인지 구해 보세요.

(   )

12 오른쪽과 같이 원기둥 모양으로 구멍이 뚫린 입체도형을 4바퀴 굴렸더니 움직인 거리가 200.96 cm였습니다. 입체도형의 모든 면의 넓이의 합은 몇 cm²인지 구해 보세요. (원주율: 3.14)

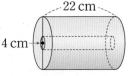

(   )

군계일학

群 鷄 一 鶴

무리 **군**　　　닭 **계**　　　하나 **일**　　　학 **학**

바로 뜻 닭의 무리 중에 있는 한 마리 학이라는 뜻.
깊은 뜻 여러 평범한 사람 가운데 가장 뛰어난 사람을 가리키는 말이에요.

서율이네 동네에서 지역 축제가 열렸어요.

동네 주민들은 다양한 장기를 선보였어요.

서율이는 그동안 열심히 연습한 바이올린 연주 솜씨를 뽐내기로 했어요.

차례가 되어 무대에 오르자 너무 떨렸지만 침착하게 연습한 곡을 연주하기 시작했어요.

연주가 끝나고 서율이의 연주에 감동받은 사람들은 환호했어요.

"우리 서율이가 참가한 사람들 중에서 단연 ☐☐☐☐으로 빛나는구나!"

엄마는 서율이를 꼭 안아 주었답니다.

잠깐! Quiz

Q ☐☐☐☐에 들어갈 말은?

A 위의 글을 읽고 파란색 글자들을 아래에서 모두 찾아 /표로 지웁니다.

바	감	동		연	솜
이		무	대	주	씨
올	군		축	제	참
린	계	장	기		가
	일		엄	연	습
	학		마		

사고력을 키워 상위권을 공략하는

큐브
수학
심화

경시대비북

◆ 경시대회 예상 문제 | 실전! 경시대회 모의고사

6·2

동아출판

경시대비북 활용법

경시대회 예상 문제

- 수학경시대회에서 자주 출제되는 문제들을 단원별로 2회씩 제공하였습니다.
- 진도북의 한 단원이 끝난 후 〈응용 단원 평가〉로 활용할 수 있습니다.

경시대회 모의고사

수학경시대회에서 출제될 수 있는 실전 문제, 신유형 문제, 사고력 문제, 고난도 문제입니다.
시험 시간에 맞게 평가를 실시하여 실전 경시대회에 대비합니다.

차례 및 성취 분석표

6·2

| **우수**인 경우는 진도북의 **〈응용 공략하기〉** 문제를 다시 한 번 풀어 보세요.
| **재도전**인 경우는 진도북의 **〈응용 개념〉**, **〈레벨UP공략법〉**을 다시 공부하세요.

경시대회 예상 문제 A형

1. 분수의 나눗셈

1 □ 안에 알맞은 수를 구해 보세요. | 5점

$$\square \times \frac{2}{5} = \frac{7}{8} \div \frac{3}{8}$$

( )

2 ㉠은 ㉡의 몇 배인지 기약분수로 나타내어 보세요. | 5점

$$㉠ \; 4\frac{2}{3} \div \frac{7}{8} \qquad ㉡ \; 9\frac{3}{5} \div 2\frac{2}{3}$$

( )

3 다음 직사각형의 넓이는 $\frac{14}{15}$ m²이고 세로는 $\frac{3}{5}$ m입니다. 이 직사각형의 가로는 몇 m인지 기약분수로 나타내어 보세요. | 8점

$$\frac{3}{5} \; m$$

( )

4 ㉠에 알맞은 자연수들의 합을 구해 보세요. | 8점

$$16 < 20 \div \frac{5}{㉠} < 30$$

( )

5 통나무 $\frac{7}{8}$ m의 무게가 $\frac{14}{15}$ kg입니다. 이 통나무 9 m의 무게는 몇 kg인지 기약분수로 나타내려고 합니다. 풀이 과정을 쓰고, 답을 구해 보세요. | 8점

서술형

풀이

답

6 다음 세 조건을 만족하는 분수의 나눗셈식을 써 보세요. | 8점

• 8÷5를 이용하여 계산할 수 있습니다.
• 분모가 10보다 작은 진분수의 나눗셈입니다.
• 두 분수의 분모는 같습니다.

( )

7 수직선을 보고 ㉠ ÷ $\frac{7}{18}$ 의 값은 얼마인지 기약분수로 나타내어 보세요. |8점

$\frac{5}{12}$ ㉠ $\frac{7}{8}$

(   )

8 평행사변형 가와 마름모 나의 넓이는 같습니다. 마름모 나의 한 대각선의 길이가 $\frac{4}{5}$ m일 때 다른 대각선의 길이는 몇 m인지 기약분수로 나타내어 보세요. |10점

가   나

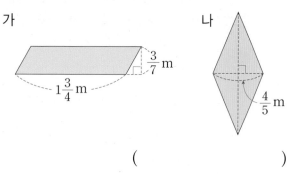

$1\frac{3}{4}$ m $\frac{3}{7}$ m $\frac{4}{5}$ m

(   )

9 현욱이네 학교 6학년 학생 전체의 $\frac{6}{11}$ 은 남학생이고 96명입니다. 현욱이네 학교의 6학년 여학생은 몇 명인지 풀이 과정을 쓰고, 답을 구해 보세요. |10점

📝서술형

풀이

답

10 기호 ◆에 대하여 ㉮◆㉯를 다음과 같이 약속할 때 $\frac{5}{8}$ ◆ $\frac{1}{4}$ 의 값을 구해 보세요. |10점

㉮◆㉯ = (㉮ − ㉯) ÷ (㉮ + ㉯)

(   )

11 자전거로 동우는 $4\frac{3}{8}$ km를 가는 데 $\frac{3}{4}$ 시간, 영호는 $3\frac{1}{6}$ km를 가는 데 $\frac{5}{12}$ 시간이 걸렸습니다. 같은 빠르기로 동우와 영호가 자전거를 타고 같은 곳에서 출발하여 같은 방향으로 한 시간 동안 쉬지 않고 간다면 누가 몇 km 더 멀리 가는지 기약분수로 나타내어 보세요. |10점

(,   )

12 우리나라 절기 중 하나인 하지는 1년 중 낮의 길이가 가장 길고 밤의 길이가 가장 짧습니다. 하루를 낮과 밤으로 구분했을 때 어느 해 하짓날 밤의 길이가 낮의 길이의 $\frac{17}{23}$ 이라면 이날 낮의 길이는 몇 시간 몇 분인가요? |10점

💡창의융합

(   )

경시대회 예상 문제 B형

1. 분수의 나눗셈

점수

1 가장 큰 수를 가장 작은 수로 나눈 몫을 구해 보세요. |5점

$$\frac{16}{5} \qquad 8 \qquad \frac{4}{9}$$

( )

2 계산 결과가 2보다 작은 것을 찾아 기호를 써 보세요. |5점

ㄱ $\dfrac{12}{13} \div \dfrac{5}{13}$

ㄴ $\dfrac{14}{15} \div \dfrac{2}{3}$

ㄷ $5\dfrac{1}{4} \div 2\dfrac{1}{3}$

( )

3 📝서술형 $\dfrac{7}{12}$ m를 기어가는 데 $\dfrac{1}{8}$ 분이 걸리는 거북이 있습니다. 이 거북이 같은 빠르기로 기어간다면 3분 동안 몇 m를 갈 수 있는지 풀이 과정을 쓰고, 답을 구해 보세요. |8점

풀이

답

4 □ 안에 들어갈 수 있는 자연수는 모두 몇 개인지 구해 보세요. |8점

$$\frac{5}{6} \div \frac{5}{12} < \square < 3\frac{1}{8} \div \frac{5}{14}$$

( )

5 💡창의융합 자석의 다른 극끼리 서로 가깝게 하면 끌어당기는 힘이 작용합니다. 길이가 $6\dfrac{3}{4}$ cm인 막대자석을 다음과 같이 서로 다른 극끼리 이어 붙였더니 전체 길이가 81 cm가 되었습니다. 이어 붙인 막대자석은 모두 몇 개인가요? |8점

N   S N   S   ……

( )

6 📝서술형 어떤 분수에 $\dfrac{6}{11}$ 을 곱하였더니 9가 되었습니다. 어떤 분수는 얼마인지 기약분수로 나타내려고 합니다. 풀이 과정을 쓰고, 답을 구해 보세요. |8점

풀이

답

7 어느 공장에서 장난감 한 개를 만드는 데 $\frac{3}{5}$시간이 걸립니다. 이 공장에서 하루에 6시간씩 일주일 동안 만드는 장난감은 모두 몇 개인지 구해 보세요. | 8점

(   )

8 넓이가 $3\frac{3}{4}\ \text{cm}^2$이고 높이가 $2\frac{2}{5}\ \text{cm}$인 삼각형이 있습니다. 이 삼각형의 밑변의 길이는 몇 cm인지 기약분수로 나타내어 보세요. | 10점

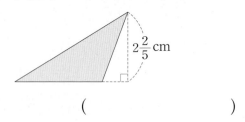

(   )

9 다음과 같은 직사각형 모양의 벽을 칠하는 데 $2\frac{2}{7}\ \text{L}$의 페인트가 필요합니다. 9 L의 페인트로 칠할 수 있는 벽의 넓이는 몇 m^2인가요? | 10점

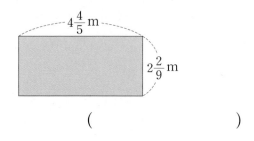

(   )

10 4장의 수 카드 ①, ③, ⑦, ⑨를 한 번씩만 사용하여 다음 나눗셈식을 만들려고 합니다. 몫이 가장 클 때의 나눗셈식의 몫을 구해 보세요. | 10점

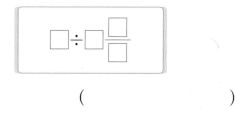

(   )

11 빈 물병에 전체의 $\frac{5}{8}$만큼 물을 넣고 무게를 재어 보니 600 g이었고, 넣은 물의 $\frac{4}{9}$만큼을 사용한 후 다시 무게를 재어 보았더니 480 g이었습니다. 빈 물병의 무게는 몇 g인지 구해 보세요. | 10점

(   )

12 삼각형 ㄱㄴㅁ의 넓이는 직사각형 ㄱㄴㄷㄹ의 넓이의 $\frac{4}{9}$입니다. 선분 ㄱㅁ의 길이는 몇 cm인지 기약분수로 나타내어 보세요. | 10점

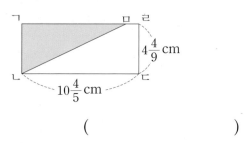

(   )

경시대회 예상 문제 A형

2. 소수의 나눗셈

1 ㉠은 ㉡의 몇 배인지 구해 보세요. | 5점

> ㉠ $30 \div 0.6$
>
> ㉡ $24 \div 0.96$

( )

2 계산 결과가 다른 하나를 찾아 기호를 써 보세요. | 5점

> ㉠ $22.4 \div 1.4$ ㉡ $46.4 \div 2.9$
>
> ㉢ $6.48 \div 0.36$ ㉣ $34.24 \div 2.14$

( )

3 다음 평행사변형의 높이는 $3.8\,\mathrm{cm}$이고 넓이는 $15.2\,\mathrm{cm}^2$입니다. 이 평행사변형의 밑변의 길이는 몇 cm인지 구해 보세요. | 8점

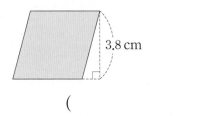

3.8 cm

( )

4 몫을 반올림하여 소수 첫째 자리까지 나타낸 값과 소수 둘째 자리까지 나타낸 값의 차를 구해 보세요. | 8점

> $47.6 \div 5.2$

( )

서술형

5 굵기가 일정한 철근 $17.5\,\mathrm{m}$의 무게를 재어 보니 $84\,\mathrm{kg}$이었습니다. 이 철근 $5\,\mathrm{m}$의 무게는 몇 kg인지 풀이 과정을 쓰고, 답을 구해 보세요. | 8점

풀이

답

6 다음과 같은 직사각형 모양의 벽을 칠하는 데 페인트 한 통이 필요하다고 합니다. 넓이가 $411.6\,\mathrm{m}^2$인 벽을 모두 칠하는 데에는 페인트가 적어도 몇 통 필요한지 구해 보세요. (단, 한 통에 들어 있는 페인트의 양은 일정합니다.) | 8점

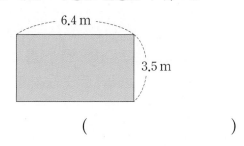

6.4 m

3.5 m

( )

7 몫의 소수 16째 자리 숫자를 구해 보세요. |8점

$$47 \div 11$$

(   )

8 ✍서술형

트럭이 1시간 24분 동안 119 km를 달렸습니다. 이 트럭이 같은 빠르기로 3시간 동안 달린다면 몇 km를 갈 수 있는지 풀이 과정을 쓰고, 답을 구해 보세요. |10점

풀이

_____

_____

_____

답

9 💡창의융합

중력은 물체를 끌어당기는 힘으로 중력이 서로 다른 행성에서 무게를 재면 무게가 다릅니다. 지구에서 몸무게가 42 kg인 선우가 ㉮ 행성에서 몸무게를 재면 7 kg이고, ㉯ 행성에서 몸무게를 재면 지구에서 잰 몸무게의 3.6배가 됩니다. 정현이가 ㉯ 행성에서 잰 몸무게가 169.2 kg일 때 ㉮ 행성에서는 몇 kg인지 반올림하여 소수 둘째 자리까지 나타내어 보세요. |10점

(   )

10 주어진 조건을 모두 만족하는 두 수 중에서 큰 수를 작은 수로 나눈 몫을 구해 보세요. |10점

- 두 수의 합은 73.6입니다.
- 두 수의 차는 70.4입니다.

(   )

11 똑같은 음료수 48개를 담은 상자의 무게를 재어 보니 21.86 kg이었습니다. 음료수 16개를 판 후 남은 음료수를 담은 상자의 무게를 재어 보니 15.14 kg이었습니다. 빈 상자의 무게는 몇 kg인지 구해 보세요. |10점

(   )

12 한 시간 동안 12.5 km를 가는 빠르기로 흐르는 강이 있습니다. 일정한 빠르기로 1시간 48분 동안 63 km를 가는 배가 강물이 흐르는 방향으로 190 km를 가는 데 걸리는 시간은 적어도 몇 시간인지 구해 보세요. |10점

(   )

경시대회 예상 문제 B형

2. 소수의 나눗셈

1 두 나눗셈의 몫의 차를 구해 보세요. |5점

> • $15.6 \div 2.6$　　• $34.03 \div 4.15$

(　　　　　　)

2 가장 큰 수를 가장 작은 수로 나눈 몫은 얼마인지 구하려고 합니다. 풀이 과정을 쓰고, 답을 구해 보세요. |5점　*서술형*

> 17.6　　3.8　　22　　23.94

풀이

답

3 1분에 1.2 km를 달리는 자동차가 있습니다. 이 자동차가 같은 빠르기로 162 km를 달리는 데에는 몇 시간 몇 분이 걸리는지 구해 보세요. |8점

(　　　　　　)

4 □ 안에 들어갈 수 있는 자연수는 모두 몇 개인가요? |8점

> $16.38 \div 3.9 < \boxed{} < 5.44 \div 0.64$

(　　　　　　)

5 나눗셈의 몫을 반올림하여 일의 자리까지 나타낸 값을 ㉠, 소수 첫째 자리까지 나타낸 값을 ㉡, 소수 둘째 자리까지 나타낸 값을 ㉢이라 할 때 ㉠−㉡+㉢의 값을 구해 보세요. |8점

> $5.68 \div 3.7$

(　　　　　　)

6 성현이는 파란색 페인트 598 mL와 흰색 페인트 845 mL를 섞어서 벽을 칠하는 데 모두 사용하였습니다. 1 m^2의 벽을 칠하는 데 사용한 페인트가 120.25 mL일 때 성현이가 칠한 벽의 넓이는 모두 몇 m^2인지 구해 보세요. |8점

(　　　　　　)

예상 문제

7 다음 삼각형의 밑변의 길이는 9.2 cm이고 넓이는 26.68 cm² 입니다. 이 삼각형의 높이는 몇 cm인가요? |8점

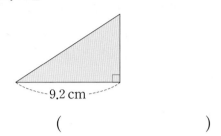

9.2 cm

(   )

✍ 서술형

8 어떤 수를 2.4로 나누어야 하는데 잘못하여 곱했더니 324가 되었습니다. 바르게 계산했을 때의 값은 얼마인지 풀이 과정을 쓰고, 답을 구해 보세요. |10점

풀이

답

💡 창의융합

9 연비는 단위 연료당 갈 수 있는 거리의 비율을 말합니다. 다음은 가와 나 자동차의 주행 거리와 사용된 연료의 양을 나타낸 것입니다. 가와 나 자동차 중 연비가 더 높은 자동차를 타고 621 km를 가려면 몇 L의 연료가 필요한지 구해 보세요. (단, 각 자동차는 같은 연비로 운행합니다.) |10점

자동차	주행 거리(km)	사용된 연료(L)
가	438	36.5
나	680.4	50.4

(   )

10 다음 나눗셈의 몫을 반올림하여 소수 둘째 자리까지 나타내면 0.65입니다. 1부터 9까지의 자연수 중에서 □ 안에 알맞은 수를 구해 보세요. |10점

3.□2÷6

(   )

11 길이가 122.88 m인 직선 터널의 양쪽에 처음부터 끝까지 조명등을 달았습니다. 도로의 한쪽은 3.84 m 간격으로 달았고, 다른 한쪽은 5.12 m 간격으로 달았습니다. 직선 터널의 양쪽에 단 조명등은 모두 몇 개인가요? (단, 조명등의 두께는 생각하지 않습니다.) |10점

(   )

12 삼각형 ㄹㅁㄷ의 넓이는 삼각형 ㄱㄴㄷ의 넓이는 1.6배입니다. 선분 ㄴㅁ의 길이는 몇 cm인지 구해 보세요. |10점

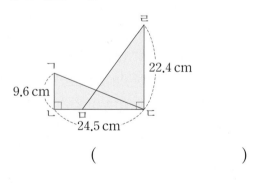

22.4 cm

9.6 cm

24.5 cm

(   )

경시대회 예상 문제 A형

3. 공간과 입체

점수

1 |보기|와 같이 화분을 놓았을 때 가능하지 않은 사진을 찾아 기호를 써 보세요. |5점

|보기|
㉠
㉡ ㉢

( )

2 오른쪽 쌓기나무로 쌓은 모양을 보고 위에서 본 모양이 될 수 있는 것을 찾아 기호를 써 보세요. |5점

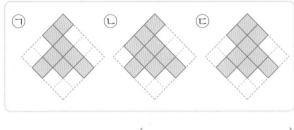

㉠ ㉡ ㉢

( )

3 쌓기나무로 쌓은 모양을 층별로 나타낸 모양입니다. 앞에서 본 모양을 그려 보고, 똑같은 모양으로 쌓는 데 필요한 쌓기나무는 몇 개인지 구해 보세요. |8점

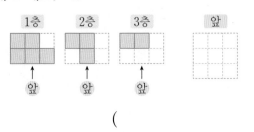

1층 2층 3층 앞

↑ ↑ ↑
앞 앞 앞

( )

4 |보기|의 모양 중 두 가지를 사용하여 새로운 모양을 만들었습니다. 사용한 두 가지 모양을 찾아 기호를 써 보세요. |8점

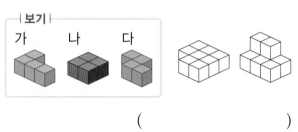

|보기|
가 나 다

( )

5 오른쪽은 쌓기나무를 쌓은 모양을 보고 위에서 본 모양에 수를 쓴 것입니다. 2층 이상에 쌓인 쌓기나무는 모두 몇 개인지 풀이 과정을 쓰고, 답을 구해 보세요. |8점

위

	3	2	
2	4	2	
	3	1	1
	1		

⫷서술형

풀이

_____

_____

_____

답 _____

6 위, 앞, 옆에서 본 모양을 보고 똑같은 모양으로 쌓을 때 만들어지는 모양이 한 개가 아닌 것을 찾아 기호를 써 보세요. |8점

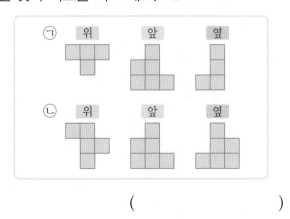

㉠ 위 앞 옆

㉡ 위 앞 옆

( )

7 쌀기나무 4개를 붙여서 만든 오른쪽 두 가지 모양을 사용하여 만들 수 없는 모양을 찾아 기호를 써 보세요. |8점

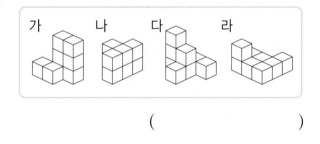

(   )

8 쌀기나무를 7개씩 사용하여 두 조건을 만족하도록 쌓아 보고, 위에서 본 모양에 수를 쓰는 방법으로 나타내어 보세요. |10점

- 가와 나의 쌓은 모양은 서로 다릅니다.
- 가와 나의 위, 앞, 옆에서 본 모양이 각각 서로 같습니다.

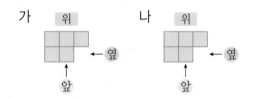

9 승우가 쌀기나무를 가장 적게 사용하여 쌓은 모양을 위, 앞, 옆에서 본 모양과 현지가 쌓은 모양을 위에서 본 모양입니다. 누가 사용한 쌀기나무가 몇 개 더 많은지 구해 보세요. |10점

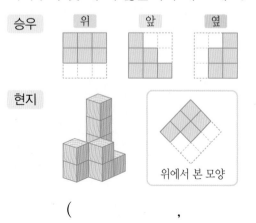

(,   )

10 성민이는 이집트 왕의 무덤인 피라미드를 보고 한 모서리의 길이가 4 cm인 쌀기나무 35개를 사용하여 피라미드 모양을 만들었습니다. 쌀기나무로 만든 모양의 겉넓이는 몇 cm^2인가요? (단, 바닥에 닿는 면도 포함합니다.) |10점

 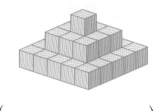

(   )

11 쌀기나무로 쌓은 모양과 위에서 본 모양입니다. 쌀기나무로 쌓은 모양에 쌀기나무를 더 쌓아서 가장 작은 정육면체 모양을 만들려고 합니다. 더 필요한 쌀기나무는 몇 개인지 풀이 과정을 쓰고, 답을 구해 보세요. |10점

위에서 본 모양

풀이 _____

_____

_____

답 _____

12 쌀기나무로 쌓은 모양을 위, 앞, 옆에서 본 모양입니다. 쌓은 쌀기나무가 가장 많은 경우와 가장 적은 경우의 쌀기나무는 각각 몇 개인지 구해 보세요. |10점

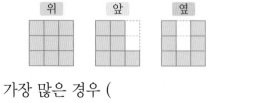

가장 많은 경우 (   )

가장 적은 경우 (   )

경시대회 예상 문제 **B형**

3. 공간과 입체

1 쌓기나무로 쌓은 모양과 위에서 본 모양입니다. 똑같은 모양으로 쌓는 데 필요한 쌓기나무는 몇 개인지 구해 보세요. |5점

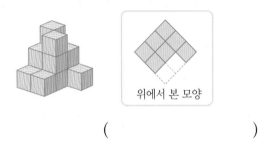

위에서 본 모양

( )

2 오른쪽은 미국 뉴욕에 있는 유명한 조형물로 아래와 같이 각 방향에서 사진을 찍었습니다. 각 사진을 찍은 위치를 찾아 번호를 써 보세요. |5점

💡 창의융합

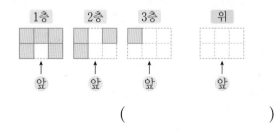

( ) ( ) ( )

3 쌓기나무로 쌓은 모양을 층별로 나타낸 모양입니다. 위에서 본 모양을 그려 수를 쓰는 방법으로 나타내고, 똑같은 모양으로 쌓는 데 필요한 쌓기나무는 몇 개인지 구해 보세요. |8점

| 1층 | 2층 | 3층 | 위 |

↑앞   ↑앞   ↑앞   ↑앞

( )

4 |보기|의 두 가지 모양을 사용하여 아래의 모양을 만들었습니다. 어떻게 만들었는지 구분하여 색칠해 보세요. |8점

|보기|

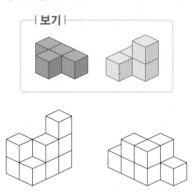

5 쌓기나무 11개로 만든 모양입니다. 빨간색 쌓기나무 3개를 빼낸 후 앞과 옆에서 본 모양을 각각 그려 보세요. |8점

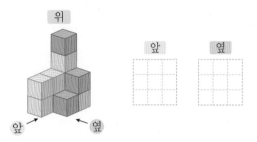

위

앞   옆

앞 ↙   ↘ 옆

6 쌓기나무로 쌓은 모양을 위, 앞, 옆에서 본 모양입니다. 각각 위, 앞, 옆 중 어디에서 본 모양인지 찾으려고 합니다. 풀이 과정을 쓰고, 위에서 본 모양에 각 자리에 쌓은 쌓기나무의 수를 써 보세요. |8점

〰 서술형

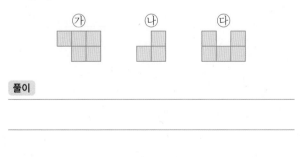

㉮   ㉯   ㉰

풀이

7 오른쪽 쌓기나무로 쌓아 만든 모양에서 뒤쪽에 쌓인 쌓기나무는 보이지 않을 수 있습니다. 쌓기나무가 가장 많이 사용된 경우의 앞과 옆에서 본 모양을 각각 그려 보세요. (단, 쌓기나무는 면끼리 맞닿게 쌓습니다.) | 8점

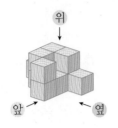

앞   옆

8 다음은 쌓기나무 13개로 쌓은 모양을 위와 옆에서 본 모양입니다. 앞에서 본 모양을 그려 보세요. | 10점

9 연아와 정우는 각각 쌓기나무로 모양을 만들었습니다. 연아는 쌓은 모양을 위에서 본 모양에 수를 썼고, 정우는 쌓은 모양을 층별로 나타내었습니다. 2층 이상에 쌓인 쌓기나무는 누가 몇 개 더 많은지 구해 보세요. | 10점

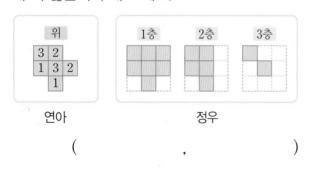

연아   정우

(,   )

10 오른쪽은 한 모서리의 길이가 2 cm인 쌓기나무 9개로 쌓은 모양입니다. 쌓은 모양의 겉넓이는 몇 cm²인가요? (단, 바닥에 닿는 면도 포함합니다.) | 10점

(   )

11 쌓기나무로 쌓은 모양을 위, 앞, 옆에서 본 모양이 다음과 같을 때 만들 수 있는 서로 다른 모양은 모두 몇 가지인지 구해 보세요. | 10점

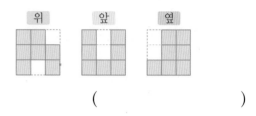

(   )

12 쌓기나무 40개를 오른쪽과 같이 쌓아 놓고 바깥쪽의 모든 면에 색칠하였습니다. 색칠한 쌓기나무를 모두 떼어 놓았더니 색칠된 면의 넓이의 합은 684 cm²였습니다. 색칠되지 않은 면의 넓이의 합은 몇 cm²인지 풀이 과정을 쓰고, 답을 구해 보세요. | 10점

🖊 서술형

풀이

답

경시대회 예상 문제 A형

4. 비례식과 비례배분

점수

1 가장 간단한 자연수의 비로 바르게 나타낸 사람을 찾아 이름을 써 보세요. |5점

$$\frac{1}{3} : \frac{1}{9} = 1 : 3$$

진우

$$63 : 28 = 9 : 4$$

연서

(   )

2 비례식에서 □ 안에 알맞은 수가 가장 큰 것을 찾아 기호를 써 보세요. |5점

⊙ $4 : 7 = \square : 28$

ⓛ $\frac{1}{5} : \frac{2}{9} = 9 : \square$

ⓒ $\square : 16 = \frac{1}{4} : \frac{1}{7}$

(   )

3 민태와 선아가 같은 책을 한 시간 동안 읽었는데 민태는 전체의 $\frac{1}{3}$을 읽었고, 선아는 전체의 $\frac{2}{7}$를 읽었습니다. 민태와 선아가 각각 한 시간 동안 읽은 책의 양을 가장 간단한 자연수의 비로 나타내어 보세요. |8점

(   )

4 가로와 세로의 비가 7 : 4인 직사각형을 그리려고 합니다. 가로를 84 cm로 하면 직사각형의 둘레는 몇 cm가 되는지 구해 보세요. |8점

(   )

5 사탕 52개를 소현이와 준우가 4 : 9로 나누어 가졌습니다. 준우가 소현이보다 사탕을 몇 개 더 많이 가졌는지 구해 보세요. |8점

(   )

▓서술형

6 희수는 이번 주에 받은 용돈의 65 %를 저금하였습니다. 저금한 금액이 13000원이라면 희수가 이번 주에 받은 용돈은 얼마인지 비례식을 만들어 구하는 풀이 과정을 쓰고, 답을 구해 보세요. |8점

풀이

답

예상 문제

7 다음 그림에서 직선 가와 직선 나는 서로 평행합니다. 직사각형 ㉠과 평행사변형 ㉡의 넓이의 합이 672 cm²일 때 평행사변형 ㉡의 넓이는 몇 cm²인지 구해 보세요. | 8점

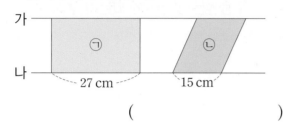

(   )

※서술형

8 은혜와 진웅이는 우표를 69장씩 가지고 있었습니다. 은혜가 진웅이에게 우표를 몇 장 주었더니 은혜와 진웅이가 가지고 있는 우표 수의 비가 9 : 14가 되었습니다. 은혜가 진웅이에게 준 우표는 몇 장인지 풀이 과정을 쓰고, 답을 구해 보세요. | 10점

풀이

_____

_____

_____

답

💡창의융합

9 증발은 어떤 물질이 액체 상태에서 기체 상태로 변하는 현상입니다. 물과 소금의 비가 7 : 1인 소금물 400 g에서 물이 증발하여 물과 소금의 비가 5 : 1인 소금물이 되었습니다. 이때 증발한 물의 양은 몇 g인지 구해 보세요. | 10점

(   )

10 ㉮ 회사는 4500만 원, ㉯ 회사는 3000만 원을 투자하여 이익금을 얻었습니다. 두 회사가 투자한 금액의 비에 따라 이익금을 비례배분하였더니 ㉮ 회사가 받은 금액은 2400만 원이었습니다. 전체 이익금은 얼마인지 구해 보세요. | 10점

(   )

11 원 ㉮와 ㉯의 넓이의 비는 2 : 5입니다. 겹쳐진 부분의 넓이가 원 ㉮의 $\frac{3}{8}$일 때 겹쳐진 부분의 넓이는 원 ㉯의 몇 %인가요? | 10점

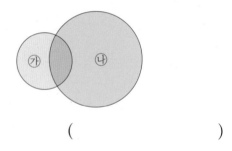

(   )

12 어떤 물건의 가격은 은서의 용돈의 $\frac{5}{12}$이고, 동우의 용돈의 $\frac{4}{9}$입니다. 두 사람의 용돈의 차가 1500원일 때 이 물건의 가격은 얼마인지 구해 보세요. | 10점

(   )

경시대회 예상 문제 B형   4. 비례식과 비례배분

점수

1 ㉠과 ㉡에 알맞은 수의 합을 구해 보세요. |5점

> • 4 : ㉠＝24 : 54
> • 2.1 : 1.8＝㉡ : 6

(   )

2 🔍 창의융합

첨성대와 다보탑의 높이의 비를 가장 간단한 자연수의 비로 나타내어 보세요. |5점

첨성대	다보탑
9.2 m	10.4 m

(   )

3 |보기|의 두 조건에 맞게 비례식을 완성해 보세요. |8점

> |보기|
> • 비율은 $\dfrac{3}{8}$입니다.
> • 내항의 곱은 240입니다.

☐ : 16＝☐ : ☐

4 🖊 서술형

유정이네 반에서 남학생 수와 여학생 수의 비는 6 : 7입니다. 여학생이 21명일 때 유정이네 반 학생은 모두 몇 명인지 풀이 과정을 쓰고, 답을 구해 보세요. |8점

풀이

답

5 가로와 세로의 비가 5 : 3인 직사각형이 있습니다. 이 직사각형의 둘레가 96 cm일 때 넓이는 몇 cm^2인지 구해 보세요. |8점

(   )

6 ㉮의 0.16과 ㉯의 40 %는 같습니다. ㉯에 대한 ㉮의 비율을 소수로 나타내어 보세요. |8점

(   )

예상 문제

7 비가 6 : 13인 두 자연수의 합이 266일 때 두 자연수의 차는 얼마인지 풀이 과정을 쓰고, 답을 구해 보세요. | 8점

서술형

풀이

답

8 바둑돌 195개를 ㉮와 ㉯ 상자에 나누어 담으려고 합니다. ㉮ 상자에는 ㉯ 상자보다 바둑돌을 15개 더 많이 담을 때 ㉮ 상자와 ㉯ 상자에 담는 바둑돌 수의 비를 가장 간단한 자연수의 비로 나타내어 보세요. | 10점

(   )

9 빨간색 물감과 파란색 물감을 5 : 3으로 섞어서 보라색을 40 g 만들었고, 노란색 물감과 파란색 물감을 9 : 2로 섞어서 초록색을 66 g 만들었습니다. 어느 색에 사용한 파란색 물감이 몇 g 더 많은지 구해 보세요. | 10점

(,   )

10 맞물려 돌아가는 두 톱니바퀴 ㉮와 ㉯가 있습니다. 톱니바퀴 ㉮의 톱니는 56개, 톱니바퀴 ㉯의 톱니는 35개입니다. 톱니바퀴 ㉯가 40번 도는 동안 톱니바퀴 ㉮는 몇 번을 돌게 되는지 구해 보세요. | 10점

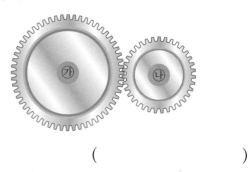

(   )

11 일정한 빠르기로 하루에 14분씩 느려지는 시계가 있습니다. 오늘 오전 10시에 이 시계를 정확하게 맞추어 놓았다면 내일 오후 10시에 이 시계가 가리키는 시각은 오후 몇 시 몇 분인지 구해 보세요. | 10점

(   )

12 지난달 동훈이네 학교 6학년 남학생 수와 여학생 수의 비는 13 : 12였습니다. 이번 달에 남학생 몇 명이 전학을 와서 남학생 수와 여학생 수의 비가 9 : 8이 되었고, 6학년 전체 학생은 204명이 되었습니다. 이번 달에 전학을 온 남학생은 몇 명인지 구해 보세요. (단, 여학생 수는 변함이 없습니다.) | 10점

(   )

경시대회 예상 문제 A형

5. 원의 넓이

점수

1 지름이 5 cm인 원 모양 단추의 둘레를 재어 보았더니 15.7 cm였습니다. 이 단추의 원주는 지름의 몇 배인지 구해 보세요. |5점

5 cm

(   )

2 두 원 가와 나의 원주의 차는 몇 cm인지 구해 보세요. (원주율: 3) |5점

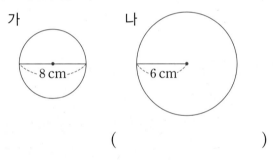

가   나

8 cm   6 cm

(   )

3 넓이가 가장 큰 원을 찾아 기호를 써 보세요.
(원주율: 3.1) |8점

> ㉠ 반지름이 13 cm인 원
> ㉡ 원주가 93 cm인 원
> ㉢ 넓이가 375.1 cm²인 원

(   )

4 투명 모눈 판을 이용하여 다음과 같이 지름이 8 cm인 원 모양 통조림통의 넓이를 어림해 보려고 합니다. 통조림통의 넓이는 몇 cm²인지 어림해 보세요. |8점

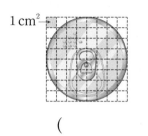

1 cm²

(   )

5 지름이 45 cm인 원 모양의 굴렁쇠를 몇 바퀴 굴렸더니 앞으로 706.5 cm만큼 나아갔습니다. 굴렁쇠를 몇 바퀴 굴린 것인지 구해 보세요. (원주율: 3.14) |8점

(   )

✍ 서술형

6 다음은 지름이 90 cm인 원 모양의 돌림판입니다. 돌림판의 손잡이를 잡고 6바퀴 돌렸을 때 손잡이가 이동한 거리는 몇 cm인지 풀이 과정을 쓰고, 답을 구해 보세요. (원주율: 3.1) |8점

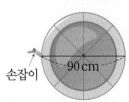

손잡이   90 cm

풀이

_____

_____

_____

답 _____

예상 문제

7 넓이가 379.94 cm²인 원 모양 ✎서술형
의 사과 파이를 밑면이 정사각형
모양인 직육면체 상자에 담으려
고 합니다. 상자의 밑면의 한 변
의 길이는 적어도 몇 cm이어야 하는지 풀이 과정
을 쓰고, 답을 구해 보세요. (원주율: 3.14) | 8점

풀이 _____

_____

_____

답 _____

8 수미는 색종이로 오른쪽과 같
은 모양을 만들었습니다. 만
든 모양의 넓이는 몇 cm²인
가요? (원주율: 3.1) | 10점

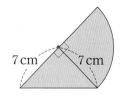
7 cm   7 cm

(   )

♀ 창의융합

9 원 모양의 물체에 빛을 비추면 물체와 벽 사이
의 거리가 12 cm일 때 벽에 반지름이 5 cm인
원 모양의 그림자가 생깁니다. 물체와 벽 사이
의 거리가 1 cm 멀어질 때마다 그림자의 반지
름이 2 cm씩 커집니다. 물체와 벽 사이의 거리
가 20 cm일 때 벽에 생기는 그림자의 넓이는 몇
cm²인지 구해 보세요. (단, 빛을 비추는 손전등
의 위치는 동일합니다.) (원주율: 3) | 10점

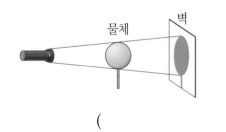
물체   벽

(   )

10 도형에서 색칠한 부분의 넓이는 몇 cm²인지
구해 보세요. (원주율: 3.1) | 10점

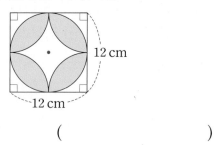
12 cm
12 cm

(   )

11 반지름이 3 cm인 원 모양의 음료수 캔 3개를 끈
으로 한 바퀴 둘러 묶은 것을 위에서 본 것입니
다. 매듭을 짓는 데 사용한 끈의 길이가 12 cm
라면 음료수 캔 3개를 묶는 데 사용한 끈의 길이
는 몇 cm인가요? (원주율: 3.1) | 10점

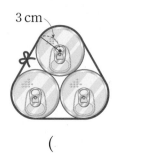
3 cm

(   )

12 반지름이 8 cm인 원 2개
가 오른쪽과 같이 겹쳐 있
습니다. 겹쳐진 부분의 넓
이는 몇 cm²인가요? (원주율: 3.14) | 10점

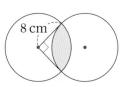
8 cm

(   )

경시대회 예상 문제 **B형**

5. 원의 넓이

점수

1 반지름이 4 cm인 원의 원주와 넓이를 각각 구해 보세요. (원주율: 3.1) |5점

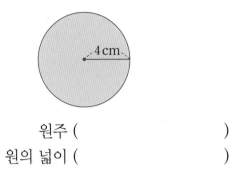

원주 (　　　　　　　)

원의 넓이 (　　　　　　　)

2 놀이공원의 기차가 지름이 12 m인 원 모양의 철로 위를 2바퀴 돌았습니다. 기차가 달린 거리는 몇 m인지 구해 보세요. (원주율: 3.14) |5점

(　　　　　　　)

3 정훈이는 컴퍼스의 침과 연필심 사이의 거리를 9 cm만큼 벌려서 원을 그렸습니다. 정훈이가 그린 원의 넓이는 몇 cm^2인가요? (원주율: 3) |8점

(　　　　　　　)

4 다음 그림에서 정육각형의 넓이를 이용하여 원의 넓이를 어림하려고 합니다. 삼각형 ㄱㅇㄷ의 넓이가 60 cm^2, 삼각형 ㄹㅇㅂ의 넓이가 50 cm^2일 때 원의 넓이는 몇 cm^2라고 어림할 수 있는지 풀이 과정을 쓰고, 답을 구해 보세요. |8점

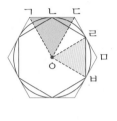

풀이

_____

_____

_____

답 _____

5 넓이가 77.5 cm^2인 원이 있습니다. 이 원의 원주는 몇 cm인지 구해 보세요. (원주율: 3.1) |8점

(　　　　　　　)

6 넓이가 256 cm^2인 정사각형 안에 가장 큰 원을 그렸습니다. 그린 원의 넓이는 몇 cm^2인지 구해 보세요. (원주율: 3.14) |8점

(　　　　　　　)

7 민준이는 원주가 65.1 cm인 원을 그렸고, 연수는 원주가 86.8 cm인 원을 그렸습니다. 두 사람이 그린 원의 지름의 차는 몇 cm인지 구해 보세요. (원주율: 3.1) | 8점

(   )

8 다음과 같이 레슬링장은 중심이 같고 크기가 다른 3개의 원으로 이루어져 있습니다. 레슬링장에서 빨간색 부분의 넓이는 몇 m^2인지 풀이 과정을 쓰고, 답을 구해 보세요. (원주율: 3) | 10점

ⓘ 서술형

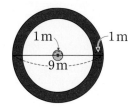

풀이

_____

_____

_____

답

9 다음 그림에서 색칠한 부분의 넓이는 몇 cm^2인지 구해 보세요. (원주율: 3.1) | 10점

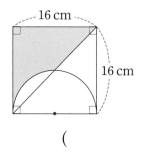

(   )

10 반지름이 12 cm인 원과 직사각형 ㄱㄴㄷㄹ의 넓이가 같습니다. 직사각형 ㄱㄴㄷㄹ의 둘레는 몇 cm인지 구해 보세요. (원주율: 3) | 10점

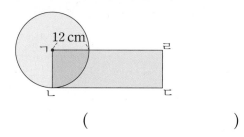

(   )

11 오른쪽 그림에서 색칠한 부분의 둘레를 구해 보세요. (원주율: 3.1) | 10점

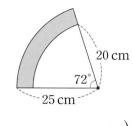

(   )

12 지름이 4 cm인 원이 오른쪽과 같이 한 변의 길이가 16 cm인 정사각형의 둘레를 따라 한 바퀴 이동하였습니다. 원이 지나간 자리의 넓이는 몇 cm^2인지 구해 보세요. (원주율: 3.14) | 10점

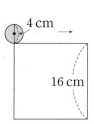

(   )

경시대회 예상 문제 **A형**   6. 원기둥, 원뿔, 구

1 원기둥 가와 원뿔 나의 높이의 차는 몇 cm인 가요? |5점

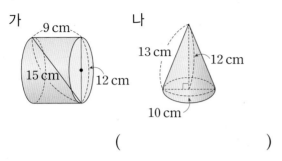

(   )

2 다음 원뿔을 앞에서 본 모양의 둘레는 몇 cm 인가요? |5점

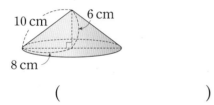

(   )

📖 서술형

3 원기둥, 원뿔, 구의 공통점과 차이점에 대한 친 구들의 생각입니다. 잘못 생각한 사람의 이름 과 그 이유를 써 보세요. |8점

- 경아: 구와 원기둥은 뾰족한 부분이 없지 만 원뿔은 뾰족한 부분이 있어.
- 민규: 구와 원기둥은 어떤 방향에서 보아 도 모양이 모두 원이야.
- 동준: 원기둥과 원뿔을 위에서 본 모양은 모두 원이야.

답 _____

이유 _____
_____

4 왼쪽 원기둥을 잘라 펼쳐서 오른쪽 전개도를 만들었습니다. 이 전개도의 옆면의 둘레는 몇 cm인가요? (원주율: 3.1) |8점

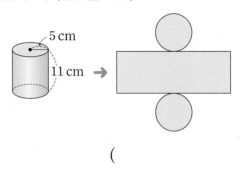

(   )

5 오른쪽은 어떤 평면도형을 한 변을 기준으로 한 바퀴 돌 려서 만들어진 입체도형입 니다. 돌리기 전의 평면도형 의 넓이는 몇 cm^2인가요? (원주율: 3) |8점

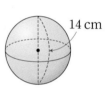

(   )

6 오른쪽 원기둥의 모든 면의 넓 이의 합은 몇 cm^2인지 구해 보세요. (원주율: 3.14) |8점

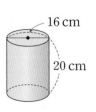

(   )

7 롤러는 넓은 부분에 페인트를 고르게 칠할 수 있는 도구입니다. 정수는 오른쪽과 같은 롤러에 페인트를 묻혀 겹치지 않게 10바퀴 굴렸습니다. 페인트가 칠해진 부분의 넓이는 몇 cm²인가요? (원주율: 3.14) │8점

💡 창의융합

4 cm
25 cm

(   )

8 원뿔 가와 구 나를 앞에서 본 모양의 넓이는 같습니다. 원뿔 가의 높이는 몇 cm인지 구해 보세요. (원주율: 3.1) │10점

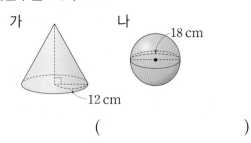

가   나
18 cm
12 cm

(   )

9 다음은 원기둥의 전개도입니다. 이 전개도의 둘레가 146 cm일 때 한 밑면의 넓이는 몇 cm²인지 풀이 과정을 쓰고, 답을 구해 보세요. (원주율: 3) │10점

✍ 서술형

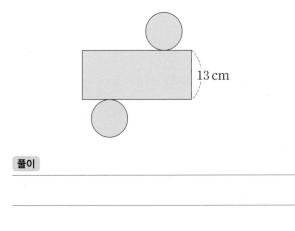

13 cm

풀이

_____

_____

_____

답

10 어떤 원기둥을 위와 앞에서 본 모양입니다. 이 원기둥의 모든 면의 넓이의 합은 몇 cm²인지 구해 보세요. (원주율: 3.1) │10점

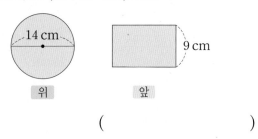

14 cm   9 cm
위   앞

(   )

11 어떤 평면도형의 한 변을 기준으로 한 바퀴 돌렸을 때 만들어진 입체도형의 전개도입니다. 이 전개도의 옆면의 넓이가 376.8 cm²일 때 돌리기 전의 평면도형의 넓이는 몇 cm²인지 구해 보세요. (원주율: 3.14) │10점

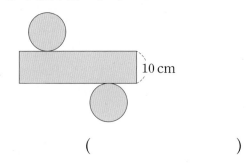

10 cm

(   )

12 다음과 같은 입체도형의 모든 면에 포장지를 겹치지 않게 붙이려고 합니다. 필요한 포장지의 넓이는 적어도 몇 cm²인지 구해 보세요. (원주율: 3.14) │10점

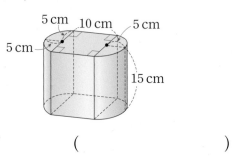

5 cm   10 cm   5 cm
5 cm
15 cm

(   )

경시대회 예상 문제 **B형**

6. 원기둥, 원뿔, 구

점수

1 왼쪽 원기둥을 보고 오른쪽과 같이 원기둥의 전개도를 그렸습니다. 선분 ㄱㄹ의 길이는 몇 cm인가요? (원주율: 3.14) |5점

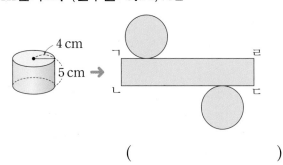

(   )

2 반원 모양의 종이를 지름을 기준으로 돌려 만든 입체도형의 반지름은 몇 cm인가요? |5점

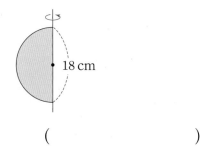

(   )

3 원뿔에 대한 설명으로 잘못된 것을 찾아 기호를 써 보세요. |8점

ㄱ 높이는 꼭짓점에서 밑면에 수직인 선분의 길이입니다.
ㄴ 모선은 꼭짓점과 밑면인 원의 둘레의 한 점을 이은 선분입니다.
ㄷ 높이는 모선의 길이보다 항상 깁니다.

(   )

♡ 창의융합

4 지구본은 지구를 본떠 만든 모형입니다. 세정이가 가지고 있는 지구본은 지름이 20 cm인 구 모양입니다. 이 지구본을 중심을 지나는 평면으로 자를 때 만들어지는 면의 둘레는 몇 cm인가요? (원주율: 3.14) |8점

(   )

5 다음 두 조건을 만족하는 원기둥의 높이는 몇 cm인지 구해 보세요. (원주율: 3) |8점

• 전개도에서 옆면의 둘레는 112 cm입니다.
• 원기둥의 높이와 밑면의 지름은 같습니다.

(   )

〰 서술형

6 어떤 평면도형의 한 변을 기준으로 한 바퀴 돌렸을 때 만들어진 입체도형입니다. 돌리기 전의 평면도형의 둘레는 몇 cm인지 풀이 과정을 쓰고, 답을 구해 보세요. |8점

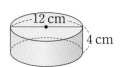

풀이 _____

_____

_____

답 _____

예상 문제

7 다음은 원기둥의 전개도입니다. 이 전개도를 접어서 만든 원기둥의 모든 면의 넓이의 합은 몇 cm²인지 풀이 과정을 쓰고, 답을 구해 보세요. (원주율: 3.14) | 8점 〽️서술형

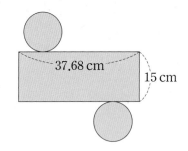

풀이

_____

_____

_____

답 _____

8 높이가 24 cm인 원기둥 모양의 통을 옆으로 눕혀 5바퀴 굴렸더니 원기둥 모양의 통이 지나간 부분의 넓이가 2880 cm²였습니다. 원기둥 모양 통의 밑면의 반지름은 몇 cm인가요? (원주율: 3) | 10점

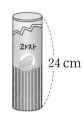

(   )

9 오른쪽 원기둥의 모든 면의 넓이의 합은 992 cm²입니다. 이 원기둥의 높이는 몇 cm인가요? (원주율: 3.1) | 10점

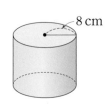

(   )

10 오른쪽 직사각형을 가로와 세로를 기준으로 각각 한 바퀴 돌렸을 때 만들어지는 입체도형의 한 밑면의 넓이의 차는 몇 cm²인가요? (원주율: 3) | 10점

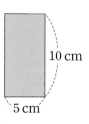

(   )

11 직각삼각형을 다음과 같이 직선 ㄱㄴ을 기준으로 한 바퀴 돌려서 입체도형을 만들었습니다. 이 입체도형을 위에서 본 모양의 넓이는 몇 cm²인가요? (원주율: 3.14) | 10점

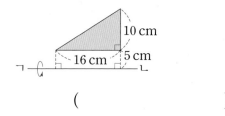

(   )

12 오른쪽 입체도형은 원기둥을 이등분한 것 중의 하나입니다. 이 입체도형의 모든 겉면에 색을 칠하였더니 색칠한 부분의 넓이가 475 cm²였습니다. 이 입체도형의 높이는 몇 cm인지 구해 보세요. (원주율: 3) | 10점

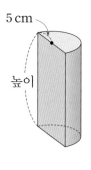

(   )

1회 실전! 경시대회 모의고사

1. 분수의 나눗셈 ~
6. 원기둥, 원뿔, 구

점수

★ 배점: 한 문항당 5점 / 시험 시간: 50분

1 가장 큰 수를 가장 작은 수로 나눈 몫을 구해 보세요.

| 1.875 | 3 | 0.25 | 2.4 |

( )

2 후항이 10인 비가 있습니다. 비율이 $\frac{3}{5}$일 때 전항은 얼마인가요?

( )

3 두 원의 원주의 차는 몇 cm인지 풀이 과정을 쓰고, 답을 구해 보세요. (원주율: 3)

✦서술형

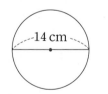

14 cm   5.5 cm

풀이

답

4 다음과 같은 직사각형의 가로는 7.8 cm이고 넓이는 31.2 cm²입니다. 이 직사각형의 세로는 몇 cm인가요?

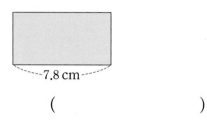

7.8 cm

( )

5 어떤 수에 $\frac{7}{8}$을 곱했더니 14가 되었습니다. 어떤 수는 얼마인지 구해 보세요.

( )

6 다음 원기둥의 전개도의 둘레는 몇 cm인지 구해 보세요. (원주율: 3.14)

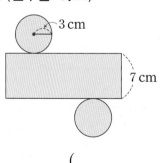

3 cm

7 cm

( )

7 ☐ 안에 들어갈 수 있는 한 자리 수들의 합을 구해 보세요.

$$4.14 \div 1.2 > 3.\boxed{}8$$

(   )

8 쌓기나무로 쌓은 모양과 1층 모양입니다. 쌓은 모양에서 색칠한 쌓기나무 2개를 빼내었을 때 2층과 3층 모양을 각각 그려 보세요.

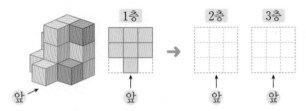

서술형

9 둘레가 74.4 cm인 원 모양의 접시가 있습니다. 이 접시의 넓이는 몇 cm²인지 풀이 과정을 쓰고, 답을 구해 보세요. (원주율: 3.1)

풀이 _____

_____

_____

답 _____

10 다음 두 조건을 만족하는 원기둥의 밑면의 지름은 몇 cm인지 구해 보세요. (원주율: 3)

- 전개도의 둘레는 102 cm입니다.
- 원기둥의 높이는 9 cm입니다.

(   )

서술형

11 가로가 12 m, 세로가 $1\frac{2}{5}$ m인 직사각형 모양의 벽을 칠하는 데 $2\frac{5}{8}$ L의 페인트를 사용했습니다. 1 L의 페인트로 몇 m²의 벽을 칠한 셈인지 기약분수로 나타내려고 합니다. 풀이 과정을 쓰고, 답을 구해 보세요.

풀이 _____

_____

_____

답 _____

12 밑면의 반지름이 10 cm인 원기둥 모양의 통조림통 5개를 다음과 같이 끈으로 한 바퀴 둘러 묶었습니다. 사용한 끈의 길이는 몇 cm인지 구해 보세요. (단, 끈을 묶는 데 사용한 매듭의 길이는 생각하지 않습니다.) (원주율: 3.14)

10 cm

(   )

13 실제 거리를 $\frac{1}{15000}$ 로 축소한 지도에 직사각형 모양의 주택 단지가 그려져 있습니다. 지도에 그려진 주택 단지의 가로는 1.4 cm, 세로는 0.8 cm일 때 주택 단지의 실제 넓이는 몇 m^2 인지 구해 보세요.

(   )

14 다음과 같이 정육면체 모양으로 쌓은 쌓기나무의 모든 겉면에 페인트를 칠했습니다. 두 면이 색칠된 쌓기나무는 모두 몇 개인지 구해 보세요. (단, 바닥에 닿는 면도 색칠합니다.)

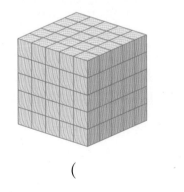

(   )

15 게르는 몽골족의 이동식 집으로 벽면은 원기둥의 옆면 모양이고, 지붕은 원뿔 모양입니다. 지민이는 게르를 보고 오른쪽과 같은 입체도형을 그렸습니다. 이 입체도형은 어떤 평면도형의 한 변을 기준으로 한 바퀴 돌려 만든 것입니다. 돌리기 전의 평면도형의 넓이는 몇 cm^2 인가요?

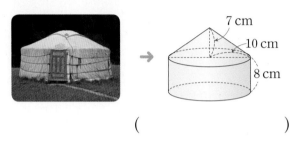

(   )

16 정사각형 ㄱㄴㄷㄹ에서 삼각형 ㉮와 사다리꼴 ㉯의 넓이의 비가 3 : 5일 때 선분 ㅁㄷ의 길이는 몇 cm인지 구해 보세요.

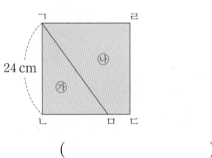

(   )

17 쌓기나무로 쌓은 모양을 위, 앞, 옆에서 본 모양입니다. 쌓기나무를 가장 많이 쌓은 경우의 쌓기나무는 몇 개인지 구해 보세요.

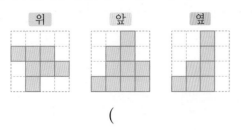

( )

18 다음은 한 변의 길이가 9 cm인 정육각형 안에 한 꼭짓점을 중심으로 하는 원의 일부분을 그린 것입니다. 색칠한 부분의 넓이는 몇 cm²인지 구해 보세요. (원주율: 3.14)

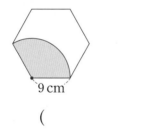

( )

19 두 상품 ㉮와 ㉯가 있습니다. 상품 ㉮를 정가에서 15 % 할인하여 판매한 금액과 상품 ㉯를 정가에서 $\frac{1}{5}$만큼 할인하여 판매한 금액은 같습니다. 상품 ㉮와 ㉯의 정가의 비를 가장 간단한 자연수의 비로 나타내어 보세요.

( )

20 일정한 빠르기로 어떤 일을 하는 데 선호는 10일 동안 전체의 $\frac{5}{6}$를 하고, 정아는 6일 동안 전체의 $\frac{4}{9}$를 합니다. 이 일을 선호가 4일 동안 한 후 이어서 정아가 나머지 일을 마친다면 정아는 며칠 동안 일을 해야 하는지 구해 보세요.

( )

2회 *실전!* **경시대회 모의고사**

1. 분수의 나눗셈 ~
6. 원기둥, 원뿔, 구

점수

★ 배점: 한 문항당 5점 / 시험 시간: 50분

1 ㉠에 알맞은 기약분수를 구해 보세요.

$$5\frac{5}{8} \div ㉠ = \frac{5}{6} \times 1\frac{1}{2}$$

(   )

2 몫을 반올림하여 소수 첫째 자리까지 나타낸 값이 가장 큰 것을 찾아 기호를 써 보세요.

㉠ $45 \div 7$
㉡ $8.5 \div 1.3$
㉢ $19.1 \div 2.9$

(   )

3 다음과 같은 구를 앞에서 본 모양의 둘레는 몇 cm인가요? (원주율: 3)

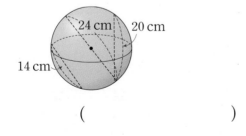
24 cm 20 cm
14 cm

(   )

4 두 비례식에서 ☐ 안에 들어가는 수는 같습니다. ㉠에 알맞은 수를 구해 보세요.

• $4 : 9 = 32 : ☐$
• $60 : ☐ = 5 : ㉠$

(   )

5 굵기가 일정한 고무관 $\frac{7}{9}$ m의 무게는 $\frac{5}{6}$ kg 입니다. 이 고무관 4 m의 무게는 몇 kg인지 기약분수로 나타내려고 합니다. 풀이 과정을 쓰고, 답을 구해 보세요.

서술형

풀이

답

6 오른쪽은 한 변의 길이가 16 cm 인 정사각형 안에 가장 큰 원을 그린 것입니다. 색칠한 부분의 넓이는 몇 cm² 인지 구해 보세요. (원주율: 3.1)

(   )

모의고사

7 길이가 1.7 m인 철사를 겹치지 않게 모두 사용하여 다음과 같은 원뿔 모양을 만들었습니다. 밑면에 사용한 철사의 길이는 몇 cm인지 구해 보세요.

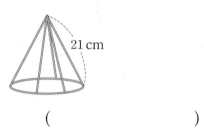

(   )

8 다음 마름모의 넓이는 $51\frac{2}{3}$ cm²입니다. 한 대각선의 길이가 $8\frac{1}{3}$ cm일 때 다른 대각선의 길이는 몇 cm인지 기약분수로 나타내어 보세요.

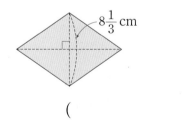

(   )

♀ 창의융합

9 피타고라스는 오른쪽과 같은 정오각형에서 선분 ㄱㄴ 과 선분 ㄴㄷ의 길이의 비가 1 : 1.6인 것을 발견하였고 이와 같은 비를 황금비라고 하였습니다. 우리가 사용하는 신용카드의 세로와 가로의 비는 황금비와 같습니다. 어떤 신용카드의 세로가 5.4 cm일 때 신용카드의 둘레는 몇 cm인지 구해 보세요.

(   )

◢◢ 서술형

10 몫의 소수 50째 자리 숫자는 얼마인지 풀이 과정을 쓰고, 답을 구해 보세요.

$$14.6 \div 3.3$$

풀이 _____

_____

_____

답 _____

11 쌓기나무 10개로 쌓은 모양을 위와 앞에서 본 모양입니다. 옆에서 본 모양을 그려 보세요.

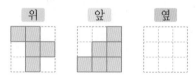

12 오른쪽 평면도형을 직선 ㄱㄴ을 기준으로 한 바퀴 돌렸습니다. 이때 만들어지는 입체도형을 직선 ㄱㄴ을 포함하는 평면으로 자른 면의 넓이는 몇 cm² 인지 구해 보세요.

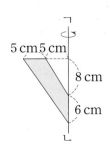

( )

⚡ 창의융합

15 양궁은 활로 화살을 쏘아 일정한 거리에 떨어져 있는 과녁을 맞혀 득점을 겨루는 종목입니다. 다음 과녁에서 가장 안쪽 원의 지름은 8 cm이고 원이 커질수록 원의 지름이 8 cm씩 길어집니다. 파란색 부분의 넓이는 몇 cm² 인지 구해 보세요. (원주율: 3)

( )

13 은호는 지름이 36 cm인 원 모양의 케이크를 오른쪽과 같이 똑같이 12조각으로 나누었습니다. 케이크 한 조각의 둘레는 몇 cm인지 풀이 과정을 쓰고, 답을 구해 보세요. (단, 케이크의 두께는 생각하지 않습니다.) (원주율: 3.14)

『 서술형

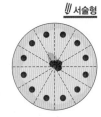

풀이

답

16 길이가 33.3 cm인 양초가 있습니다. 이 양초에 불을 붙이고 난 후 8분 동안 1.12 cm가 탔다면 양초의 길이가 15.8 cm가 되는 때는 불을 붙이고 몇 시간 몇 분 후인지 구해 보세요. (단, 양초가 1분 동안 타는 길이는 일정합니다.)

( )

14 오른쪽은 쌓기나무로 쌓은 모양을 보고 위에서 본 모양에 수를 쓴 것입니다. 쌓기나무를 더 쌓아서 가장 작은 정육면체 모양을 만들 때 더 필요한 쌓기나무는 몇 개인지 구해 보세요.

( )

17 혜정이의 방에 있는 시계는 일정한 빠르기로 하루에 6분씩 빨라집니다. 어느 날 오전 10시에 이 시계를 정확하게 맞추어 놓았다면 다음 날 오후 9시에 이 시계가 가리키는 시각은 오후 몇 시 몇 분 몇 초인지 구해 보세요.

(   )

18 왼쪽은 원기둥을 $\frac{1}{4}$로 자른 입체도형이고, 오른쪽은 왼쪽 입체도형의 전개도입니다. 전개도의 넓이는 몇 cm²인지 구해 보세요. (원주율: 3)

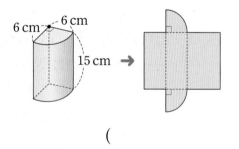

(   )

19 규칙에 따라 쌓기나무로 쌓은 모양을 보고 위에서 본 모양에 수를 쓴 것입니다. 15째에 올 모양의 쌓기나무는 몇 개인지 구해 보세요.

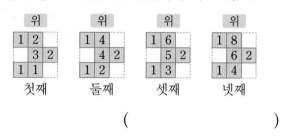

| 첫째 | 둘째 | 셋째 | 넷째 |

(   )

20 한 시간 동안 18.5 km를 가는 빠르기로 흐르는 강이 있습니다. 일정한 빠르기로 1시간 42분 동안 71.4 km를 가는 여객선이 강물이 흐르는 반대 방향으로 94 km를 가는 데 걸리는 시간은 적어도 몇 시간인지 구해 보세요.

(   )

3회 **실전! 경시대회 모의고사**

1. 분수의 나눗셈 ~
6. 원기둥, 원뿔, 구

점수

★ 배점: 한 문항당 5점 / 시험 시간: 50분

1 가장 간단한 자연수의 비로 잘못 나타낸 사람의 이름을 써 보세요.

영우	$0.8 : 2.4$ → $1 : 3$
진아	$24 : 54$ → $4 : 9$
혜미	$\dfrac{3}{5} : \dfrac{1}{7}$ → $5 : 21$

( )

2 원뿔을 앞에서 본 모양의 둘레는 몇 cm인지 구해 보세요.

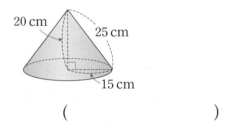

( )

3 ㉠은 ㉡의 몇 배인지 기약분수로 나타내어 보세요.

| ㉠ $\dfrac{7}{8} \div \dfrac{3}{8}$ | ㉡ $1\dfrac{2}{3} \div \dfrac{4}{5}$ |

( )

4 가로가 35 cm, 세로가 20 cm인 직사각형 모양의 포장지를 넓이의 비가 3 : 4가 되도록 나누려고 합니다. 나누어진 두 개의 포장지 중 더 넓은 포장지의 넓이는 몇 cm^2인가요?

( )

5 오른쪽은 어떤 평면도형을 한 변을 기준으로 한 바퀴 돌려 만든 입체도형입니다. 돌리기 전의 평면도형의 둘레는 몇 cm인가요? (원주율: 3)

7 cm

( )

✎ 서술형

6 철사 5 m를 한 학생에게 0.36 m씩 나누어 주려고 합니다. 이 철사를 남김없이 모두 나누어 주려면 적어도 몇 m의 철사가 더 필요한지 풀이 과정을 쓰고, 답을 구해 보세요.

풀이

답

모의고사

7 오른쪽은 쌓기나무로 쌓은 모양을 보고 위에서 본 모양에 수를 쓴 것입니다. 2층과 3층에 쌓은 쌓기나무 수의 차는 몇 개인지 구해 보세요.

	위		
4			1
2	3	1	3
5	1	2	2
1			1

( )

10 오른쪽은 쌓기나무 13개로 쌓은 모양입니다. 색칠한 쌓기나무 3개를 빼내었을 때 위, 앞, 옆에서 본 모양을 각각 그려 보세요.

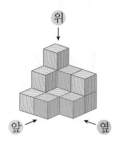

위   앞   옆

▒서술형

8 소현이는 $7\frac{4}{5}$ m의 끈을 겹치는 부분 없이 모두 사용하여 한 변의 길이가 $\frac{13}{15}$ m인 정다각형을 한 개 만들었습니다. 이 정다각형의 이름은 무엇인지 풀이 과정을 쓰고, 답을 구해 보세요.

풀이

답

▒서술형

11 길이가 44.8 m인 직선 도로의 양쪽에 처음부터 끝까지 2.8 m 간격으로 가로수를 심었습니다. 심은 가로수는 모두 몇 그루인지 풀이 과정을 쓰고, 답을 구해 보세요. (단, 가로수의 두께는 생각하지 않습니다.)

풀이

답

9 색칠한 부분의 넓이는 몇 cm^2인지 구해 보세요. (원주율: 3.1)

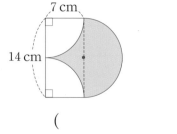

7 cm

14 cm

( )

12 최초의 두루마리 휴지는 1880년대에 출시된 월도프 티슈입니다. 다음 속이 뚫린 두루마리 휴지는 어떤 평면도형을 한 직선을 기준으로 한 바퀴 돌렸을 때 만들어지는 입체도형입니다. 돌리기 전의 평면도형의 넓이는 몇 cm²인가요?

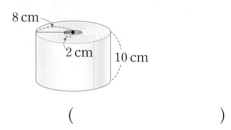

(   )

13 색칠한 부분의 둘레는 몇 cm인지 구해 보세요. (원주율: 3.14)

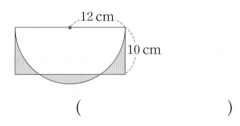

(   )

14 갑과 을이 각각 420만 원, 270만 원을 투자하여 얻은 이익금을 투자한 금액의 비로 나누어 가졌습니다. 갑이 받은 이익금이 280만 원이라면 두 사람이 얻은 전체 이익금은 얼마인지 구해 보세요.

(   )

15 $\frac{8}{15}$로 나누어도 $\frac{12}{25}$로 나누어도 몫이 항상 자연수가 되는 어떤 분수가 있습니다. 어떤 분수가 될 수 있는 수 중에서 가장 작은 분수를 구해 보세요.

(   )

16 오른쪽 쌓기나무를 쌓아 만든 모양에서 뒤쪽에 놓인 쌓기나무는 보이지 않을 수 있습니다. 쌓은 쌓기나무가 가장 많은 경우 위, 앞, 옆에서 본 모양을 각각 그려 보세요.

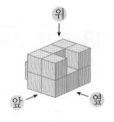

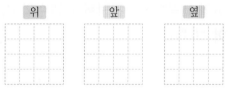

17 승용차는 1시간 15분 동안 90 km를 달렸고, 버스는 2시간 24분 동안 182.4 km를 달렸습니다. 승용차와 버스가 각각 일정한 빠르기로 달렸다면 1시간 동안 어느 것이 몇 km 더 빨리 달렸는지 구해 보세요.

(,   )

♀ 창의융합

18 지구를 둘로 똑같이 나누면 육지가 많은 육반구와 바다가 많은 수반구로 나누어집니다. 육반구에서 육지와 바다의 넓이의 비는 12 : 13 이고, 수반구에서 육지와 바다의 넓이의 비는 1 : 9입니다. 지구 전체에서 육지와 바다의 넓이의 비를 가장 간단한 자연수의 비로 나타내어 보세요.

(   )

19 다음과 같이 속이 뚫린 원기둥을 6바퀴 굴렸더니 움직인 거리가 301.44 cm였습니다. 이 입체도형의 모든 면의 넓이의 합은 몇 cm²인지 구해 보세요. (원주율: 3.14)

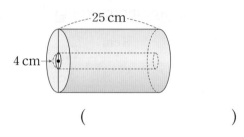

(   )

20 반지름이 각각 16 cm, 28 cm인 두 바퀴가 있습니다. 두 바퀴는 길이가 4.8 m인 벨트로 연결되어 있습니다. 두 바퀴의 회전수의 합이 220번일 때 벨트의 회전수는 몇 번인지 구해 보세요. (원주율: 3)

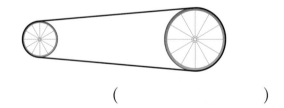

(   )

실전! 경시대회 모의고사

1. 분수의 나눗셈 ~
6. 원기둥, 원뿔, 구

점수

★ 배점: 한 문항당 5점 / 시험 시간: 50분

1 지름이 72 cm인 타이어를 한 바퀴 굴렸습니다. 타이어가 굴러간 거리는 몇 cm인지 구해 보세요. (원주율: 3)

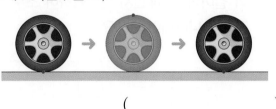

( )

2 □ 안에 들어갈 수가 가장 큰 비례식을 찾아 기호를 써 보세요.

㉠ $4 : 5 = 8 : \square$

㉡ $4.2 : \square = 6 : 11$

㉢ $1\dfrac{2}{5} : 1.8 = \square : 9$

( )

3 계산 결과가 가장 큰 것과 가장 작은 것의 차를 구해 보세요.

㉠ $\dfrac{8}{9} \div \dfrac{4}{9}$ ㉡ $\dfrac{12}{13} \div \dfrac{2}{13}$ ㉢ $\dfrac{9}{10} \div \dfrac{3}{10}$

( )

4 밑변의 길이가 8.6 cm, 넓이가 20.64 cm²인 삼각형이 있습니다. 이 삼각형의 높이는 몇 cm인가요?

( )

5 다음 원기둥의 전개도에서 옆면의 넓이는 434 cm²입니다. 전개도를 접었을 때 만들어지는 원기둥의 높이는 몇 cm인지 구해 보세요. (원주율: 3.1)

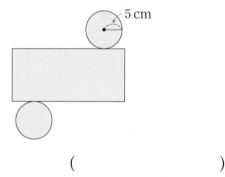

( )

6 수진이가 일정한 빠르기로 $4\dfrac{3}{8}$ km를 걸어가는 데 1시간 15분이 걸렸습니다. 수진이는 한 시간에 몇 km를 걸어간 것인지 기약분수로 나타내려고 합니다. 풀이 과정을 쓰고, 답을 구해 보세요.

서술형

풀이

답

7 직사각형 모양의 종이를 변 ㄱㄴ과 변 ㄴㄷ을 기준으로 각각 한 바퀴 돌렸을 때 만들어지는 입체도형의 밑면의 지름의 차는 몇 cm인지 구해 보세요.

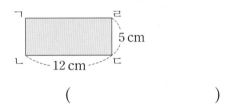

(   )

서술형

8 몫의 소수 17째 자리 숫자는 무엇인지 풀이 과정을 쓰고, 답을 구해 보세요.

$$5.8 \div 2.7$$

풀이

답

9 색칠한 부분의 넓이는 몇 cm^2 인가요?

(원주율: 3.14)

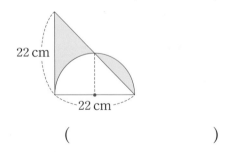

(   )

창의융합

10 다음은 일상 생활에서 많이 사용하는 A열 용지와 B열 용지입니다. A2용지는 A1용지의 절반 크기이고, B2용지는 B1용지의 절반 크기입니다. A4용지의 긴 변의 길이는 B4용지의 긴 변의 길이의 몇 배인지 반올림하여 소수 둘째 자리까지 나타내어 보세요.

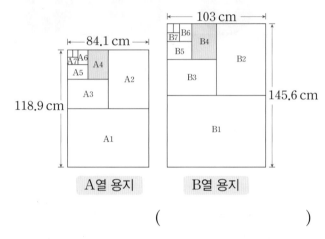

(   )

서술형

11 어떤 수를 $\frac{4}{5}$로 나누어야 하는데 잘못하여 곱했더니 $\frac{8}{15}$이 되었습니다. 바르게 계산한 값은 얼마인지 기약분수로 나타내려고 합니다. 풀이 과정을 쓰고, 답을 구해 보세요.

풀이

답

12 오른쪽 쌓기나무로 쌓은 모양에서 뒤쪽에 쌓인 쌓기나무는 보이지 않을 수 있습니다. 쌓기나무가 가장 많이 사용된 경우의 쌓기나무는 몇 개인지 구해 보세요.

(   )

13 입체도형의 모든 면의 넓이의 합은 몇 cm^2인지 구해 보세요. (원주율: 3.1)

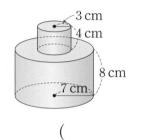

(   )

💡 창의융합

14 암모나이트는 중생대에 바다에서 생활하였던 생물입니다. 오른쪽은 지수가 암모나이트 화석을 보고 한 변의 길이가 4 cm인 정사각형의 둘레에 각 꼭짓점을 원의 중심으로 하는 원의 일부분을 붙여 만든 것입니다. 색칠한 부분의 넓이는 몇 cm^2인가요? (원주율: 3.1)

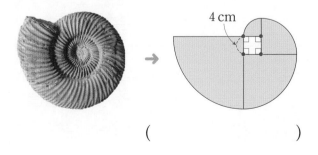

(   )

15 오른쪽은 한 변의 길이가 3 cm인 쌓기나무 13개로 쌓은 모양입니다. 쌓기나무로 쌓은 모양의 겉넓이는 몇 cm^2인지 구해 보세요. (단, 바닥에 닿는 면도 포함합니다.)

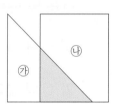

(   )

16 오른쪽과 같이 겹쳐진 두 도형에서 삼각형 ㉮와 사각형 ㉯의 넓이의 비는 5 : 8입니다. 겹쳐진 부분의 넓이는 ㉮의 $\frac{2}{5}$일 때 겹쳐진 부분의 넓이는 ㉯의 몇 %인지 구해 보세요.

(   )

17 오른쪽은 한 변의 길이가 20 cm인 정사각형 안에 지름이 20 cm인 반원과 반지름이 20 cm인 원의 일부분 2개를 그린 것입니다. 색칠한 부분 ㉮와 ㉯의 넓이의 차는 몇 cm²인지 구해 보세요. (원주율: 3.14)

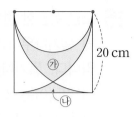

(   )

18 원 가, 나, 다가 다음과 같이 겹쳐져 있습니다. ㉠의 넓이는 원 나의 넓이의 $\frac{3}{7}$배이고, ㉡의 넓이는 원 다의 넓이의 $\frac{3}{10}$배입니다. ㉡의 넓이가 ㉠의 넓이의 $\frac{3}{8}$배일 때 원 다의 넓이는 원 나의 넓이의 몇 배인지 기약분수로 나타내어 보세요.

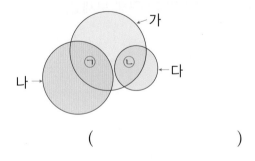

(   )

19 위, 앞, 옆에서 본 모양을 보고 쌓기나무를 쌓아 모양을 만들려고 합니다. 모두 몇 가지로 쌓을 수 있는지 구해 보세요.

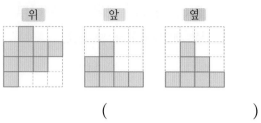

(   )

20 길이가 다른 2개의 나무 막대를 물이 들어 있는 수조에 수직으로 세웠더니 물에 잠기지 않은 부분의 길이가 각각 나무 막대 길이의 $\frac{1}{6}$, $\frac{2}{9}$였습니다. 두 나무 막대의 길이의 합이 87 cm일 때 나무 막대를 세운 수조의 물의 높이는 몇 cm인지 구해 보세요. (단, 나무 막대의 부피는 생각하지 않습니다.)

(   )

동아출판

과학 고수들의 필독서

HIGH TOP

#2015 개정 교육과정
#믿고 보는 과학 개념서
#통합과학
#물리학 #화학 #생명과학 #지구과학
#과학 #잘하고싶다 #중요 #개념 #열공
#포기하지마 #엄지척 #화이팅

01
기초부터 심화까지
자세하고 빈틈 없는 개념 설명

02
풍부한 그림 자료,
수준 높은 문제 수록

03
새 교육과정을 완벽 반영한
깊이 있는 내용

중학교 1~3학년 / **고등학교** 통합과학 / 물리학 I, II / 화학 I, II / 생명과학 I, II / 지구과학 I, II

큐브
수학
심화

초등학교 　　　　 학년 　　 반 　　 번 　　 이름

엄마 매니저의
큐브수학
STORY

🔍 초등수학 문제집 추천 ▼

닉네임
사*

3년째 큐브수학 개념으로 엄마표 수학 완성!

4학년부터 개념은 큐브수학으로 시작했는데요. 설명이 쉽게 되어 있어서 접근하기가 좋더라고요. 기초개념만 제대로 잡히면 그다음 단계로 올라가는 건 어렵지 않아요. 처음부터 너무 어려우면 부담스러워 피하기도 하는데 아이가 쉽게 잘 풀어나가는게 효과가 아주 좋았어요. **기초 잡기에는 큐브수학 개념이 제일 만족스러웠어요.**

닉네임
그**

쉽고 재미있게 개념도 탄탄하게!

큐브수학 개념을 계속해서 선택한 이유는 **기초 수학을 체계적으로 풀어가면서 수학 실력을 쌓을 수 있기 때문이에요.** 무료 스마트러닝 개념 동영상 강의도 쉽고 재미나서 혼자서도 충실하게 잘 듣더라고요! 수학 익힘 문제, 더 확장된 문제들까지 다양하게 풀어 볼 수 있어서 좋았어요. 큐브수학만큼 만족도가 큰 문제집은 없는 것 같네요.

닉네임
매****

무료 동영상 강의로 빈틈 없는 홈스쿨링

엄마표 수학을 진행하고 있기 때문에 아이가 잘 따라올 수 있는 수준의 문제집을 고르려고 해요. **특히 홈스쿨링으로 예습을 할 때 가장 좋은 건 동영상 강의예요.** QR코드를 찍으면 바로 동영상을 볼 수 있고, 선생님이 제가 알려주는 것보다 더 알기 쉽게 알려주세요. 부족한 학습은 동영상을 통해 채워줄 수 있어서 정말 좋아요. 혼자서도 언제 어느 때나 강의를 들을 수 있다는 점이 최고!

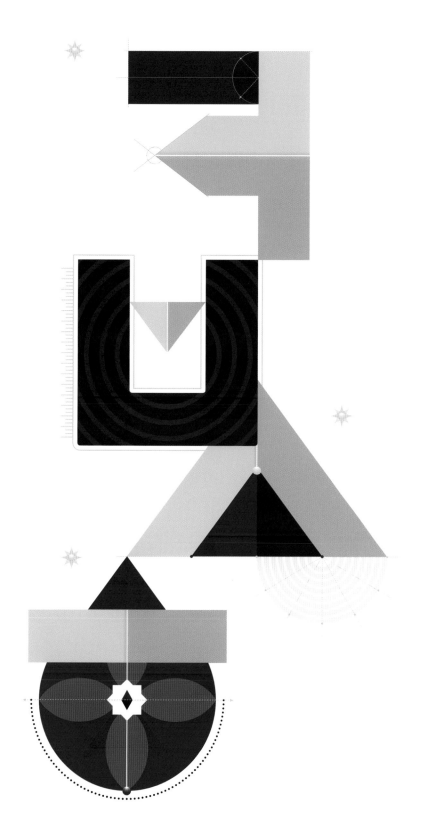

사고력을 키워 상위권을 공략하는

큐브
수학
심화

정답 및 풀이

모바일

쉽고 편리한
빠른 정답

6·2

동아출판

정답 및 풀이

차례

6·2

| 모바일 빠른 정답 |

QR코드를 찍으면 **정답 및 풀이**를 쉽고 빠르게 확인할 수 있습니다.

1 분수의 나눗셈

개념 넓히기 007쪽

1 $1\dfrac{2}{3}, 6\dfrac{2}{3}$

2 16

3 >

4 9개

STEP 1 응용 공략하기 008~013쪽

01 $2\dfrac{5}{8}$

02 7

03 예 ❶ 1분 10초=$1\dfrac{10}{60}$분=$1\dfrac{1}{6}$분 ▶2점

❷ (1분 동안 받은 물의 양)

$$=8\dfrac{5}{9}\div1\dfrac{1}{6}=\dfrac{77}{9}\div\dfrac{7}{6}=\dfrac{\overset{11}{\cancel{77}}}{\underset{3}{\cancel{9}}}\times\dfrac{\overset{2}{\cancel{6}}}{\underset{1}{\cancel{7}}}$$

$$=\dfrac{22}{3}=7\dfrac{1}{3}\,(\text{L}) \blacktriangleright 3점$$

/ $7\dfrac{1}{3}$ L

04 $1\dfrac{13}{27}$배

05 $7\dfrac{4}{5}$

06 $2\dfrac{1}{5}$ kg

07 $5\dfrac{3}{5}$ cm

08 4개

09 48 cm

10 2

11 4개

12 예 ❶ 어떤 분수를 □라 하면 □$\times\dfrac{5}{8}=2\dfrac{1}{12}$입니다.

$$□=2\dfrac{1}{12}\div\dfrac{5}{8}=\dfrac{\overset{5}{\cancel{25}}}{\underset{3}{\cancel{12}}}\times\dfrac{\overset{2}{\cancel{8}}}{\underset{1}{\cancel{5}}}=\dfrac{10}{3} \blacktriangleright 3점$$

❷ (바른 계산)=$\dfrac{10}{3}\div\dfrac{5}{8}=\dfrac{10}{3}\times\dfrac{\overset{2}{\cancel{8}}}{\underset{1}{\cancel{5}}}$

$$=\dfrac{16}{3}=5\dfrac{1}{3} \blacktriangleright 2점$$

/ $5\dfrac{1}{3}$

13 84 m²

14 예 ❶ 처음 공을 떨어뜨린 높이를 □ m라 하면

□$\times\dfrac{3}{5}\times\dfrac{3}{5}=4\dfrac{4}{5}$입니다. ▶2점

❷ □$\times\dfrac{9}{25}=4\dfrac{4}{5}$,

$$□=4\dfrac{4}{5}\div\dfrac{9}{25}=\dfrac{\overset{8}{\cancel{24}}}{\underset{1}{\cancel{5}}}\times\dfrac{\overset{5}{\cancel{25}}}{\underset{3}{\cancel{9}}}=\dfrac{40}{3}=13\dfrac{1}{3}$$

→ (처음 공을 떨어뜨린 높이)=$13\dfrac{1}{3}$ m ▶3점

/ $13\dfrac{1}{3}$ m

15 $18\dfrac{2}{3}, 3\dfrac{3}{7}$

16 28분

17 14시간 15분

18 재민, $\dfrac{19}{45}$ km

01 ❶ 진수가 말한 수를 분수로 나타내기

$\dfrac{1}{8}$이 7개인 수는 $\dfrac{7}{8}$입니다.

❷ 진수가 말한 수를 은아가 말한 수로 나눈 몫 구하기

(진수가 말한 수)÷(은아가 말한 수)

$$=\dfrac{7}{8}\div\dfrac{1}{3}=\dfrac{7}{8}\times3=\dfrac{21}{8}=2\dfrac{5}{8}$$

02 ❶ 각각 계산하기

㉠ $\dfrac{3}{4}\div\dfrac{1}{4}=3\div1=3$

㉡ $\dfrac{10}{13}\div\dfrac{5}{13}=10\div5=2$ → 5>3>2

㉢ $\dfrac{15}{17}\div\dfrac{3}{17}=15\div3=5$

❷ 계산 결과가 가장 큰 것과 가장 작은 것의 합 구하기

(계산 결과가 가장 큰 것과 가장 작은 것의 합)

$$=5+2=7$$

03

채점 기준		
❶ 1분 10초를 분수로 나타내기		2점
❷ 1분 동안 받은 물의 양 구하기		3점

04 ❶ 각각 계산하기

• $12\div\dfrac{8}{9}=\overset{3}{\cancel{12}}\times\dfrac{9}{\underset{2}{\cancel{8}}}=\dfrac{27}{2}=13\dfrac{1}{2}$

• $16\div\dfrac{4}{5}=\overset{4}{\cancel{16}}\times\dfrac{5}{\underset{1}{\cancel{4}}}=20$

❷ 큰 수는 작은 수의 몇 배인지 구하기

(큰 수)÷(작은 수)

$$=20\div13\dfrac{1}{2}=20\times\dfrac{2}{27}=\dfrac{40}{27}=1\dfrac{13}{27}(\text{배})$$

05 ❶ 각 행성의 크기 비교하기

$$3\frac{9}{10} > 1 > \frac{9}{10} > \frac{1}{2}\left(=\frac{5}{10}\right)$$

❷ 가장 큰 행성의 크기를 가장 작은 행성의 크기로 나눈 몫 구하기

$$3\frac{9}{10} \div \frac{1}{2} = \frac{39}{\overset{}{10}} \times \overset{1}{\cancel{2}} = \frac{39}{5} = 7\frac{4}{5}$$

06 ❶ 철근 1 m의 무게 구하기

(철근 1 m의 무게)

$$= \frac{2}{5} \div \frac{4}{11} = \frac{\overset{1}{\cancel{2}}}{5} \times \frac{11}{\underset{2}{\cancel{4}}} = \frac{11}{10}(\text{kg})$$

❷ 철근 2 m의 무게 구하기

$$(\text{철근 2 m의 무게}) = \frac{11}{\underset{5}{\cancel{10}}} \times \overset{1}{\cancel{2}} = \frac{11}{5} = 2\frac{1}{5}(\text{kg})$$

07 ❶ 문제에 알맞은 식 만들기

다른 대각선의 길이를 □ cm라 하면

$$8\frac{3}{4} \times \square \div 2 = 24\frac{1}{2} \text{입니다.}$$

❷ 다른 대각선의 길이 구하기

$$\square = 24\frac{1}{2} \times 2 \div 8\frac{3}{4} = \frac{49}{2} \times 2 \div \frac{35}{4}$$

$$= \frac{\overset{7}{\cancel{49}}}{\underset{1}{\cancel{2}}} \times \overset{1}{\cancel{2}} \times \frac{4}{\underset{5}{\cancel{35}}} = \frac{28}{5} = 5\frac{3}{5} \rightarrow 5\frac{3}{5} \text{ cm}$$

08 ❶ $\frac{8}{9} \div \frac{2}{3}$ 와 $3 \div \frac{1}{2}$ 을 각각 계산하기

· $\frac{8}{9} \div \frac{2}{3} = \frac{4}{3} = 1\frac{1}{3}$ · $3 \div \frac{1}{2} = 6$

❷ □ 안에 들어갈 수 있는 자연수의 개수 구하기

$1\frac{1}{3} < \square < 6$에서 □ 안에 들어갈 수 있는 자연수는 2, 3, 4, 5이므로 모두 **4개**입니다.

09 ❶ 조각상의 전체 키 구하기

새로 만든 조각상의 전체 키를 □ cm라 하면

$$\square \times \frac{5}{13} = 30 \text{입니다.}$$

$$\square = 30 \div \frac{5}{13} = \overset{6}{\cancel{30}} \times \frac{13}{\underset{1}{\cancel{5}}} = 78$$

❷ 하반신의 길이 구하기

$$(\text{하반신의 길이}) = \overset{6}{\cancel{78}} \times \frac{8}{\underset{1}{\cancel{13}}} = 48(\text{cm})$$

10 ❶ 기호 ♥의 약속 알아보기

㉮♥㉯는 ㉮+㉯의 값을 ㉯−㉮의 값으로 나누어서 계산합니다.

❷ $\frac{1}{6} ♥ \frac{1}{2}$의 값 구하기

$$\frac{1}{6} ♥ \frac{1}{2} = \left(\frac{1}{6} + \frac{1}{2}\right) \div \left(\frac{1}{2} - \frac{1}{6}\right)$$

$$= \left(\frac{1}{6} + \frac{3}{6}\right) \div \left(\frac{3}{6} - \frac{1}{6}\right)$$

$$= \frac{4}{6} \div \frac{2}{6} = 4 \div 2 = 2$$

11 ❶ □ 안에 들어갈 수 있는 자연수 구하기

$$\frac{5}{8} \div \frac{\square}{24} = \frac{5}{8} \times \frac{24}{\square} = \frac{5 \times \overset{3}{\cancel{24}}}{\underset{1}{\cancel{8}} \times \square} = \frac{15}{\square}$$

몫이 자연수가 되려면 □ 안에는 15의 약수인 1, 3, 5, 15가 들어가야 합니다.

❷ □ 안에 들어갈 수 있는 자연수의 개수 구하기

따라서 □ 안에 들어갈 수 있는 자연수는 모두 **4개**입니다.

12

채점 기준		
❶ 어떤 분수 구하기		3점
❷ 바르게 계산한 값 구하기		2점

13 ❶ 벽의 넓이 구하기

$$(\text{벽의 넓이}) = 4\frac{2}{5} \times 2\frac{10}{11} = \frac{22}{5} \times \frac{\overset{2}{\cancel{32}}}{\underset{1}{\cancel{11}}} = \frac{64}{5}(\text{m}^2)$$

❷ 15 L의 페인트로 칠할 수 있는 벽의 넓이 구하기

(1 L의 페인트로 칠할 수 있는 벽의 넓이)

$$= \frac{64}{5} \div 2\frac{2}{7} = \frac{64}{5} \div \frac{16}{7} = \frac{\overset{4}{\cancel{64}}}{5} \times \frac{7}{\underset{1}{\cancel{16}}} = \frac{28}{5}(\text{m}^2)$$

→ (15 L의 페인트로 칠할 수 있는 벽의 넓이)

$$= \frac{28}{\underset{1}{\cancel{5}}} \times \overset{3}{\cancel{15}} = 84(\text{m}^2)$$

14

채점 기준		
❶ 문제에 알맞은 식 만들기		2점
❷ 처음 공을 떨어뜨린 높이 구하기		3점

15 ❶ 나눗셈식의 몫이 가장 클 때의 몫 구하기

나누어지는 수는 가장 큰 수인 8이고, 나누는 수는 3, 5, 7 중에서 두 수로 가장 작은 진분수를 만들면 $\frac{3}{7}$입니다.

$$\rightarrow 8 \div \frac{3}{7} = 8 \times \frac{7}{3} = \frac{56}{3} = 18\frac{2}{3}$$

② **나눗셈식의 몫이 가장 작을 때의 몫 구하기**

나누어지는 수는 가장 작은 수인 3이고, 나누는 수는 5, 7, 8 중에서 두 수로 가장 큰 진분수를 만들면 $\frac{7}{8}$입니다. → $3 \div \frac{7}{8} = 3 \times \frac{8}{7} = \frac{24}{7} = 3\frac{3}{7}$

16 **①** **1분 동안 탄 양초의 길이 구하기**

(4분 동안 탄 양초의 길이)
$= 12 - 10\frac{1}{2} = 11\frac{2}{2} - 10\frac{1}{2} = 1\frac{1}{2}$ (cm)

(1분 동안 탄 양초의 길이)
$= 1\frac{1}{2} \div 4 = \frac{3}{2} \div 4 = \frac{3}{2} \times \frac{1}{4} = \frac{3}{8}$ (cm)

② **남은 양초가 다 타는 데 걸리는 시간 구하기**

(남은 양초가 다 타는 데 걸리는 시간)
$= 10\frac{1}{2} \div \frac{3}{8} = \frac{21}{2} \div \frac{3}{8} = \frac{\overset{7}{\cancel{21}}}{\cancel{2}} \times \frac{\overset{4}{\cancel{8}}}{\cancel{3}} = 28$(분)

17 **①** **밤의 길이 구하기**

밤의 길이를 □시간이라 하면 낮의 길이는
$(24-\square)$시간이므로 $24-\square = \square \times \frac{13}{19}$,

$\square \times \frac{13}{19} + \square = 24$, $\square \times 1\frac{13}{19} = 24$입니다.

$\square = 24 \div 1\frac{13}{19} = 24 \div \frac{32}{19}$

$= \overset{3}{\cancel{24}} \times \frac{19}{\underset{4}{\cancel{32}}} = \frac{57}{4} = 14\frac{1}{4}$

② **밤의 길이를 시간과 분 단위로 나타내기**

$14\frac{1}{4}$시간 $= 14\frac{15}{60}$시간 $=$ **14시간 15분**

18 **①** **승훈이가 한 시간 동안 가는 거리 구하기**

(승훈이가 한 시간 동안 가는 거리)
$= 2\frac{2}{5} \div 1\frac{1}{3} = \frac{\overset{3}{\cancel{12}}}{5} \times \frac{3}{\underset{1}{\cancel{4}}} = \frac{9}{5} = 1\frac{4}{5}$ (km)

② **재민이가 한 시간 동안 가는 거리 구하기**

(재민이가 한 시간 동안 가는 거리)
$= 1\frac{7}{9} \div \frac{4}{5} = \frac{\overset{4}{\cancel{16}}}{9} \times \frac{5}{\underset{1}{\cancel{4}}} = \frac{20}{9} = 2\frac{2}{9}$ (km)

③ **누가 몇 km 더 멀리 가는지 구하기**

재민이가 $2\frac{2}{9} - 1\frac{4}{5} = 2\frac{10}{45} - 1\frac{36}{45} = \frac{19}{45}$ **(km)**
더 멀리 갑니다.

01 14 　　　　　　**02** $\frac{4}{5}$배

03 200 g 　　　　　**04** $\frac{2}{5}$ m

05 **예** **①** (그릇의 들이) $= 5 \div 4 = \frac{5}{4}$ (L) ▶2점

② $7\frac{2}{9} \div \frac{5}{4} = \frac{65}{9} \div \frac{5}{4} = \frac{\overset{13}{\cancel{65}}}{9} \times \frac{4}{\underset{1}{\cancel{5}}} = \frac{52}{9} = 5\frac{7}{9}$

따라서 빈 수조에 물을 가득 채우려면 적어도
$5 + 1 = 6$(번) 부어야 합니다. ▶3점
/ 6번

06 64000원 　　　　**07** $1\frac{1}{12}$

08 **예** **①** 과학책의 전체 쪽수를 □쪽이라 하면

$\square \times \left(1 - \frac{1}{2}\right) \times \left(1 - \frac{4}{5}\right) = 24$입니다. ▶2점

② $\square \times \frac{1}{2} \times \frac{1}{5} = 24$, $\square \times \frac{1}{10} = 24$,

$\square = 24 \div \frac{1}{10} = 24 \times 10 = 240$

→ (과학책의 전체 쪽수) $= 240$쪽 ▶3점
/ 240쪽

09 $40\frac{1}{2}$ kg 　　　　**10** 54 cm²

11 $\frac{18}{7}\left(= 2\frac{4}{7}\right)$ 　　**12** $9\frac{1}{3}$ cm

13 96점 　　　　　　**14** $295\frac{5}{13}$ km

15 280 g

01 **①** **㉠에 알맞은 수 구하기**

$\frac{3}{13} \div \frac{2}{13} = 3 \div 2 = \frac{3}{2}$ → ㉠ $= \frac{3}{2}$

② **㉡에 알맞은 수 구하기**

$\frac{3}{2} \times ㉡ = 21$ → ㉡ $= 21 \div \frac{3}{2} = \overset{7}{\cancel{21}} \times \frac{2}{\underset{1}{\cancel{3}}} = 14$

02 **레벨UP공략**

◇ 분수의 나눗셈을 이용하여 ■는 ▲의 몇 배인지 구하려면?
■를 ▲로 나눈 몫을 구합니다.

| ■는 ▲의 몇 배 → (■ ÷ ▲)배 |

① **■와 ▲에 알맞은 수 각각 구하기**

• $1\frac{7}{8} \div 1\frac{1}{4} = \frac{\overset{3}{\cancel{15}}}{\underset{2}{\cancel{8}}} \times \frac{\overset{1}{\cancel{4}}}{5} = \frac{3}{2}$ → ■ $= \frac{3}{2}$

진도북
1
단원

$$\cdot\, 3\frac{1}{3} \div 1\frac{7}{9} = \frac{\overset{5}{\cancel{10}}}{\underset{1}{\cancel{3}}} \times \frac{\overset{3}{\cancel{9}}}{\underset{8}{\cancel{16}}} = \frac{15}{8} \rightarrow \blacktriangle = \frac{15}{8}$$

❷ ■는 ▲의 몇 배인지 구하기

$$\blacksquare \div \blacktriangle = \frac{3}{2} \div \frac{15}{8} = \frac{\overset{1}{\cancel{3}}}{\underset{1}{\cancel{2}}} \times \frac{\overset{4}{\cancel{8}}}{\underset{5}{\cancel{15}}} = \boldsymbol{\frac{4}{5}}\textbf{(배)}$$

03 ❶ 단백질 1 g을 섭취하기 위해 먹어야 하는 병아리콩의 양 구하기

(단백질 1 g을 섭취하기 위해 먹어야 하는 병아리콩

의 양)$= 20 \div 3\frac{4}{5} = 20 \times \frac{5}{19} = \frac{100}{19}$ (g)

❷ 단백질 38 g을 섭취하기 위해 먹어야 하는 병아리콩의 양 구하기

(단백질 38 g을 섭취하기 위해 먹어야 하는 병아리콩

의 양)$= \frac{100}{\underset{1}{\cancel{19}}} \times \overset{2}{\cancel{38}} = \boldsymbol{200}\,\textbf{(g)}$

04 레벨UP공략

❖ **도형의 넓이를 이용하여 모르는 길이를 구하려면?**

- 평행사변형: (밑변의 길이)×(높이)
- 삼각형: (밑변의 길이)×(높이)÷2
- 마름모: (한 대각선의 길이)×(다른 대각선의 길이)÷2
- 사다리꼴: {(윗변의 길이)+(아랫변의 길이)}×(높이)÷2

↓

구하려는 길이를 □로 놓고 넓이를 구하는 식을 세웁니다.

❶ 평행사변형 가의 넓이 구하기

(평행사변형 가의 넓이)

$$= \frac{\overset{1}{\cancel{5}}}{\underset{4}{\cancel{12}}} \times \frac{\overset{1}{\cancel{3}}}{\underset{1}{\cancel{5}}} = \frac{1}{4}\,(\text{m}^2)$$

❷ 사다리꼴 나의 높이 구하기

사다리꼴 나의 높이를 □ m라 하면

$$\left(\frac{3}{8} + \frac{7}{8}\right) \times \square \div 2 = \frac{1}{4}\text{입니다.}$$

$$\frac{10}{8} \times \square \div 2 = \frac{1}{4},$$

$$\square = \frac{1}{4} \times \underset{2}{\cancel{2}} \div \frac{10}{8} = \frac{1}{2} \div \frac{10}{8} = \frac{1}{\underset{1}{\cancel{2}}} \times \frac{\overset{4}{\cancel{8}}}{\underset{5}{\cancel{10}}} = \frac{2}{5}$$

→ (사다리꼴 나의 높이)$= \boldsymbol{\frac{2}{5}}\,\textbf{m}$

05

채점 기준	❶ 그릇의 들이 구하기	2점
	❷ 물을 부어야 하는 횟수 구하기	3점

06 ❶ 전체 귤의 무게 구하기

(전체 귤의 무게)$= 5 \times 6 = 30$ (kg)

❷ 팔 수 있는 귤의 봉지 수 구하기

$30 \div 1\frac{4}{5} = 30 \div \frac{9}{5} = \overset{10}{\cancel{30}} \times \frac{5}{\underset{3}{\cancel{9}}} = \frac{50}{3} = 16\frac{2}{3}$이므로

팔 수 있는 귤은 16봉지입니다.

❸ 봉지에 담은 귤을 모두 팔고 받을 수 있는 금액 구하기

(봉지에 담은 귤을 모두 팔고 받을 수 있는 금액)

$= 4000 \times 16 = \boldsymbol{64000}\textbf{(원)}$

07 ❶ ㉠의 값 구하기

(눈금 7칸의 크기)$= \frac{3}{5} - \frac{8}{25} = \frac{15}{25} - \frac{8}{25} = \frac{7}{25}$

(눈금 한 칸의 크기)$= \frac{7}{25} \div 7 = \frac{1}{25}$

$㉠ = \frac{8}{25} + \frac{5}{25} = \frac{13}{25}$

❷ ㉠ ÷ $\frac{12}{25}$의 값 구하기

$㉠ \div \frac{12}{25} = \frac{13}{25} \div \frac{12}{25} = \frac{13}{12} = \boldsymbol{1\frac{1}{12}}$

08 레벨UP공략

❖ **부분의 양이 주어졌을 때 전체의 양을 구하려면?**

전체의 $\frac{\blacktriangle}{\blacksquare}$가 ●일 때

(전체)$\times \frac{\blacktriangle}{\blacksquare} = ● \rightarrow$ (전체)$= ● \div \frac{\blacktriangle}{\blacksquare}$

채점 기준	❶ 문제에 알맞은 식 만들기	2점
	❷ 과학책의 전체 쪽수 구하기	3점

09 ❶ 표준체중 구하기

(표준체중)$= (150 - 100) \div 1\frac{1}{9} = 50 \div 1\frac{1}{9}$

$$= 50 \div \frac{10}{9} = \overset{5}{\cancel{50}} \times \frac{9}{\underset{1}{\cancel{10}}} = 45\,(\text{kg})$$

❷ 비만도가 정상일 때 몸무게는 최소 몇 kg인지 구하기

비만도가 정상이려면 비만도 수치가 90 이상 110 미

만이어야 하므로 비만도가 정상일 때의 최소 몸무게

를 □ kg이라 하면 □ $\div \frac{45}{100} = 90$입니다.

$$\square = \overset{9}{\cancel{90}} \times \frac{\overset{9}{\cancel{45}}}{\underset{2}{\cancel{100}}} = \frac{81}{2} = 40\frac{1}{2}$$

→ 비만도가 정상이려면 몸무게는

최소 $\boldsymbol{40\frac{1}{2}}\,\textbf{kg}$입니다.

10 ❶ 문제에 알맞은 식 만들기

처음 직사각형의 가로를 ■ cm, 세로를 ▲ cm라 하면

(새로 만든 직사각형의 가로)$=\left(■×1\frac{5}{6}\right)$ cm,

(새로 만든 직사각형의 세로)$=\left(▲×\frac{8}{9}\right)$ cm입니다.

$■×1\frac{5}{6}×▲×\frac{8}{9}=88,\ ■×▲×1\frac{5}{6}×\frac{8}{9}=88,$

$■×▲×\overset{}{\underset{3}{\frac{11}{6}}}×\overset{4}{\frac{8}{9}}=88,\ ■×▲×\frac{44}{27}=88$

❷ 처음 직사각형의 넓이 구하기

(처음 직사각형의 넓이)

$=■×▲=88÷\frac{44}{27}=\overset{2}{88}×\frac{27}{\underset{1}{44}}=\mathbf{54}\,(\mathbf{cm^2})$

11 레벨UP공략

◆ 나눗셈의 몫이 자연수가 되려면?

계산 결과가 $\frac{⊙}{■}$일 때 → ■는 ⊙의 약수

❶ 어떤 분수 중에서 가장 작은 분수가 되는 경우 알아보기

어떤 분수를 $\frac{▲}{■}$라 하면

$\frac{▲}{■}÷\frac{6}{7}=\boxed{\frac{▲}{■}×\frac{7}{6}},\ \frac{▲}{■}÷\frac{9}{14}=\boxed{\frac{▲}{■}×\frac{14}{9}}$입니다.

$\frac{▲}{■}×\frac{7}{6}$과 $\frac{▲}{■}×\frac{14}{9}$의 계산 결과가 자연수가 되어야

하고, $\frac{▲}{■}$가 가장 작은 분수이어야 하므로 ■는 7과 14

의 최대공약수이고, ▲는 6과 9의 최소공배수입니다.

❷ 가장 작은 분수 구하기

$■=7,\ ▲=18$이므로 $\frac{▲}{■}=\frac{18}{7}\left(=2\frac{4}{7}\right)$입니다.

7) 7 14   →최대공약수: 7   3) 6 9   →최소공배수: $3×2×3=18$
   1   2   2   3

12 ❶ 직사각형 ㄱㄴㄷㄹ의 넓이 구하기

(직사각형 ㄱㄴㄷㄹ의 넓이)

$=15×8\frac{2}{5}=\overset{3}{15}×\frac{42}{\underset{1}{5}}=126\,(\mathrm{cm^2})$

❷ 삼각형 ㄱㄴㅁ의 넓이 구하기

(삼각형 ㄱㄴㅁ의 넓이)$=\overset{14}{126}×\frac{14}{\underset{5}{45}}=\frac{196}{5}\,(\mathrm{cm^2})$

❸ 선분 ㄴㅁ의 길이 구하기

삼각형 ㄱㄴㅁ에서 선분 ㄴㅁ의 길이를 □ cm라 하면

$□×8\frac{2}{5}÷2=\frac{196}{5}$입니다.

$□=\frac{196}{5}×2÷8\frac{2}{5}=\overset{14}{\frac{196}{5}}×2×\frac{\overset{1}{5}}{\underset{3}{42}}$

$=\frac{28}{3}=9\frac{1}{3}$ → (선분 ㄴㅁ)$=\mathbf{9\frac{1}{3}}$ **cm**

13 ❶ 국어, 수학, 과학 점수의 관계 각각 알아보기

수학 점수를 □점이라 하면

(국어 점수)$=\left(□×\frac{3}{4}\right)$점,

(과학 점수)$=\left(□×\frac{3}{4}×1\frac{1}{6}\right)$점$=\left(□×\frac{7}{8}\right)$점

❷ 수학 점수 구하기

$\left(□×\frac{3}{4}+□+□×\frac{7}{8}\right)÷3=84,$

$□×\frac{21}{8}=252,$

$□=252÷\frac{21}{8}=\overset{12}{252}×\frac{8}{\underset{1}{21}}=96$

→ 수학 점수는 **96점**입니다.

14 ❶ 열차가 1분 동안 달린 거리 구하기

(열차가 $2\frac{3}{5}$분 동안 달린 거리)

$=8\frac{1}{12}+\frac{9}{20}=8\frac{5}{60}+\frac{27}{60}=8\frac{32}{60}=8\frac{8}{15}\,(\mathrm{km})$

(열차가 1분 동안 달린 거리)

$=8\frac{8}{15}÷2\frac{3}{5}=\frac{128}{\underset{3}{15}}×\frac{\overset{1}{5}}{13}=\frac{128}{39}\,(\mathrm{km})$

❷ 열차가 1시간 30분 동안 달린 거리 구하기

1시간 30분$=90$분

→ (열차가 1시간 30분 동안 달린 거리)

$=\frac{128}{\underset{13}{39}}×\overset{30}{90}=\frac{3840}{13}=\mathbf{295\frac{5}{13}}\,(\mathbf{km})$

15 ❶ 마신 물의 양은 얼마만큼인지 구하기

마신 물의 양은 물병 전체의 $\frac{1}{3}×\frac{5}{\underset{2}{6}}=\frac{5}{16}$입니다.

(마신 물의 무게)$=424-304=120\,(\mathrm{g})$

❷ 물병에 물을 가득 채웠을 때 물의 무게 구하기

물병에 물을 가득 채웠을 때 물의 무게를 □ g이라 하면

$□×\frac{5}{16}=120$입니다.

$□=120÷\frac{5}{16}=\overset{24}{120}×\frac{16}{\underset{1}{5}}=384$

❸ 빈 물병의 무게 구하기

(전체의 $\frac{3}{8}$만큼 채운 물의 무게)$=\overset{48}{384}\times\frac{3}{8}=144\,(\text{g})$

→ (빈 물병의 무게)$=424-144=\mathbf{280\,(g)}$

<table>
<tr><td colspan="4">STEP**3**   **최상위 도전하기**   019~021쪽</td></tr>
<tr><td>**1**</td><td>397명, 407명</td><td>**2**</td><td>$\dfrac{29}{36}$</td></tr>
<tr><td>**3**</td><td>$\dfrac{9}{20}$배</td><td>**4**</td><td>5월 15일 오전 9시</td></tr>
<tr><td>**5**</td><td>24일</td><td>**6**</td><td>15 cm</td></tr>
</table>

1 **❶ 늘어난 전체 학생 수 구하기**

(늘어난 전체 학생 수)=(늘어난 여학생 수)
$=804-782=22$(명)

❷ 작년 여학생 수 구하기

작년 여학생 수를 □명이라 하면

$\square\times\dfrac{2}{35}=22$입니다.

$\square=22\div\dfrac{2}{35}=\overset{11}{22}\times\dfrac{35}{\underset{1}{2}}=385$

❸ 올해 남학생 수와 여학생 수 구하기

(올해 남학생 수)$=782-385=\mathbf{397(명)}$

(올해 여학생 수)$=804-397=\mathbf{407(명)}$

참고 (올해 여학생 수)$=385+22=407$(명)

2 **❶ ㉠, ㉡, ㉢에 알맞은 수 구하기**

• 레는 라보다 5도 낮은 음입니다.

$㉠\times\dfrac{2}{3}=\dfrac{16}{27}\ \rightarrow\ ㉠=\dfrac{16}{27}\div\dfrac{2}{3}=\dfrac{\overset{8}{16}}{\underset{9}{27}}\times\dfrac{\overset{1}{3}}{\underset{1}{2}}=\dfrac{8}{9}$

• 파는 높은 도보다 5도 낮은 음입니다.

$㉡\times\dfrac{2}{3}=\dfrac{1}{2}\ \rightarrow\ ㉡=\dfrac{1}{2}\div\dfrac{2}{3}=\dfrac{1}{2}\times\dfrac{3}{2}=\dfrac{3}{4}$

• 솔은 낮은 도보다 5도 높은 음입니다. → $㉢=\dfrac{2}{3}$

❷ ㉠−㉡+㉢의 값 구하기

$㉠-㉡+㉢=\dfrac{8}{9}-\dfrac{3}{4}+\dfrac{2}{3}=\dfrac{\mathbf{29}}{\mathbf{36}}$

3 **❶ ㉠의 넓이, ㉡의 넓이와 각 원의 관계 알아보기**

(㉠의 넓이)$=$(원 나의 넓이)$\times\dfrac{2}{9}$

(㉡의 넓이)$=$(원 다의 넓이)$\times\dfrac{1}{6}$

---

❷ 원 나의 넓이는 원 다의 넓이의 몇 배인지 구하기

(㉠의 넓이)$=$(㉡의 넓이)$\times\dfrac{3}{5}$이므로

(원 나의 넓이)$\times\dfrac{2}{9}=$(원 다의 넓이)$\times\dfrac{1}{\underset{2}{6}}\times\dfrac{\overset{1}{3}}{5}$,

(원 나의 넓이)$\times\dfrac{2}{9}=$(원 다의 넓이)$\times\dfrac{1}{10}$입니다.

(원 나의 넓이)$=$(원 다의 넓이)$\times\dfrac{1}{10}\div\dfrac{2}{9}$

$\qquad\qquad=$(원 다의 넓이)$\times\dfrac{1}{10}\times\dfrac{9}{2}$

$\qquad\qquad=$(원 다의 넓이)$\times\dfrac{9}{20}$

→ 원 나의 넓이는 원 다의 넓이의 $\dfrac{\mathbf{9}}{\mathbf{20}}$배입니다.

4 **❶ 두 사람의 시계가 하루 동안 차이 나는 시간 구하기**

(두 사람의 시계가 하루 동안 차이 나는 시간)

$=\dfrac{4}{15}+\dfrac{1}{3}=\dfrac{4}{15}+\dfrac{5}{15}=\dfrac{9}{15}(\text{분})$

❷ 두 사람의 시계가 $\dfrac{3}{4}$시간만큼 차이가 날 때까지 걸리는 날수 구하기   ↳ $\frac{3}{4}$시간$=\frac{45}{60}$시간$=45$분

$45\div\dfrac{9}{15}=\overset{5}{45}\times\dfrac{15}{\underset{1}{9}}=75(\text{일})$

❸ 두 사람의 시계가 $\dfrac{3}{4}$시간만큼 차이가 날 때의 날짜와 시각 구하기

• 3월 1일 오전 9시~4월 1일 오전 9시: 31일 ⎤
• 4월 1일 오전 9시~5월 1일 오전 9시: 30일 ⎬ 75일
• 5월 1일 오전 9시~5월 15일 오전 9시: 14일 ⎦

→ 두 사람의 시계가 $\dfrac{3}{4}$시간만큼 차이가 날 때는

5월 15일 오전 9시입니다.

5 **❶ 연석이와 혜미가 각각 하루 동안 하는 일의 양 구하기**

전체 일의 양을 1이라 하면

(연석이가 하루 동안 하는 일의 양)

$=\dfrac{3}{4}\div9=\dfrac{1}{12}$

(혜미가 하루 동안 하는 일의 양)

$=\dfrac{5}{12}\div15=\dfrac{1}{36}$

❷ 혜미가 해야 할 나머지 일의 양 구하기

(연석이가 4일 동안 한 일의 양)$=\dfrac{1}{\underset{3}{12}}\times\overset{1}{4}=\dfrac{1}{3}$

(혜미가 해야 할 나머지 일의 양)$=1-\dfrac{1}{3}=\dfrac{2}{3}$

❸ 혜미가 일을 해야 하는 날수 구하기

(혜미가 일을 해야 하는 날수)

$=\dfrac{2}{3}\div\dfrac{1}{36}=\dfrac{2}{\underset{1}{3}}\times\overset{12}{36}=\mathbf{24(일)}$

6 길이가 다른 3개의 막대 ㉮, ㉯, ㉰를 물이 들어 있는 물통에 수직으로 넣었더니 ㉮는 $\dfrac{3}{7}$만큼, ㉰는 $\dfrac{5}{8}$만큼 물에 잠겼습니다. 막대 ㉮와 ㉯의 길이의 합이 127 cm이고, 막대 ㉯와 ㉰의 길이의 합이 116 cm일 때 **물통에 들어 있는 물의 높이는 몇 cm**인지 구해 보세요. (단, 막대의 부피는 생각하지 않습니다.) (물통에 들어 있는 물의 높이) =(각 막대의 물에 잠긴 부분의 길이)

❶ ㉮와 ㉰의 길이 사이의 관계 알아보기

$㉮+㉯=127$, $㉯+㉰=116$에서 $\boxed{㉮-㉰=11}$입니다.
└▸ ㉮+㉯=127
　　㉯+㉰=116
　　㉮-㉰=127-116=11

❷ ㉰의 길이 구하기

㉮와 ㉰의 물에 잠긴 부분의 길이는 같으므로

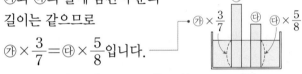

$㉮\times\dfrac{3}{7}=㉰\times\dfrac{5}{8}$입니다.

$㉮=㉰\times\dfrac{5}{8}\div\dfrac{3}{7}=㉰\times\dfrac{5}{8}\times\dfrac{7}{3}=㉰\times\dfrac{35}{24}$

$㉮-㉰=11$에서 $㉰\times\dfrac{35}{24}-㉰=11$,

$㉰\times\dfrac{11}{24}=11$입니다.

$㉰=11\div\dfrac{11}{24}=\overset{1}{11}\times\dfrac{24}{\underset{1}{11}}=24$

❸ 물의 높이 구하기

(물의 높이)$=\overset{3}{24}\times\dfrac{5}{\underset{1}{8}}=\mathbf{15(cm)}$

01 ❶ ㉠에 알맞은 기약분수 구하기

$12\div\dfrac{8}{11}=\overset{3}{12}\times\dfrac{11}{\underset{2}{8}}=\dfrac{33}{2}$ ➡ $㉠=\dfrac{33}{2}$

❷ ㉡에 알맞은 기약분수 구하기

$\dfrac{9}{8}\div\dfrac{33}{2}=\dfrac{9}{\underset{4}{8}}\times\dfrac{\overset{1}{2}}{\underset{11}{33}}=\dfrac{3}{44}$ ➡ $㉡=\mathbf{\dfrac{3}{44}}$

02 ❶ 각각 계산하기

・$\dfrac{21}{23}\div\dfrac{3}{23}=21\div3=7$

・$\dfrac{7}{10}\div\dfrac{2}{9}=\dfrac{7}{10}\times\dfrac{9}{2}=\dfrac{63}{20}=3\dfrac{3}{20}$

❷ 큰 수는 작은 수의 몇 배인지 구하기

$7\div3\dfrac{3}{20}=\overset{1}{7}\times\dfrac{20}{\underset{9}{63}}=\dfrac{20}{9}=2\dfrac{2}{9}$(배)

03 ❶ 전체 학생 수 구하기

전체 학생 수를 □명이라 하면 $□\times\dfrac{1}{5}=12$입니다.

$□=12\div\dfrac{1}{5}=12\times5=60$

❷ 남학생 수 구하기

(남학생 수)$=60-12=\mathbf{48(명)}$

04 ❶ 그릇의 들이 구하기

(그릇의 들이)$=2\div3=\dfrac{2}{3}$(L)

❷ 물을 부어야 하는 횟수 구하기

$5\dfrac{1}{7}\div\dfrac{2}{3}=\dfrac{36}{7}\div\dfrac{2}{3}=\dfrac{\overset{18}{36}}{7}\times\dfrac{3}{\underset{1}{2}}=\dfrac{54}{7}=7\dfrac{5}{7}$

➡ 빈 수조에 물을 가득 채우려면 적어도
　$7+1=\mathbf{8(번)}$ 부어야 합니다.

05 ❶ ㉠의 값 구하기

(눈금 5칸의 크기)$=\dfrac{5}{6}-\dfrac{5}{12}=\dfrac{10}{12}-\dfrac{5}{12}=\dfrac{5}{12}$

(눈금 한 칸의 크기)$=\dfrac{5}{12}\div5=\dfrac{1}{12}$

$㉠=\dfrac{5}{12}+\dfrac{3}{12}=\dfrac{8}{12}=\dfrac{2}{3}$

❷ $㉠\div\dfrac{8}{9}$의 값 구하기

$㉠\div\dfrac{8}{9}=\dfrac{2}{3}\div\dfrac{8}{9}=\dfrac{\overset{1}{2}}{\underset{1}{3}}\times\dfrac{\overset{3}{9}}{\underset{4}{8}}=\mathbf{\dfrac{3}{4}}$

06 **❶ 어떤 분수 구하기**

어떤 분수를 □라 하면 $\frac{3}{8} \div \square = \frac{5}{6}$입니다.

$\square = \frac{3}{8} \div \frac{5}{6} = \frac{3}{8} \times \frac{\overset{3}{6}}{5} = \frac{9}{20}$

❷ 바르게 계산한 몫 구하기

(바른 계산)

$= 3\frac{3}{8} \div \frac{9}{20} = \frac{\overset{3}{27}}{\underset{2}{8}} \times \frac{\overset{5}{20}}{\underset{1}{9}} = \frac{15}{2} = \mathbf{7\frac{1}{2}}$

07 **❶ 직사각형 ㄱㄴㄷㄹ의 넓이 구하기**

(직사각형 ㄱㄴㄷㄹ의 넓이)

$= 14\frac{1}{6} \times 12 = \frac{85}{\underset{1}{6}} \times \overset{2}{12} = 170\,(\text{cm}^2)$

❷ 삼각형 ㅁㄴㄷ의 넓이 구하기

(삼각형 ㅁㄴㄷ의 넓이) $= \overset{34}{170} \times \frac{4}{\underset{3}{15}} = \frac{136}{3}\,(\text{cm}^2)$

❸ 선분 ㅁㄷ의 길이 구하기

삼각형 ㅁㄴㄷ에서 선분 ㅁㄷ의 길이를 □cm라 하면

$14\frac{1}{6} \times \square \div 2 = \frac{136}{3}$입니다.

$\square = \frac{136}{3} \times 2 \div 14\frac{1}{6} = \frac{\overset{8}{136}}{\underset{1}{3}} \times 2 \times \frac{\overset{2}{6}}{\underset{5}{85}}$

$= \frac{32}{5} = 6\frac{2}{5} \rightarrow (\text{선분 ㅁㄷ}) = \mathbf{6\frac{2}{5}\,cm}$

08 **❶ 나누어지는 수와 나누는 수 각각 구하기**

8>7>4>2이므로 나누어지는 수는 8이고, 나누는 수는 7, 4, 2 중에서 두 수로 가장 작은 진분수를 만들면 $\frac{2}{7}$입니다.

❷ 나눗셈식의 몫이 가장 클 때의 몫 구하기

(자연수)÷(진분수) $= 8 \div \frac{2}{7} = \overset{4}{8} \times \frac{7}{\underset{1}{2}} = \mathbf{28}$

09 **❶ 문제에 알맞은 식 만들기**

처음에 있던 간장의 양을 □L라 하면

$\square \times \left(1 - \frac{2}{5}\right) \times \left(1 - \frac{7}{12}\right) = \frac{8}{9}$입니다.

❷ 처음에 있던 간장의 양 구하기

$\square \times \frac{\overset{1}{3}}{5} \times \frac{\overset{5}{5}}{\underset{4}{12}} = \frac{8}{9}, \square \times \frac{1}{4} = \frac{8}{9},$

$\square = \frac{8}{9} \div \frac{1}{4} = \frac{8}{9} \times 4 = \frac{32}{9} = 3\frac{5}{9} \rightarrow \mathbf{3\frac{5}{9}\,L}$

10 **❶ 1분 동안 탄 양초의 길이 구하기**

(4분 동안 탄 양초의 길이)

$= 14 - 12\frac{3}{5} = 1\frac{2}{5}\,(\text{cm})$

(1분 동안 탄 양초의 길이)

$= 1\frac{2}{5} \div 4 = \frac{7}{5} \times \frac{1}{4} = \frac{7}{20}\,(\text{cm})$

❷ 남은 양초가 다 타는 데 걸리는 시간 구하기

(남은 양초가 다 타는 데 걸리는 시간)

$= 12\frac{3}{5} \div \frac{7}{20} = \frac{63}{5} \div \frac{7}{20} = \frac{\overset{9}{63}}{\underset{1}{5}} \times \frac{\overset{4}{20}}{\underset{1}{7}} = \mathbf{36(분)}$

11 **❶ 덜어 낸 물의 양은 얼마만큼인지 구하기**

덜어 낸 물의 양: 수조 전체의 $\frac{5}{8} \times \frac{3}{\underset{2}{10}} = \frac{3}{16}$

(덜어 낸 물의 무게) $= 925 - 766 = 159\,(\text{g})$

❷ 수조에 물을 가득 채웠을 때 물의 무게 구하기

수조에 물을 가득 채웠을 때 물의 무게를 □g이라 하면 $\square \times \frac{3}{16} = 159$입니다.

$\square = 159 \div \frac{3}{16} = \overset{53}{159} \times \frac{16}{\underset{1}{3}} = 848$

❸ 빈 수조의 무게 구하기

(전체의 $\frac{5}{8}$만큼 채운 물의 무게) $= \overset{106}{848} \times \frac{5}{\underset{1}{8}} = 530\,(\text{g})$

$\rightarrow$ (빈 수조의 무게) $= 925 - 530 = \mathbf{395\,(g)}$

12 **❶ 가람이와 송희가 하루 동안 하는 일의 양 각각 구하기**

전체 일의 양을 1이라 하면

(가람이가 하루 동안 하는 일의 양) $= \frac{2}{5} \div 8 = \frac{1}{20}$

(송희가 하루 동안 하는 일의 양) $= \frac{3}{4} \div 12 = \frac{1}{16}$

❷ 송희가 한 나머지 일의 양 구하기

(가람이가 5일 동안 한 일의 양) $= \frac{1}{\underset{4}{20}} \times \overset{1}{5} = \frac{1}{4}$

(송희가 한 나머지 일의 양) $= 1 - \frac{1}{4} = \frac{3}{4}$

❸ 송희가 일을 한 날수 구하기

(송희가 일을 한 날수) $= \frac{3}{4} \div \frac{1}{16} = \mathbf{12(일)}$

2 소수의 나눗셈

개념 넓히기

027쪽

1 (위에서부터) 5.1, 14	**2** 12
3 3.54	**4** 27도막, 5.1 cm

STEP 1 응용 공략하기

028~034쪽

01 4	**02** 소영
03 2.45배	**04** 5.96

05 예 ❶ (만든 보라색 페인트의 양)
　　　 $=5.6+7.4=13(L)$ ▶2점
　　❷ (필요한 통의 수)$=13÷2.6=5$(개) ▶3점
　／ 5개

06 2.9 kg	**07** 12 cm

08 예 ❶ $14.28÷6.8=2.1$,
　　　 $11.75÷4.7=2.5$ ▶3점
　　❷ $2.1<2.\square<2.5$이므로 □ 안에 들어갈 수 있는 자연수는 2, 3, 4입니다.
　　따라서 □ 안에 들어갈 수 있는 수들의 합은
　　$2+3+4=9$입니다. ▶2점
　／ 9

09 1.3 kg	**10** 56
11 44그루	**12** 13.39
13 7	**14** 101.4 cm²
15 21.7	**16** 125 m²
17 7개	

18 예 ❶ (휘발유 1 L로 갈 수 있는 거리)
　　　 $=33.18÷2.1=15.8$(km) ▶2점
　　❷ (필요한 휘발유의 양)$=205.4÷15.8=13$(L)
　　→ (필요한 휘발유의 값)
　　　 $=1400×13=18200$(원) ▶3점
　／ 18200원

19 0.36 kg	**20** 15개
21 5시간	

01 ❶ ㉠이 나타내는 소수 구하기
수직선에서 작은 눈금 한 칸의 크기는 0.1이므로
㉠이 나타내는 수는 9.2입니다.
　❷ 위 ❶의 소수를 2.3으로 나눈 몫 구하기
(㉠이 나타내는 소수)$÷2.3=9.2÷2.3=4$

02 ❶ 각각 나눗셈하기
· 소영: $1.28÷0.8=1.6$
· 은석: $13.76÷3.2=4.3$
· 주아: $8.17÷1.9=4.3$
　❷ 나눗셈의 몫이 다른 사람 찾기
따라서 나눗셈의 몫이 다른 사람은 **소영**입니다.

03 ❶ 각각의 거리 알아보기
학교에서 우체국까지의 거리는 10.29 km이고, 학교에서 경찰서까지의 거리는 4.2 km입니다.
　❷ 학교에서 우체국까지의 거리는 학교에서 경찰서까지의 거리의 몇 배인지 구하기
(학교~우체국)$÷$(학교~경찰서)
$=10.29÷4.2=$**2.45(배)**

04 ❶ ㉠, ㉡, ㉢의 값 각각 구하기
$7.2÷1.3=5.538……$

㉠	㉡	㉢
$5.5……→6$	$5.53……→5.5$	$5.538……→5.54$

　❷ ㉠$+$㉡$-$㉢의 값 구하기
㉠$+$㉡$-$㉢$=6+5.5-5.54$
　　　　　 $=11.5-5.54=$**5.96**

참고 몫을 반올림하여 나타낼 때 어느 자리까지 구해야 하는지 확인하고 계산합니다.

05

채점 기준	❶ 만든 보라색 페인트의 양 구하기	2점
	❷ 필요한 통의 수 구하기	3점

06 ❶ 5일 동안 수확한 감자의 양 구하기
(5일 동안 수확한 감자의 양)
$=13.5+12.8+9.6+14.3+15.7=65.9$(kg)
　❷ 포장하고 남는 감자의 양 구하기
$65.9÷3=21…2.9$
　→ 감자를 21상자까지 포장할 수 있고, 포장하고 남는 감자는 **2.9 kg**입니다.

07 ❶ 문제에 알맞은 식 만들기
밑변의 길이를 □ cm라 하면
□$×10.38÷2=62.28$입니다.
　❷ 밑변의 길이 구하기
□$=62.28×2÷10.38$
　 $=124.56÷10.38=12$
따라서 밑변의 길이는 **12 cm**입니다.

08

채점 기준	❶ $14.28÷6.8$과 $11.75÷4.7$을 각각 계산하기	3점
	❷ □ 안에 들어갈 수 있는 수들의 합 구하기	2점

09 ❶ 토마토를 담은 상자 수와 남은 토마토의 양 구하기

$68.7 \div 5 = 13 \cdots 3.7$이므로 13상자가 되고, 3.7 kg이 남습니다.

❷ 더 필요한 토마토의 양 구하기

토마토를 상자에 담아 남김없이 모두 판매하려면 남은 3.7 kg도 상자에 담아 한 상자를 만들어야 합니다.

→ (더 필요한 토마토의 양)$= 5 - 3.7 = \mathbf{1.3(kg)}$

10 ❶ 기호 ★의 약속 알아보기

㉮★㉯는 ㉮$\div 0.45$의 몫에서 $5.2 \div$㉯의 몫을 빼서 계산합니다.

❷ 27★1.3의 값 구하기

$27 ★ 1.3 = 27 \div 0.45 - 5.2 \div 1.3$
$\qquad\qquad = 60 - 4 = \mathbf{56}$

11 ❶ 도로의 한쪽에 필요한 가로수의 수 구하기

(간격의 수)$= 111.72 \div 5.32 = 21$(군데)
(도로의 한쪽에 필요한 가로수의 수)
$= 21 + 1 = 22$(그루)

❷ 도로의 양쪽에 필요한 가로수의 수 구하기

(도로의 양쪽에 필요한 가로수의 수)
$= 22 \times 2 = \mathbf{44}$(그루)

12 ❶ 어떤 수 구하기

어떤 수를 □라 하면 □$\div 6 = 12 \cdots 0.28$입니다.
$6 \times 12 = 72$, $72 + 0.28 = 72.28$이므로 □$= 72.28$입니다.

❷ 어떤 수를 5.4로 나누었을 때의 몫을 반올림하여 소수 둘째 자리까지 나타내기

$72.28 \div 5.4 = 13.385 \cdots$이므로 몫을 반올림하여 소수 둘째 자리까지 나타내면 $13.385 \to \mathbf{13.39}$입니다.

13 ❶ ㉠에 알맞은 수 구하기

㉠$=$(바닷물의 높이)$\div$(지구의 온도)
$\qquad = 22 \div 7.4 = 2.\underline{972}\,\underline{972}\cdots$

❷ ㉠에 알맞은 수의 소수 50째 자리 숫자 구하기

몫의 소수점 아래 반복되는 숫자는 9, 7, 2(3개)입니다.
→ $50 \div 3 = 16 \cdots 2$이므로 소수 50째 자리 숫자는 소수 둘째 자리 숫자와 같은 **7**입니다.

> **선행 개념** [중2] 유한소수와 무한소수
>
> • 유한소수: 소수점 아래의 0이 아닌 숫자가 셀 수 있게 정해져 있는 소수
>   ⑩ 0.1, 2.45, 3.167
> • 무한소수: 소수점 아래의 0이 아닌 숫자가 무한히 많은 소수
>   ⑩ $0.222 \cdots$, $1.232323 \cdots$, $3.1415926535 \cdots$
>
> **참고** [문제 13]에서 ㉠$= 2.972972 \cdots$는 무한소수입니다.

14 ❶ 상품권의 가로와 세로 각각 구하기

세로를 □ cm라 하면 가로는 (□$\times 2.4$) cm이므로
(□$\times 2.4 +$□)$\times 2 = 44.2$입니다.
□$\times 2.4 +$□$= 44.2 \div 2$, □$\times 3.4 = 22.1$,
□$= 22.1 \div 3.4 = 6.5$
(가로)$= 6.5 \times 2.4 = 15.6$(cm)

❷ 상품권의 넓이 구하기

(상품권의 넓이)$= 15.6 \times 6.5 = \mathbf{101.4(cm^2)}$

15 ❶ 몫이 가장 큰 경우 알아보기

몫이 가장 큰 경우는 (가장 큰 소수 한 자리 수)$\div$(가장 작은 소수 한 자리 수)입니다.
수의 크기를 비교하면 $6 > 5 > 3 > 0$이므로 가장 큰 소수 한 자리 수는 6.5이고, 가장 작은 소수 한 자리 수는 0.3입니다.

❷ 나눗셈식의 몫을 반올림하여 소수 첫째 자리까지 나타내기

$6.5 \div 0.3 = 21.66 \cdots$이므로 몫을 반올림하여 소수 첫째 자리까지 나타내면 $21.66 \to \mathbf{21.7}$입니다.

16 ❶ 어제와 오늘 페인트를 칠하고 남은 부분은 전체의 얼마인지 구하기

• 어제와 오늘 페인트를 칠한 담장의 넓이:
  전체의 $0.3 + 0.54 = 0.84$
• 어제와 오늘 페인트를 칠하고 남은 부분의 넓이:
  전체의 $1 - 0.84 = 0.16$

❷ 담장 전체의 넓이 구하기

담장 전체의 넓이를 □ m^{2}라 하면
□$\times 0.16 = 20$, □$= 20 \div 0.16 = 125$입니다.
→ (담장 전체의 넓이)$= \mathbf{125}$ **m**^{2}

17 ❶ 몫의 범위 구하기

반올림하여 소수 첫째 자리까지 나타내면 2.8이 되는 수는 2.75 이상 2.85 미만인 수입니다.

❷ 20.□6이 될 수 있는 수의 범위 구하기

• 몫이 2.75일 때: 20.□$6 \div 7.4 = 2.75$
  → 20.□$6 = 2.75 \times 7.4 = 20.35$
• 몫이 2.85일 때: 20.□$6 \div 7.4 = 2.85$
  → 20.□$6 = 2.85 \times 7.4 = 21.09$
20.□6은 20.35 이상 21.09 미만인 수입니다.

❸ □ 안에 들어갈 수 있는 수의 개수 구하기

따라서 □ 안에 들어갈 수 있는 수는 3, 4, 5, 6, 7, 8, 9로 모두 **7개**입니다.

18

채점 기준		
❶ 휘발유 1 L로 갈 수 있는 거리 구하기		2점
❷ 필요한 휘발유의 값 구하기		3점

19 ❶ 오미자청 4 L의 무게 구하기

(오미자청 1.5 L의 무게)=4.28−2.81=1.47(kg)

(오미자청 1 L의 무게)=1.47÷1.5=0.98(kg)

(오미자청 4 L의 무게)=0.98×4=3.92(kg)

❷ 빈 병의 무게 구하기

(빈 병의 무게)=4.28−3.92=**0.36(kg)**

20 ❶ 원을 한 개씩 더 그릴 때마다 늘어나는 전체 길이 구하기

2.5 cm씩 겹치게 그렸으므로 처음 원을 그린 후 원을 한 개씩 더 그릴 때마다 전체 길이는

15.4−2.5=12.9(cm)씩 늘어납니다.

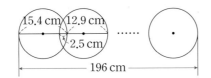

❷ 그린 원의 개수 구하기

처음 원을 그린 후 더 그린 원의 수를 ☐개라 하면

15.4+12.9×☐=196, 12.9×☐=180.6,

☐=180.6÷12.9=14입니다.

→ (그린 원의 수)=14+1=**15(개)**

> **선행 개념** [중1] 곱셈의 분배법칙
>
> • 부호가 같은 두 수의 곱셈은 수끼리의 곱에 ＋를, 부호가 다른 두 수의 곱셈은 수끼리의 곱에 −를 붙입니다.
>   - 예 (＋3)×(＋2)=＋(3×2)=＋6
>   - (＋3)×(−2)=−(3×2)=−6
> • 덧셈에 대한 곱셈의 분배법칙
>
> 세 수 ㉠, ㉡, ㉢에 대하여 ㉠×(㉡＋㉢)=㉠×㉡＋㉠×㉢
>
> **풀이** 그린 원의 수를 ☐개라 하면
> 15.4×☐−2.5×(☐−1)=196입니다.
> 15.4×☐−2.5×☐＋2.5=196
> 12.9×☐=193.5, ☐=193.5÷12.9=15

21 ❶ 배가 한 시간 동안 가는 거리 구하기

1시간 24분=$1\frac{24}{60}$시간=$1\frac{4}{10}$시간=1.4시간

(배가 한 시간 동안 가는 거리)

=35÷1.4=25(km)

❷ 배가 강물이 흐르는 방향으로 한 시간 동안 가는 거리 구하기

(배가 강물이 흐르는 방향으로 한 시간 동안 가는 거리)

=15.6+25=40.6(km)

❸ 배가 강물이 흐르는 방향으로 203 km를 가는 데 걸리는 시간 구하기

(배가 강물이 흐르는 방향으로 203 km를 가는 데 걸리는 시간)=203÷40.6=**5(시간)**

---

01 0.8

02 4.8

03 예 ❶ 직사각형의 가로를 ☐ m라 하면

☐×1.3=4.94,

☐=4.94÷1.3=3.8입니다. ▶2점

❷ (가로)÷(세로)=3.8÷1.3=2.92……

따라서 반올림하여 소수 첫째 자리까지 나타내면 가로는 세로의 2.92 → 2.9배입니다. ▶3점

/ 2.9배

04 쌀　　　　　　**05** 4.85 m

06 560 g　　　　**07** 5

08 예 ❶ 어떤 수를 ☐라 하면 ☐×0.7=10.36,

☐=10.36÷0.7=14.8입니다. ▶3점

❷ 14.8÷2.5=5.92이므로 수영이가 답해야 하는 수는 5.92입니다. ▶2점

/ 5.92

09 6개

10 30

11 62개

12 예 ❶ (12분 동안 탄 양초의 길이)

=0.8×12=9.6(cm) ▶2점

❷ 처음 양초의 길이를 ☐ cm라 하면

☐×(1−0.4)=9.6입니다.

☐×0.6=9.6, ☐=9.6÷0.6=16

→ (처음 양초의 길이)=16 cm ▶3점

/ 16 cm

13 0.04　　　　**14** 3.37

15 24 ℃　　　　**16** 토끼, 0.3 km

17 17500원　　 **18** 5분 45초

---

01 ❶ ㉮와 ㉯가 나타내는 소수 각각 구하기

㉮ 16.8의 $\frac{1}{10}$배인 수는 1.68입니다.

㉯ 0.1이 21개인 수는 2.1입니다.

❷ ㉮가 나타내는 소수를 ㉯가 나타내는 소수로 나눈 몫 구하기

㉮÷㉯=1.68÷2.1=**0.8**

02 ❶ 1.26÷0.21 계산하기

1.26÷0.21=6

❷ ☐ 안에 알맞은 수 구하기

28.8÷☐=6

→☐=28.8÷6=**4.8**

03 레벨UP공략

◇ 소수의 나눗셈을 이용하여 █는 ▲의 몇 배인지 구하려면?
█를 ▲로 나눈 몫을 구합니다.

> █는 ▲의 몇 배 → (█ ÷ ▲)배

채점 기준	❶ 직사각형의 가로 구하기	2점
	❷ 가로는 세로의 몇 배인지 반올림하여 소수 첫째 자리까지 나타내기	3점

04 ❶ 봉지에 나누어 담고 남는 양 각각 구하기
• 현미: $31.7 ÷ 4 = 7 ⋯ 3.7$
• 쌀: $46.8 ÷ 3 = 15 ⋯ 1.8$
• 흑미: $9.9 ÷ 2 = 4 ⋯ 1.9$

❷ 봉지에 나누어 담고 남는 양이 가장 적은 것 구하기

따라서 $1.8 < 1.9 < 3.7$이므로 봉지에 나누어 담고 남는 양이 가장 적은 것은 **쌀**입니다.

주의 나누어 담을 수 있는 봉지 수는 몫이고, 봉지에 나누어 담고 남는 양은 나머지입니다. 나머지의 크기를 비교하지 않고 몫의 크기를 비교하여 $4 < 7 < 15$에서 흑미라고 답하지 않도록 주의합니다.

05 ❶ 키가 가장 큰 왕과 가장 작은 왕의 키의 합 구하기
9척 > 8척 > 7척이므로 키가 가장 큰 왕은 고국천왕(9척)이고, 키가 가장 작은 왕은 법흥왕(7척)입니다.
(고국천왕과 법흥왕의 키의 합) = $9 + 7 = 16$(척)

❷ 키가 가장 큰 왕과 가장 작은 왕의 키의 합은 몇 m인지 반올림하여 소수 둘째 자리까지 나타내기
$16 ÷ 3.3 = 4.848 ⋯⋯$
→ 반올림하여 소수 둘째 자리까지 나타내면
$4.848 → $ **4.85 m**입니다.

06 ❶ 만들 수 있는 단팥 빵의 수 구하기
(전체 팥의 양)
÷ (단팥 빵 한 개를 만드는 데 필요한 팥의 양)
$= 909.7 ÷ 56 = 16 ⋯ 13.7$
단팥 빵을 16개까지 만들 수 있습니다.

❷ 필요한 밀가루의 양 구하기
(단팥 빵 16개를 만드는 데 필요한 밀가루의 양)
$= 35 × 16 =$ **560(g)**

07 레벨UP공략

◇ 몫이 나누어떨어지지 않는 소수의 나눗셈에서 몫의 소수점 아래에 ●개의 숫자가 반복될 때 소수 █째 자리 숫자는?
█ ÷ ● = □ ⋯ █ 일 때 소수 █째 자리 숫자는
• █ = 0이면 반복되는 ●개의 숫자 중 마지막 숫자
• █ = 0이 아니면 소수 █째 자리 숫자

❶ 가장 큰 수를 가장 작은 수로 나누기
$41.5 > 40 > 6.32 > 3.3$이므로 가장 큰 수는 41.5이고, 가장 작은 수는 3.3입니다.
$41.5 ÷ 3.3 = 12.57\ 57 ⋯⋯$

❷ 위 ❶의 몫의 소수 95째 자리 숫자 구하기
몫의 소수점 아래 반복되는 숫자는 5, 7(2개)입니다.
→ $95 ÷ 2 = 47 ⋯ 1$이므로 소수 95째 자리 숫자는 소수 첫째 자리 숫자와 같은 **5**입니다.

08

채점 기준	❶ 어떤 수 구하기	3점
	❷ 수영이가 답해야 하는 수 구하기	2점

09 레벨UP공략

◇ 남김없이 담을 때 필요한 통의 수를 구하려면?
전체 █만큼을 한 통에 ▲만큼씩 담을 때 █ ÷ ▲ = ● ⋯ ♥에서 ●개의 통에 담을 수 있고, ♥만큼이 남습니다. 남은 ♥만큼도 담아야 하므로 → (필요한 통의 수) = (● + 1)개

❶ 이웃집에 나누어 주고 남은 주방 세제의 양 구하기
(이웃집에 나누어 준 주방 세제의 양)
$= 3 × 0.4 = 1.2$(L)
(이웃집에 나누어 주고 남은 주방 세제의 양)
$= 3 - 1.2 = 1.8$(L)

❷ 필요한 통의 수 구하기
$1.8 ÷ 0.35 = 5 ⋯ 0.05$이므로 5개의 통에 나누어 담을 수 있고, 0.05 L가 남습니다.
→ (필요한 통의 수) = $5 + 1 =$ **6(개)**

10 ❶ 큰 수와 작은 수 각각 구하기
큰 수를 ㉠, 작은 수를 ㉡이라 하면
㉠ + ㉡ = 43.4, ㉠ - ㉡ = 40.6입니다.
• 두 식을 더합니다.

$$㉠ + ㉡ = 43.4$$
$$+\ ㉠ - ㉡ = 40.6$$
$$㉠ + ㉡ + ㉠ - ㉡ = 84$$

→ ㉠ + ㉠ = 84, ㉠ × 2 = 84, ㉠ = 84 ÷ 2 = 42
• 42 + ㉡ = 43.4, ㉡ = 43.4 - 42 = 1.4

❷ 큰 수를 작은 수로 나눈 몫 구하기
㉠ ÷ ㉡ = 42 ÷ 1.4 = **30**

다른 풀이 작은 수를 □라 하면 두 수의 차가 40.6이므로 큰 수는 □ + 40.6입니다.
□ + □ + 40.6 = 43.4, □ × 2 = 2.8,
□ = 2.8 ÷ 2 = 1.4
(큰 수) = 1.4 + 40.6 = 42
→ 42 ÷ 1.4 = **30**

11 레벨UP공략

◇ 일정하게 놓인 물건의 수를 구하려면?

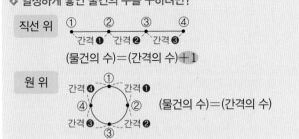

직선 위 ① ② ③ ④
간격❶ 간격❷ 간격❸
(물건의 수)=(간격의 수)+1

원 위 간격❹ ① 간격❶
④ ② (물건의 수)=(간격의 수)
간격❸ ③ 간격❷

❶ 4.86 m 간격으로 세운 깃발의 수 구하기
(4.86 m 간격으로 세운 깃발의 간격의 수)
=116.64÷4.86=24(군데)
(4.86 m 간격으로 세운 깃발의 수)
=24+1=25(개)

❷ 3.24 m 간격으로 세운 깃발의 수 구하기
(3.24 m 간격으로 세운 깃발의 간격의 수)
=116.64÷3.24=36(군데)
(3.24 m 간격으로 세운 깃발의 수)
=36+1=37(개)

❸ 위 ❶과 ❷의 합 구하기
(도로의 양쪽에 세운 깃발 수의 합)
=25+37=62(개)

12

채점 기준	❶ 12분 동안 탄 양초의 길이 구하기	2점
	❷ 처음 양초의 길이 구하기	3점

13 ❶ 소수 첫째 자리에서 나누어떨어질 때의 몫 구하기
$35.8÷1.4=25.571……$
나누어지는 수 35.8에 가장 작은 수를 더해서 소수 첫째 자리에서 나누어떨어질 때의 몫은 25.5보다 0.1만큼 더 큰 25.6이 되어야 합니다.

❷ ㉠이 될 수 있는 수 중에서 가장 작은 수 구하기
몫이 25.6일 때 나누어지는 수를 □라 하면
$□÷1.4=25.6$, $□=25.6×1.4=35.84$입니다.
→ ㉠=35.84-35.8=**0.04**

14 레벨UP공략

◇ 몫이 가장 크거나 가장 작은 나눗셈식을 만들려면?
• 몫이 가장 큰 나눗셈식 → (가장 큰 수)÷(가장 작은 수)
• 몫이 가장 작은 나눗셈식 → (가장 작은 수)÷(가장 큰 수)

❶ 몫이 가장 클 때의 몫을 반올림하여 소수 둘째 자리까지 나타내기
(가장 큰 소수 두 자리 수)
÷(가장 작은 소수 한 자리 수)
$=8.75÷2.4=3.645…… → 3.65$

❷ 몫이 가장 작을 때의 몫을 반올림하여 소수 둘째 자리까지 나타내기
(가장 작은 소수 두 자리 수)
÷(가장 큰 소수 한 자리 수)
$=2.45÷8.7=0.281…… → 0.28$

❸ 위 ❶과 ❷의 값의 차 구하기
따라서 몫이 가장 클 때와 가장 작을 때의 몫을 반올림하여 소수 둘째 자리까지 나타낸 값의 차는 $3.65-0.28=3.37$입니다.

15 ❶ 소리가 1초 동안 이동한 거리 구하기
(소리가 1초 동안 이동한 거리)
$=1384.56÷4=346.14(m)$

❷ 소리가 4초 동안 이동한 거리가 1384.56 m일 때 기온은 몇 ℃인지 구하기
기온이 □ ℃일 때 공기 중에서 소리는 1초에 $(331.5+0.61×□)$ m를 이동합니다.
$331.5+0.61×□=346.14$, $0.61×□=14.64$,
$□=14.64÷0.61=24$
→ 소리가 4초 동안 이동한 거리가 1384.56 m일 때 기온은 **24** ℃입니다.

16 ❶ 토끼가 한 시간 동안 가는 거리 구하기
$1시간 30분=1\frac{30}{60}시간=1\frac{1}{2}시간=1.5시간$
(토끼가 한 시간 동안 가는 거리)
$=4.95÷1.5=3.3(km)$

❷ 거북이 한 시간 동안 가는 거리 구하기
$1시간 15분=1\frac{15}{60}시간=1\frac{1}{4}시간=1.25시간$
(거북이 한 시간 동안 가는 거리)
$=3.75÷1.25=3(km)$

❸ 한 시간 동안 가는 거리는 누가 몇 km 더 먼지 구하기
따라서 3 km<3.3 km이므로 한 시간 동안 가는 거리는 **토끼**가 $3.3-3=0.3(km)$ 더 멉니다.

17 ❶ 20 %를 소수로 나타내기
$20 \% = \frac{20}{100} = 0.2$

❷ 물건의 원가 구하기
원가를 □원이라 하면
(정가)=(□+□×0.2)원=(□×1.2)원입니다.
(판매 가격)=(□×1.2-□×1.2×0.1)원
=(□×1.2-□×0.12)원
=(□×1.08)원

$\square \times 1.08 - \square = 1400$, $\square \times 0.08 = 1400$,

$\square = 1400 \div 0.08 = 17500$

→ (원가)**=17500원**

참고 (이익)=(판매 가격)-(원가)

18 ❶ ㉮ 수도와 ㉯ 수도에서 각각 1분 동안 나오는 물의 양 구하기

2분 15초$=2\frac{15}{60}$분$=2\frac{1}{4}$분$=2.25$분

3분 30초$=3\frac{30}{60}$분$=3\frac{1}{2}$분$=3.5$분

(㉮ 수도에서 1분 동안 나오는 물의 양)

$=32.85 \div 2.25 = 14.6$(L)

(㉯ 수도에서 1분 동안 나오는 물의 양)

$=56.84 \div 3.5 = 16.24$(L)

❷ 위 ❶의 물의 양의 합 구하기

(㉮ 수도와 ㉯ 수도에서 1분 동안 나오는 물의 양의 합)

$=14.6 + 16.24 = 30.84$(L)

❸ 177.33 L의 물을 받는 데 걸리는 시간 구하기

(177.33 L의 물을 받는 데 걸리는 시간)

$=177.33 \div 30.84 = 5.75$(분)

→ 5.75분$=5\frac{75}{100}$분$=5\frac{15}{20}$분$=5\frac{45}{60}$분

$=$**5분 45초**

STEP 3 | 최상위 도전하기 041~043쪽

1	3.2 cm	**2**	4시간
3	17	**4**	0.4분
5	160 cm	**6**	$10.66\ \text{cm}^2$

1 ❶ 삼각형 ㄹㅁㄷ의 넓이 구하기

(삼각형 ㄱㄴㄷ의 넓이)

$=12.8 \times 8.5 \div 2 = 54.4(\text{cm}^2)$

(삼각형 ㄹㅁㄷ의 넓이)$=54.4 \times 1.2 = 65.28(\text{cm}^2)$

❷ 선분 ㅁㄷ의 길이 구하기

선분 ㅁㄷ의 길이를 $\square$cm라 하면

$\square \times 13.6 \div 2 = 65.28$입니다.

$\square = 65.28 \times 2 \div 13.6$

$= 130.56 \div 13.6 = 9.6$

❸ 선분 ㄴㅁ의 길이 구하기

(선분 ㄴㅁ)$=12.8 - 9.6 =$**3.2(cm)**

2 ❶ 연어가 한 시간 동안 가는 거리 구하기

1시간 48분$=1\frac{48}{60}$시간$=1\frac{8}{10}$시간$=1.8$시간

(연어가 한 시간 동안 가는 거리)

$=93.6 \div 1.8 = 52$(km)

❷ 연어가 강물이 흐르는 반대 방향으로 한 시간 동안 가는 거리 구하기

(연어가 강물이 흐르는 반대 방향으로 한 시간 동안 가는 거리)

$=52 - 47.5 = 4.5$(km)

❸ 연어가 강물이 흐르는 반대 방향으로 18 km를 가는 데 걸리는 시간 구하기

(연어가 강물이 흐르는 반대 방향으로 18 km를 가는 데 걸리는 시간)

$=18 \div 4.5 =$**4(시간)**

3 ❶ 몫이 될 수 있는 수 중에서 3의 배수 구하기

· $\square = 1$일 때: $7.31 \div 0.06 = 121\cdots0.05$

· $\square = 9$일 때: $7.39 \div 0.06 = 123\cdots0.01$

몫이 될 수 있는 수는 121 이상 123 이하인 수이고, 이 중에서 3의 배수는 123입니다.

❷ $\square$ 안에 들어갈 수 있는 수들의 합 구하기

$123 \times 0.06 = 7.38$, $7.38 + ($나머지$) = 7.3\square$에서

나머지가 0일 때 $\square = 8$,

나머지가 0.01일 때 $\square = 9$입니다.

→ ($\square$ 안에 들어갈 수 있는 수들의 합)

$= 8 + 9 = 17$

참고 3의 배수: 각 자리 숫자의 합이 3의 배수인 수

4 ❶ 기차가 터널을 완전히 통과하는 데 달리는 거리 구하기

70 m$=0.07$ km

(기차가 터널을 완전히 통과하는 데 달리는 거리)

$=($터널의 길이$)+($기차의 길이$)$

$=0.85 + 0.07 = 0.92$(km)

❷ 기차가 1분 동안 달리는 거리 구하기

(기차가 1분 동안 달리는 거리)

$=128.4 \div 60 = 2.14$(km)

❸ 기차가 터널을 완전히 통과하는 데 걸리는 시간은 몇 분인지 반올림하여 소수 첫째 자리까지 나타내기

(기차가 터널을 완전히 통과하는 데 달리는 거리)

$\div ($기차가 1분 동안 달리는 거리$)$

$=0.92 \div 2.14 = 0.42\cdots$

→ 반올림하여 소수 첫째 자리까지 나타내면

$0.42 \to$**0.4분**입니다.

5 **❶ 두 번째로 공이 튀어 오른 높이 구하기**

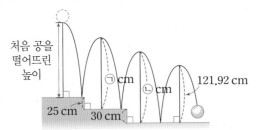

처음 공을 떨어뜨린 높이를 □ cm라 하면
- 첫 번째로 공이 튀어 오른 높이: □×0.8=㉠−25
- 두 번째로 공이 튀어 오른 높이: ㉠×0.8=㉡−30
- 세 번째로 공이 튀어 오른 높이:
  ㉡×0.8=121.92, ㉡=121.92÷0.8=152.4

❷ 첫 번째로 공이 튀어 오른 높이 구하기

㉠×0.8=152.4−30, ㉠×0.8=122.4,
㉠=122.4÷0.8=153

❸ 처음 공을 떨어뜨린 높이 구하기

□×0.8=153−25, □×0.8=128,
□=128÷0.8=160

→ (처음 공을 떨어뜨린 높이)=**160 cm**

6 사다리꼴 ㄱㄴㄷㄹ의 넓이는 106.6 cm²입니다. 선분 ㄴㅁ과 선분 ㅁㄹ의 길이가 같을 때 **삼각형 ㄱㅁㄷ의 넓이는 몇 cm²**인지 구해 보세요.

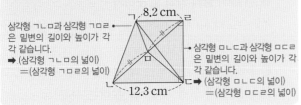

삼각형 ㄱㄴㅁ과 삼각형 ㄱㅁㄹ은 밑변의 길이와 높이가 각각 같습니다.
→ (삼각형 ㄱㄴㅁ의 넓이) =(삼각형 ㄱㅁㄹ의 넓이)

→ 삼각형 ㅁㄴㄷ과 삼각형 ㅁㄷㄹ은 밑변의 길이와 높이가 각각 같습니다.
→ (삼각형 ㅁㄴㄷ의 넓이) =(삼각형 ㅁㄷㄹ의 넓이)

❶ 변 ㄹㄷ의 길이 구하기

변 ㄹㄷ의 길이를 □ cm라 하면
(8.2+12.3)×□÷2=106.6입니다.
20.5×□÷2=106.6, 20.5×□=213.2,
□=213.2÷20.5=10.4

❷ 사각형 ㄱㅁㄷㄹ의 넓이 구하기

(삼각형 ㄱㄴㅁ의 넓이)=(삼각형 ㄱㅁㄹ의 넓이)
(삼각형 ㅁㄴㄷ의 넓이)=(삼각형 ㅁㄷㄹ의 넓이)
(사각형 ㄱㅁㄷㄹ의 넓이)
 =(사다리꼴 ㄱㄴㄷㄹ의 넓이)÷2
 =106.6÷2=53.3(cm²)

❸ 삼각형 ㄱㅁㄷ의 넓이 구하기

(삼각형 ㄱㄷㄹ의 넓이)
 =8.2×10.4÷2
 =85.28÷2=42.64(cm²)

→ (삼각형 ㄱㅁㄷ의 넓이)
 =(사각형 ㄱㅁㄷㄹ의 넓이)
  −(삼각형 ㄱㄷㄹ의 넓이)
 =53.3−42.64=**10.66(cm²)**

01 **❶ 가장 큰 수와 가장 작은 수 각각 구하기**

8.4>5.6>2.8>1.4이므로 가장 큰 수는 8.4이고, 가장 작은 수는 1.4입니다.

❷ 가장 큰 수를 가장 작은 수로 나눈 몫 구하기

(가장 큰 수)÷(가장 작은 수)=8.4÷1.4=**6**

02 **❶ 몫을 반올림하여 각각 나타내기**

49.7÷6=8.283……
- 소수 첫째 자리까지: 8.28…… → 8.3
- 소수 둘째 자리까지: 8.283…… → 8.28

❷ 위 ❶의 두 값의 합 구하기

→ 8.3+8.28=**16.58**

03 **❶ 문제에 알맞은 식 만들기**

마름모의 다른 대각선의 길이를 □ cm라 하면
□×3.6÷2=5.04입니다.

❷ 마름모의 다른 대각선의 길이 구하기

□=5.04×2÷3.6=10.08÷3.6=2.8
→ (마름모의 다른 대각선의 길이)=**2.8 cm**

04 **❶** 12.67÷1.81과 24÷1.6을 각각 계산하기
- 12.67÷1.81=7
- 24÷1.6=15

❷ □ 안에 들어갈 수 있는 자연수들의 합 구하기

7<□<15이므로 □ 안에 들어갈 수 있는 자연수는
8, 9, 10, 11, 12, 13, 14입니다.

→ 8+9+10+11+12+13+14=**77**

05 ❶ 만들 수 있는 사탕의 수 구하기

(전체 설탕의 양)

$\div$(사탕 한 개를 만드는 데 필요한 설탕의 양)

$=520.8\div54=9\cdots34.8$

사탕을 9개까지 만들 수 있습니다.

❷ 필요한 물엿의 양 구하기

(사탕 9개를 만드는 데 필요한 물엿의 양)

$=12\times9=\mathbf{108\,(g)}$

06 ❶ 어떤 수 구하기

어떤 수를 □라 하면 □$\div8=15\cdots0.46$입니다.

$8\times15=120$, $120+0.46=120.46$이므로

□$=120.46$입니다.

❷ 어떤 수를 3.7로 나누었을 때의 몫을 반올림하여 소수 둘째 자리까지 나타내기

$120.46\div3.7=32.556\cdots\cdots$이므로 몫을 반올림하여 소수 둘째 자리까지 나타내면 $32.556 \rightarrow \mathbf{32.56}$입니다.

07 ❶ 휘발유 1 L로 갈 수 있는 거리 구하기

(휘발유 1 L로 갈 수 있는 거리)

$=53.72\div3.4=15.8\,(km)$

❷ 필요한 휘발유의 값 구하기

(필요한 휘발유의 양)$=331.8\div15.8=21\,(L)$

→ (필요한 휘발유의 값)$=1450\times21=\mathbf{30450(원)}$

08 ❶ 14분 동안 탄 양초의 길이 구하기

(탄 양초의 길이)$=0.9\times14=12.6\,(cm)$

❷ 처음 양초의 길이 구하기

처음 양초의 길이를 □cm라 하면

□$\times(1-0.3)=12.6$입니다.

□$\times0.7=12.6$, □$=12.6\div0.7=18$ → **18 cm**

09 ❶ 몫이 가장 클 때의 몫을 반올림하여 소수 둘째 자리까지 나타내기

(가장 큰 두 자리 수)$\div$(가장 작은 소수 두 자리 수)

$=86\div0.23=373.913\cdots\cdots \rightarrow \boxed{373.91}$

❷ 몫이 가장 작을 때의 몫을 반올림하여 소수 둘째 자리까지 나타내기

(가장 작은 두 자리 수)$\div$(가장 큰 소수 두 자리 수)

$=20\div8.63=2.317\cdots\cdots \rightarrow \boxed{2.32}$

❸ 위 ❶과 ❷의 값의 차 구하기

따라서 몫이 가장 클 때와 가장 작을 때의 몫을 반올림하여 소수 둘째 자리까지 나타낸 값의 차는

$373.91-2.32=\mathbf{371.59}$입니다.

10 ❶ 색 테이프를 한 장씩 더 이어 붙일 때마다 늘어나는 전체 길이 구하기

3.2 cm씩 겹치게 이어 붙였으므로 색 테이프를 한 장씩 더 이어 붙일 때마다 색 테이프의 전체 길이는 $23.5-3.2=20.3\,(cm)$씩 늘어납니다.

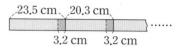

❷ 이어 붙인 색 테이프의 수 구하기

처음 색 테이프에 더 이어 붙인 색 테이프의 수를 □장이라 하면 $23.5+20.3\times$□$=348.3$,

$20.3\times$□$=324.8$, □$=324.8\div20.3=16$입니다.

→ (이어 붙인 색 테이프의 수)$=16+1=\mathbf{17(장)}$

11 ❶ ㉮ 수도와 ㉯ 수도에서 각각 1분 동안 나오는 물의 양 구하기

$4분\ 45초=4\frac{45}{60}분=4\frac{3}{4}분=4.75분$

$3분\ 9초=3\frac{9}{60}분=3\frac{3}{20}분=3.15분$

(㉮ 수도에서 1분 동안 나오는 물의 양)

$=133\div4.75=28\,(L)$

(㉯ 수도에서 1분 동안 나오는 물의 양)

$=50.4\div3.15=16\,(L)$

❷ 위 ❶의 물의 양의 합 구하기

(㉮ 수도와 ㉯ 수도에서 1분 동안 나오는 물의 양의 합)

$=28+16=44\,(L)$

❸ 140.8 L의 물을 받는 데 걸리는 시간 구하기

(140.8 L의 물을 받는 데 걸리는 시간)

$=140.8\div44=3.2(분)$

→ $3.2분=3\frac{2}{10}분=3\frac{12}{60}분=\mathbf{3분\ 12초}$

12 ❶ 기차가 터널을 완전히 통과하는 데 달리는 거리 구하기

$80\,m=0.08\,km$

(기차가 터널을 완전히 통과하는 데 달리는 거리)

$=0.66+0.08=0.74\,(km)$

❷ 기차가 1분 동안 달리는 거리 구하기

(기차가 1분 동안 달리는 거리)

$=129.6\div60=2.16\,(km)$

❸ 기차가 터널을 완전히 통과하는 데 걸리는 시간은 몇 분인지 반올림하여 소수 첫째 자리까지 나타내기

$0.74\div2.16=0.34\cdots\cdots$

→ 반올림하여 소수 첫째 자리까지 나타내면

$0.34 \rightarrow \mathbf{0.3분}$입니다.

3 공간과 입체

개념 넓히기   049쪽

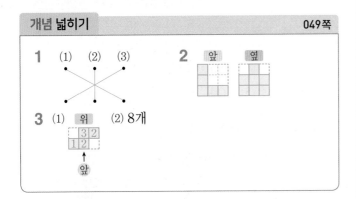

1 (1) (2) (3)

2 앞 옆

3 (1) 위 (2) 8개

STEP 1 응용 공략하기   050~055쪽

01 다

02 옆

03 예 ❶ • 가: $3+2+2+1+1+1=10$(개)
　　　• 나: $1+2+3+1+2=9$(개) ▶4점
　　❷ (필요한 쌓기나무의 수의 합)
　　　　$=10+9=19$(개) ▶1점 / 19개

04 위 앞 옆

05 시윤   **06** 5개

07 2층 3층

앞　　앞

08 예 ❶ 2층에 쌓인 쌓기나무는 2 이상인 수가 쓰여
진 자리의 개수와 같으므로 6개입니다. 3층에 쌓
인 쌓기나무는 3 이상인 수가 쓰여진 자리의 개수
와 같으므로 3개입니다. ▶3점
　　❷ (2층과 3층에 쌓인 쌓기나무의 수의 합)
　　　　$=6+3=9$(개) ▶2점 / 9개

09 3개   **10** 10개

11 없습니다.   **12** 12개

13 24개   **14** 8가지

15 5000 cm²   **16** 12가지

17 13개, 11개   **18** 56개

01 ❶ 각각의 경우 알아보기
가는 왼쪽 옆에서 본 모양이고, 나는 앞에서 본 모양
입니다.

---

❷ 가능하지 않은 경우 찾기
다는 배열이 잘못되었으므로 가능하지 않은 경우는
다입니다.

02 ❶ 각각의 자리에 더 쌓아 올린 모양 알아보기
쌓기나무를 ㉠에 2개, ㉡에 1개를 더 쌓
아 올리면 오른쪽과 같은 모양이 됩니다.

❷ 옆에서 본 모양 그리기
따라서 옆에서 보면 3층, 3층, 2층으로 보입니다.

03

채점 기준	❶ 각 모양과 똑같이 쌓는 데 필요한 쌓기나무의 수 구하기	4점
	❷ 필요한 쌓기나무의 수의 합 구하기	1점

04 ❶ 1층에 쌓인 쌓기나무의 수 구하기
(2층과 3층에 쌓인 쌓기나무의 수)
$=4+1=5$(개)
(1층에 쌓인 쌓기나무의 수)
$=11-5=6$(개)

❷ 위, 앞, 옆에서 본 모양 각각 그리기
뒤에 숨겨진 쌓기나무가 없으므로 위, 앞, 옆에서 본
모양을 각각 그립니다.

05 ❶ 앞과 옆에서 본 모양 각각 알아보기

• 유진: 앞 옆

• 시윤: 앞 옆

• 혜미: 앞 옆

❷ 앞과 옆에서 본 모양이 같은 사람 찾기
따라서 쌓은 모양을 앞과 옆에서 본 모양이 같은 사
람은 **시윤**입니다.

06 ❶ 사용한 쌓기나무의 수 구하기
위, 앞, 옆에서 본 모양을 보고 위에서 본 모
양의 각 자리에 쌓은 쌓기나무의 수를 쓰면
오른쪽과 같습니다.
(사용한 쌓기나무의 수)
$=1+3+3+2+1=10$(개)

❷ 남은 쌓기나무의 수 구하기
(남은 쌓기나무의 수)$=15-10=$**5(개)**

07 ❶ 빨간색 쌓기나무를 빼내었을 때의 모양 알아보기
쌓은 모양에서 빨간색 쌓기나무 3개를 빼낸
모양은 오른쪽과 같습니다.

❷ 2층과 3층 모양 각각 그리기

쌓인 쌓기나무는 2층에 3개, 3층에 2개입니다.

주의 2층 모양을 ▨, 3층 모양을 ▨와 같이 그리지 않도록 주의합니다.

08

채점 기준	❶ 2층과 3층에 쌓인 쌓기나무의 수 각각 구하기	3점
	❷ 2층과 3층에 쌓인 쌓기나무의 수의 합 구하기	2점

09 ❶ 빼낼 수 있는 쌓기나무 알아보기

앞과 옆에서 보았을 때 각 줄에서 가장 높은 층을 색칠하면 오른쪽과 같고, 앞과 옆에서 본 모양이 모두 변하지 않으려면 색칠하지 않은 자리의 쌓기나무를 빼내야 합니다.

❷ 쌓기나무를 몇 개까지 빼낼 수 있는지 구하기

쌓기나무를 $2+1=3$(개)까지 빼낼 수 있습니다.

10 ❶ 쌓기나무가 가장 많이 사용된 경우 알아보기

위에서 본 모양의 각 자리에 쌓은 쌓기나무의 수를 쓰면 오른쪽의 색칠한 부분과 같이 뒤쪽에 보이지 않는 쌓기나무가 있을 수 있습니다.

❷ 위 ❶의 경우의 쌓기나무의 수 구하기

(쌓기나무가 가장 많이 사용된 경우의 쌓기나무의 수)
$=1+1+1+2+2+2+1=$**10(개)**

11 ❶ □ 안에 들어갈 수 있는 조각 알아보기

❷ □ 안에 들어갈 수 없는 조각 알아보기

따라서 □ 안에 들어갈 수 없는 조각은 **없습니다.**

12 ❶ 사용한 쌓기나무의 수 구하기

(사용한 쌓기나무의 수)
$=3+3+1+3+2+1+2=15$(개)

❷ 가장 작은 정육면체 모양을 만들 때 필요한 쌓기나무의 수 구하기

가장 작은 정육면체 모양을 만들려면 한 모서리에 쌓기나무가 3개씩 필요합니다.

(가장 작은 정육면체 모양을 만들 때 필요한 쌓기나무의 수)$=3\times3\times3=27$(개)

❸ 더 필요한 쌓기나무의 수 구하기

(더 필요한 쌓기나무의 수)$=27-15=$**12(개)**

13 ❶ 두 면이 색칠된 쌓기나무 알아보기

두 면이 색칠된 쌓기나무는 모서리마다 2개씩 있고, 정육면체의 모서리는 모두 12개입니다.

❷ 두 면이 색칠된 쌓기나무의 수 구하기

(두 면이 색칠된 쌓기나무의 수)
$=2\times12=$**24(개)**

14 ❶ 만들 수 있는 모양 알아보기

연결큐브 1개를 자리를 옮겨 가며 붙여 보면 다음과 같습니다.

❷ 위 ❶의 경우의 가짓수 구하기

따라서 만들 수 있는 모양은 모두 **8가지**입니다.

15 ❶ 모든 겉면의 수 구하기

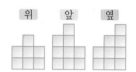

(모든 겉면의 수)
$=(7+9+9)\times2=25\times2=50$(개)

❷ 쌓은 얼음의 겉넓이 구하기

(얼음 한 개의 한 면의 넓이)
$=10\times10=100$(cm^2)
(쌓은 얼음의 겉넓이)
$=100\times50=$**5000(cm^2)**

16 ❶ 만들 수 있는 모양 알아보기

4층이므로 한 자리에 4를 쓰고 남은 쌓기나무는 $8-4=4$(개)이므로 남은 자리에 2, 1, 1을 씁니다.

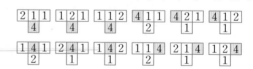

❷ 위 ❶의 경우의 가짓수 구하기

따라서 만들 수 있는 모양은 모두 **12가지**입니다.

17 ❶ 위에서 본 모양의 각 자리에 확실하게 알 수 있는 쌓기나무의 수 쓰기

위, 앞, 옆에서 본 모양을 보고 위에서 본 모양의 각 자리에 쌓은 쌓기나무의 수를 쓰면 오른쪽과 같습니다.

❷ 쌀기나무가 가장 많은 경우와 가장 적은 경우의 쌀기나무의 수 각각 구하기
• 가장 많은 경우: ㉠=3일 때
  → $1+3+\boxed{3}+1+2+3=\mathbf{13}$(개)
• 가장 적은 경우: ㉠=1일 때
  → $1+3+\boxed{1}+1+2+3=\mathbf{11}$(개)

18 ❶ 규칙 찾기

㉣, ㉤, ㉥에 쌓인 쌀기나무의 개수는 변하지 않고, ㉠과 ㉡에 쌓인 쌀기나무는 한 개씩, ㉢에 쌓인 쌀기나무는 2개씩 늘어나는 규칙입니다.

❷ 12째에 올 모양의 쌀기나무의 수 구하기
규칙에 따라 12째에 올 모양을 위에서 본 모양에 수를 쓰면 다음과 같습니다.

→ (12째에 올 모양의 쌀기나무의 수)
$=12+14+24+3+1+2$
$=\mathbf{56}$(개)

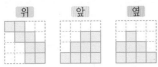

STEP 2 심화 해결하기   056~060쪽

01 8개	**02** 2개
03 4개	**04** 6개

05 ⑩ ❶ (왼쪽 모양의 쌀기나무의 수)
$=3\times3\times3=27$(개)
(오른쪽 모양의 쌀기나무의 수)
$=1+2+3+3+2+1+2+1=15$(개) ▶4점
❷ (빼낸 쌀기나무의 수)$=27-15=12$(개) ▶1점
/ 12개

06 3개

07 ⑩ ❶ (준서가 쌓은 모양에서 2층 이상에 쌓인 쌀기나무의 수)$=3+1=4$(개)
(민아가 쌓은 모양에서 2층 이상에 쌓인 쌀기나무의 수)$=5+2=7$(개) ▶4점
❷ 2층 이상에 쌓인 쌀기나무는 민아가
$7-4=3$(개) 더 많습니다. ▶1점 / 민아, 3개

08 $86\,\mathrm{cm}^2$

09
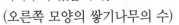

10 6가지	**11** 4개
12 4개	**13** 4개
14 $600\,\mathrm{cm}^2$	

01 ❶ 사용한 쌀기나무의 수 구하기
(사용한 쌀기나무의 수)
$=3+2+4+2+1=12$(개)
❷ 남은 쌀기나무의 수 구하기
(남은 쌀기나무의 수)$=20-12=8$(개)

02 ❶ ㉠을 제외한 나머지 부분의 쌀기나무 수의 합 구하기
위에서 본 모양의 각 자리에 쌓은 쌀기나무의 수를 쓰면 오른쪽과 같습니다.
(㉠을 제외한 나머지 부분의 쌀기나무 수의 합)
$=4+3+2+2+1=12$(개)
❷ ㉠에 쌓인 쌀기나무의 수 구하기
(㉠에 쌓인 쌀기나무의 수)$=14-12=\mathbf{2}$(개)

03 ❶ 모양 한 개를 만드는 데 필요한 쌀기나무의 수 구하기
위, 앞, 옆에서 본 모양을 보고 위에서 본 모양의 각 자리에 쌓은 쌀기나무의 수를 쓰면 오른쪽과 같습니다.
(모양 한 개를 만드는 데 필요한 쌀기나무의 수)
$=1+2+1+3+1+2=10$(개)
❷ 만들 수 있는 모양의 수 구하기
(만들 수 있는 모양의 수)$=40\div10=\mathbf{4}$(개)

04 ❶ 오른쪽 모양의 쌀기나무의 수 구하기
위에서 본 모양에서 뒤쪽에 보이지 않는 쌀기나무가 있습니다.
(오른쪽 모양의 쌀기나무의 수)
$=1+3+1+1+2+2+2=12$(개)
❷ 오른쪽 모양은 왼쪽 모양 몇 개로 만든 것인지 구하기
(이용한 왼쪽 모양의 수)$=12\div2=\mathbf{6}$(개)

05
채점 기준	❶ 두 모양의 쌀기나무의 수 각각 구하기	4점
	❷ 빼낸 쌀기나무의 수 구하기	1점

06 ❶ 처음 모양의 쌀기나무의 수 구하기
(처음 모양의 쌀기나무의 수)
$=2+2+1+3+1=9$(개)
❷ 새로 만든 모양의 쌀기나무의 수 구하기
새로 만든 모양을 위에서 본 그림의 각 자리에 쌓은 쌀기나무의 수를 쓰면 오른쪽과 같습니다.

(새로 만든 모양의 쌀기나무의 수)
$=4+3+1+3+1=12$(개)
❸ 더 쌓은 쌀기나무의 수 구하기
(더 쌓은 쌀기나무의 수)$=12-9=\mathbf{3}$(개)

진도북 3 단원

07 레벨UP공략

◆ 위에서 본 모양을 보고 주어진 층에 쌓인 쌓기나무의 개수를 구하려면?

| ●층에 쌓인 쌓기나무의 개수 | = | ● 이상인 수가 쓰여진 자리의 개수 |

| 채점 기준 | ❶ 2층 이상에 쌓인 쌓기나무의 수 각각 구하기 | 4점 |
| | ❷ 2층 이상에 쌓인 쌓기나무는 누가 몇 개 더 많은지 구하기 | 1점 |

08 ❶ 모든 겉면의 수 구하기

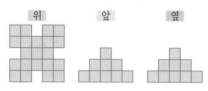

위 　　앞 　　옆

(보이는 겉면의 수)
$=(21+9+9)\times2=39\times2=78$(개)

(위, 앞, 옆에서 보았을 때 보이지 않는 겉면의 수)
$=2\times4=8$(개)

(모든 겉면의 수)$=78+8=86$(개)

❷ 쌓은 모양의 겉넓이 구하기

(쌓기나무 한 개의 한 면의 넓이)$=1\,cm^2$

→ (쌓은 모양의 겉넓이)$=\mathbf{86\,cm^2}$

주의 1층에 위, 앞, 옆에서 보이지 않는 겉면이 있다는 것을 빠뜨리지 않고 계산합니다.

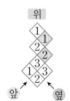
보이지 않는 겉면

09 레벨UP공략

◆ 쌓은 모양을 보고 쌓기나무의 개수가 가장 많은 경우와 가장 적은 경우를 알아보려면?
앞쪽의 쌓기나무의 층수가 뒤쪽의 쌓기나무의 층수보다 더 높을 때에는 뒤쪽의 쌓기나무가 보이지 않을 수 있습니다.

• 가장 적은 경우: → 5개

• 가장 많은 경우: → 6개

❶ 쌓기나무가 가장 많이 사용된 경우 알아보기

위에서 본 모양의 각 자리에 쌓은 쌓기나무의 수를 쓰면 오른쪽의 색칠된 부분과 같이 뒤쪽에 보이지 않는 쌓기나무가 있을 때 쌓기나무가 가장 많이 사용됩니다.

❷ 위 ❶의 경우의 위, 앞, 옆에서 본 모양 각각 그리기

쌓기나무가 놓인 자리에 맞게 위에서 본 모양을 그리고, 각 줄에서 가장 높은 층만큼 앞과 옆에서 본 모양을 그립니다.

10 ❶ 똑같이 나눌 수 있는 경우 알아보기

주어진 모양을 다음과 같이 똑같이 나눌 수 있습니다.

• 1개짜리 모양(1가지)　　• 2개짜리 모양(1가지)

• 3개짜리 모양(2가지)　　• 6개짜리 모양(2가지)

❷ 위 ❶의 경우의 가짓수 구하기

따라서 나눌 수 있는 모양은 모두 **6가지**입니다.

11 ❶ 쌓기나무를 가장 많이 사용한 경우 알아보기

위, 앞, 옆에서 본 모양을 보고 위에서 본 모양의 각 자리에 쌓은 쌓기나무의 수를 쓰면 오른쪽과 같고, 쌓기나무를 가장 많이 사용하여 쌓았으므로 ㉠에 알맞은 수는 2입니다.

❷ 보이지 않는 쌓기나무의 수 구하기

앞에서 보았을 때 보이지 않는 쌓기나무는 오른쪽 그림에서 표시한 자리에 쌓인 쌓기나무입니다.

→ (보이지 않는 쌓기나무의 수)
$=2+1+1=4$(개)

12 ❶ 쌓기나무로 쌓은 모양 알아보기

쌓기나무로 쌓은 모양은 다음과 같습니다.

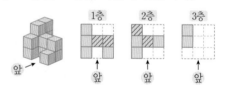

❷ 층별로 세 면이 색칠된 쌓기나무의 수 구하기

세 면이 색칠된 쌓기나무는 위에서 빗금 친 부분으로 1층에 2개, 2층에 2개가 있고, 3층에는 없습니다.

❸ 세 면이 색칠된 쌓기나무의 수 구하기

(세 면이 색칠된 쌓기나무의 수)
$=2+2=\mathbf{4}$(개)

13 레벨UP공략

◆ 위, 앞, 옆에서 본 모양을 보고 쌓기나무의 개수가 가장 많은 경우와 가장 적은 경우를 알아보려면?

| 위에서 본 모양의 각 자리에 확실하게 알 수 있는 쌓기나무의 수 쓰기 |

↓

| 나머지 자리에 쌓은 쌓기나무가 가장 많은 경우와 가장 적은 경우 쌓기나무의 수 각각 쓰기 |

05 ❶ 2층과 3층에 쌓인 쌓기나무의 수 각각 구하기

• 2층에 쌓인 쌓기나무는 2 이상인 수가 쓰여진 자리의 개수와 같으므로 6개입니다.

• 3층에 쌓인 쌓기나무는 3 이상인 수가 쓰여진 자리의 개수와 같으므로 3개입니다.

❷ 2층과 3층에 쌓인 쌓기나무의 수의 합 구하기

(2층과 3층에 쌓인 쌓기나무의 수의 합)
$=6+3=$ **9(개)**

06 ❶ 정육면체의 한 모서리에 쌓은 쌓기나무의 수 구하기

한 모서리의 길이가 1 cm인 쌓기나무로 한 모서리의 길이가 5 cm인 정육면체를 만들면 정육면체의 가로, 세로, 높이에 쌓기나무를 5개씩 쌓은 것입니다.

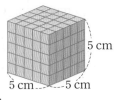

❷ 한 면도 색칠되지 않은 쌓기나무의 수 구하기

한 면도 색칠되지 않은 쌓기나무는 바깥쪽에 둘러싸인 안쪽의 정육면체입니다.
→ (한 면도 색칠되지 않은 쌓기나무의 수)
$=3\times3\times3=$ **27(개)**

07 ❶ 사용한 쌓기나무의 수 구하기

(사용한 쌓기나무의 수)
$=3+2+1+2+1+1=10$(개)

❷ 가장 작은 정육면체 모양을 만들 때 필요한 쌓기나무의 수 구하기

가장 작은 정육면체 모양을 만들려면 한 모서리에 쌓기나무가 3개씩 필요합니다.
→ $3\times3\times3=27$(개)

❸ 더 필요한 쌓기나무의 수 구하기

(더 필요한 쌓기나무의 수)$=27-10=$ **17(개)**

08 ❶ 모든 겉면의 수 구하기

(보이는 겉면의 수)$=(7+6+6)\times2=38$(개)

(위, 앞, 옆에서 보았을 때 보이지 않는 겉면의 수)$=2$(개)

(모든 겉면의 수)$=38+2=40$(개)

❷ 쌓은 모양의 겉넓이 구하기

(쌓기나무 한 개의 한 면의 넓이)$=2\times2=4(\text{cm}^2)$
→ (쌓은 모양의 겉넓이)$=4\times40=$ **160(cm²)**

09 ❶ 쌓기나무가 가장 많이 사용된 경우 알아보기

오른쪽의 색칠된 부분과 같이 뒤쪽에 보이지 않는 쌓기나무가 있을 때 쌓기나무가 가장 많이 사용된 경우입니다.

❷ 위 ❶의 경우의 위와 옆에서 본 모양 각각 그리기

쌓기나무가 놓인 자리에 맞게 위에서 본 모양을 그리고, 각 줄에서 가장 높은 층만큼 옆에서 본 모양을 그립니다.

10 ❶ 위에서 본 모양의 각 자리에 확실하게 알 수 있는 쌓기나무의 수 쓰기

위, 앞, 옆에서 본 모양을 보고 위에서 본 모양의 각 자리에 쌓은 쌓기나무의 수를 쓰면 오른쪽과 같습니다.

❷ 쌓기나무가 가장 많은 경우와 가장 적은 경우의 쌓기나무의 수 각각 구하기

• 가장 많은 경우: ㉠$=3$일 때
→ $3+1+3+2+1+3+1=$ **14(개)**

• 가장 적은 경우: ㉠$=1$일 때
→ $3+1+1+2+1+3+1=$ **12(개)**

11 ❶ 쌓기나무로 쌓은 모양 알아보기

쌓기나무로 쌓은 모양은 오른쪽과 같습니다.

❷ 층별로 세 면이 색칠된 쌓기나무의 수 구하기

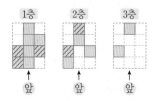

세 면이 색칠된 쌓기나무는 1층에 3개, 2층에 2개가 있습니다.

❸ 세 면이 색칠된 쌓기나무의 수의 합 구하기

(세 면이 색칠된 쌓기나무의 수의 합)$=3+2=$ **5(개)**

12 ❶ 모든 겉면의 수 구하기

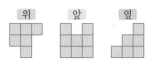

(보이는 겉면의 수)
$=(6+8+6)\times2=20\times2=40$(개)

위, 앞, 옆에서 보았을 때 보이지 않는 겉면은 오른쪽 그림의 빗금 친 부분과 같이 2개입니다.

(모든 겉면의 수)$=40+2=42$(개)

❷ 페인트를 칠한 면의 넓이의 합 구하기

(쌓기나무 한 개의 한 면의 넓이)
$=3\times3=9(\text{cm}^2)$
→ (페인트를 칠한 면의 넓이의 합)
$=9\times42=$ **378(cm²)**

4 비례식과 비례배분

개념 넓히기   069쪽

1 (1) 3, 12 (2) 7, 12
2 (1) 예 2 : 3 (2) 예 25 : 24
3 8
4 20개, 12개

STEP 1 응용 공략하기   070~076쪽

01 15   **02** ㉡
03 오후, 75 mL   **04** 20
05 예 ❶ 가로를 □cm라 하면 4 : 3=□ : 18입니다.
   $4 \times 18 = 3 \times □$, $3 \times □ = 72$, $□ = 24$ ▸3점
   ❷ (사진의 넓이)$=24 \times 18 = 432(\text{cm}^2)$ ▸2점
   / 432 cm^2
06 99명   **07** 160 g, 560 g
08 41
09 예 ❶ 전체 일의 양을 1이라 하면 ㉮ 기계로 하루
   에 하는 일의 양은 $\dfrac{1}{8}$이고, ㉯ 기계로 하루에 하
   는 일의 양은 $\dfrac{1}{12}$입니다. ▸2점
   ❷ $\dfrac{1}{8} : \dfrac{1}{12} = \left(\dfrac{1}{8} \times 24\right) : \left(\dfrac{1}{12} \times 24\right) = 3 : 2$
   ▸3점 / 3 : 2
10 26 g   **11** 20 : 23
12 12000원   **13** 14 cm^2
14 예 ❶ 갑 : 을
   $=180$만 : 220만
   $=(180$만$\div 20$만$) : (220$만$\div 20$만$)$
   $=9 : 11$ ▸2점
   ❷ 전체 이익금을 □만 원이라 하면
   $□ \times \dfrac{11}{9+11} = 132$, $□ \times \dfrac{11}{20} = 132$입니다.
   $□ = 132 \div \dfrac{11}{20} = 132 \times \dfrac{20}{11} = 240$
   → (전체 이익금)$=240$만 원 ▸3점 / 240만 원
15 18번   **16** 8 cm
17 0.57 km^2 **18** 800원, 600원
19 129.6 cm^2 **20** 15 : 16
21 4명

---

01 ❶ **후항이 25일 때 비율 구하기**
전항을 □라 하면 □ : 25의 비율은 (□÷25)입니다.
❷ **전항 구하기**
$□ \div 25 = 0.6$, $□ = 0.6 \times 25 = 15$
→ 전항은 **15**입니다.

02 ❶ **각 삼각형의 밑변의 길이와 높이의 비 구하기**
㉠ $15 : 9 = (15 \div 3) : (9 \div 3) = 5 : 3$
㉡ $12 : 15 = (12 \div 3) : (15 \div 3) = 4 : 5$
㉢ $9 : 15 = (9 \div 3) : (15 \div 3) = 3 : 5$
❷ **밑변의 길이와 높이의 비가 4 : 5인 삼각형 찾기**
밑변의 길이와 높이의 비가 4 : 5인 삼각형은 ㉡입니다.

03 ❶ **비가 더 많이 내린 때 구하기**
오전과 오후에 내린 빗물의 양의 비가 3 : 5이므로
오후에 비가 더 많이 내렸습니다.
❷ **비가 더 많이 내린 때의 빗물의 양 구하기**
(오후에 내린 빗물의 양)
$= 120 \times \dfrac{5}{3+5} = 120 \times \dfrac{5}{8} = \mathbf{75(mL)}$

04 ❶ **전항과 후항 각각 구하기**
$7 : 2 = (7 \times □) : (2 \times □)$
$7 \times □ + 2 \times □ = 36$, $9 \times □ = 36$, $□ = 4$
$(7 \times 4) : (2 \times 4) = 28 : 8$이므로 전항은 28이고, 후
항은 8입니다.
❷ **전항과 후항의 차 구하기**
(전항과 후항의 차)$=28-8=\mathbf{20}$

05
채점	❶ 사진의 가로 구하기	3점
기준	❷ 사진의 넓이 구하기	2점

➕ **다른 풀이** $4 : 3 = (4 \times 6) : (3 \times 6) = 24 : 18$
(사진의 가로)$=24 \text{ cm}$
→ (사진의 넓이)$=24 \times 18 = \mathbf{432(cm^2)}$

06 ❶ **6학년 전체 학생 수 구하기**
6학년 전체 학생 수를 □명이라 하면
$34 : 100 = 51 : □$입니다.
$34 \times □ = 100 \times 51$,
$34 \times □ = 5100$, $□ = 150$
❷ **마지막 문제를 틀린 학생 수 구하기**
(마지막 문제를 틀린 학생 수)$=150-51=\mathbf{99(명)}$
참고 **백분율을 이용하여 비례식 세우기**
부분이 ▨%일 때 전체는 100 %이므로 다음과 같이 비례식을
세울 수 있습니다.
┌ ▨ : 100=(부분의 양) : (전체의 양)
└ ▨ : (부분의 양)=100 : (전체의 양)

07 ❶ 소금과 물의 양의 비를 가장 간단한 자연수의 비로 나타내기

$$(\text{소금}) : (\text{물}) = \frac{1}{7} : \frac{1}{2}$$
$$= \left(\frac{1}{7} \times 14\right) : \left(\frac{1}{2} \times 14\right)$$
$$= 2 : 7$$

❷ 소금과 물의 양 각각 구하기

· 소금: $720 \times \dfrac{2}{2+7} = 720 \times \dfrac{2}{9} = \mathbf{160\,(g)}$

· 물: $720 \times \dfrac{7}{2+7} = 720 \times \dfrac{7}{9} = \mathbf{560\,(g)}$

08 ❶ ㉠, ㉡, ㉢의 값 각각 구하기

㉠ : 24의 비율이 $\dfrac{5}{8}$이므로 $\dfrac{㉠}{24} = \dfrac{5}{8}$입니다.

$\dfrac{5}{8} = \dfrac{5 \times 3}{8 \times 3} = \dfrac{15}{24}$이므로 ㉠=15입니다.

15 : 24 = ㉡ : ㉢에서 외항의 곱과 내항의 곱은 240
으로 같습니다.

· 24 × ㉡ = 240, ㉡ = 10
· 15 × ㉢ = 240, ㉢ = 16

❷ ㉠+㉡+㉢의 값 구하기
$$㉠+㉡+㉢ = 15+10+16$$
$$= \mathbf{41}$$

09

채점 기준	❶ 두 기계로 하루에 하는 일의 양 각각 구하기	2점
	❷ 가장 간단한 자연수의 비로 나타내기	3점

참고 · 분수의 비를 간단한 자연수의 비로 나타내기
비의 각 항에 두 분모의 공배수를 곱할 수 있으므로 답이 여러
개입니다.
· 분수의 비를 가장 간단한 자연수의 비로 나타내기
비의 각 항을 가장 간단한 자연수로 나타내므로 답이 1개입니다.

10 ❶ 구리와 아연의 양의 비를 가장 간단한 자연수의 비로 나타내기

$$(\text{구리}) : (\text{아연}) = 65 : 35$$
$$= (65 \div 5) : (35 \div 5)$$
$$= 13 : 7$$

❷ 기념주화의 무게 구하기

기념주화의 무게를 □g이라 하면
$$□ \times \frac{13}{13+7} = □ \times \frac{13}{20} = 16\frac{9}{10}$$입니다.

$$□ = 16\frac{9}{10} \div \frac{13}{20} = \frac{169}{10} \times \frac{20}{13}$$
$$= 26$$

➜ (기념주화의 무게) = **26 g**

11 ❶ 오르기 전의 가격 구하기

오르기 전의 가격을 □원이라 하면
$$□ + □ \times \frac{15}{100} = 9200$$입니다. ┌→ 0.15
$$□ \times 1.15 = 9200, \quad □ = 9200 \div 1.15 = 8000$$

❷ 오르기 전의 가격과 오른 후의 가격의 비를 가장 간단한 자연수의 비로 나타내기

$$(\text{오르기 전의 가격}) : (\text{오른 후의 가격})$$
$$= 8000 : 9200 = (8000 \div 400) : (9200 \div 400)$$
$$= \mathbf{20 : 23}$$

참고 (□원에서 ●% 오른 후의 가격)
$$= \left(□ + □ \times \frac{●}{100}\right)원 = \left\{□ \times \left(1 + \frac{●}{100}\right)\right\}원$$

12 ❶ 윤석이와 형의 나이의 비 구하기

윤석이의 나이를 □살이라 하면
형의 나이는 (□×2)살이므로
$$□ + □ \times 2 = 24, \quad □ \times 3 = 24, \quad □ = 8$$입니다.
$$(\text{형의 나이}) = 8 \times 2 = 16(\text{살})$$
$$(\text{윤석이의 나이}) : (\text{형의 나이})$$
$$= 8 : 16 = (8 \div 8) : (16 \div 8)$$
$$= 1 : 2$$

❷ 윤석이가 가지게 되는 돈 구하기

$$(\text{윤석이가 가지게 되는 돈})$$
$$= 36000 \times \frac{1}{1+2} = 36000 \times \frac{1}{3} = \mathbf{12000(원)}$$

➕ 다른 풀이 윤석이의 나이를 □살이라 하면
$$(\text{윤석이의 나이}) : (\text{형의 나이})$$
$$= □ : (□ \times 2) = (□ \div □) : (□ \times 2 \div □)$$
$$= 1 : 2$$
➜ (윤석이가 가지게 되는 돈)
$$= 36000 \times \frac{1}{1+2} = 36000 \times \frac{1}{3} = \mathbf{12000(원)}$$

13 ❶ ㉮와 ㉯의 넓이의 비 구하기

$$㉮ \times \frac{1}{9} = ㉯ \times \frac{1}{6}$$이므로

$$㉮ : ㉯ = \frac{1}{6} : \frac{1}{9} = \left(\frac{1}{6} \times 18\right) : \left(\frac{1}{9} \times 18\right) = 3 : 2$$
입니다.

❷ ㉯의 넓이 구하기

㉯의 넓이를 □cm²라 하면 3 : 2 = 21 : □입니다.
$$3 \times □ = 2 \times 21, \quad 3 \times □ = 42, \quad □ = 14$$
➜ (㉯의 넓이) = **14 cm²**

주의 $㉮ \times \dfrac{1}{9} = ㉯ \times \dfrac{1}{6}$에서 $㉮ : ㉯ = \dfrac{1}{9} : \dfrac{1}{6}$로 비례식의 성질
을 잘못 생각하여 풀지 않도록 주의합니다.

진도북 **4** 단원

14

채점 기준	❶ 갑과 을의 투자한 금액의 비 구하기	2점
	❷ 전체 이익금 구하기	3점

15 ❶ ㉮의 회전수와 ㉯의 회전수의 비 구하기

(㉮의 톱니 수) : (㉯의 톱니 수)

$=60 : 36=(60 \div 12) : (36 \div 12)$

$=5 : 3$

→ (㉮의 회전수) : (㉯의 회전수)$=3 : 5$

❷ ㉮의 회전수 구하기

톱니바퀴 ㉮의 회전수를 □번이라 하면

$3 : 5=$□$: 30$입니다.

$3 \times 30=5 \times$□$, 5 \times$□$=90,$ □$=18$

→ (㉮의 회전수)$=$**18번**

16 ❶ 평행사변형 ㄱㄴㄷㄹ과 삼각형 ㅁㅂㅅ의 높이 알아보기

직선 가와 직선 나가 서로 평행하므로 평행사변형 ㄱㄴㄷㄹ과 삼각형 ㅁㅂㅅ의 높이는 같습니다.

❷ 변 ㅂㅅ의 길이 구하기

평행사변형 ㄱㄴㄷㄹ과 삼각형 ㅁㅂㅅ의 높이를 각각 ■ cm, 변 ㅂㅅ의 길이를 ▲ cm라 하면

$(6 \times$■$) : ($▲$\times$■$\div 2)$

$=(6 \times$▓$\div$▓$) : ($▲$\times$▓$\div 2 \div$▓$)$

$=6 : ($▲$\div 2)$입니다.

$6 : ($▲$\div 2)=3 : 2, 6 \times 2=$▲$\div 2 \times 3,$

▲$\div 2 \times 3=12,$ ▲$\div 2=4,$ ▲$=8$

→ (변 ㅂㅅ)$=$**8 cm**

17 ❶ 밭의 실제 가로 구하기

밭의 실제 가로를 ㉠ cm라 하면

$1 : 25000=3.8 : $㉠입니다.

$1 \times$㉠$=25000 \times 3.8,$ ㉠$=95000$

→ $95000 \text{ cm}=950 \text{ m}=0.95 \text{ km}$

❷ 밭의 실제 세로 구하기

밭의 실제 세로를 ㉡ cm라 하면

$1 : 25000=2.4 : $㉡입니다.

$1 \times$㉡$=25000 \times 2.4,$ ㉡$=60000$

→ $60000 \text{ cm}=600 \text{ m}=0.6 \text{ km}$

❸ 밭의 실제 넓이 구하기

(밭의 실제 넓이)

$=0.95 \times 0.6=$**0.57(km^2)**

18 ❶ 영어 공책과 음악 공책의 수 각각 구하기

(영어 공책의 수)$=9 \times \dfrac{1}{1+2}=9 \times \dfrac{1}{3}=3$(권)

(음악 공책의 수)$=9 \times \dfrac{2}{1+2}=9 \times \dfrac{2}{3}=6$(권)

❷ 영어 공책과 음악 공책의 한 권의 가격 각각 구하기

영어 공책 한 권의 가격을 $(4 \times$□$)$원, 음악 공책 한 권의 가격을 $(3 \times$□$)$원이라 하면

$4 \times$□$\times 3+3 \times$□$\times 6=6000$입니다.

$12 \times$□$+18 \times$□$=6000, 30 \times$□$=6000,$

□$=200$

→ (영어 공책 한 권의 가격)$=4 \times 200=$**800(원)**

(음악 공책 한 권의 가격)$=3 \times 200=$**600(원)**

19 ❶ ㉡의 값 구하기

㉠ : ㉡$=3 : 5$에서 $3 : 5=7.2 : $㉡입니다.

$3 \times$㉡$=5 \times 7.2, 3 \times$㉡$=36,$ ㉡$=12$

❷ ㉢의 값 구하기

㉡ : ㉢$=8 : 9$에서 $8 : 9=12 : $㉢입니다.

$8 \times$㉢$=9 \times 12, 8 \times$㉢$=108,$ ㉢$=13.5$

❸ 사다리꼴의 넓이 구하기

(사다리꼴의 넓이)$=(7.2+12) \times 13.5 \div 2$

$=259.2 \div 2=$**129.6(cm^2)**

20 ❶ 주어진 조건을 식으로 나타내기

$20 \% = \dfrac{20}{100}=0.2, \dfrac{1}{4}=\dfrac{25}{100}=0.25$이므로

㉮의 정가를 ■원, ㉯의 정가를 ▲원이라 하면

■$-$■$\times 0.2=$▲$-$▲$\times 0.25$입니다.

■$\times 0.8=$▲$\times 0.75$

❷ 상품 ㉮와 ㉯의 정가의 비를 가장 간단한 자연수의 비로 나타내기

■ : ▲$=0.75 : 0.8=(0.75 \times 100) : (0.8 \times 100)$

$=75 : 80=(75 \div 5) : (80 \div 5)=$**15 : 16**

참고 • (할인 금액)$=$(정가)$\times$(할인율)

• (판매 가격)$=$(정가)$-$(할인 금액)

$=$(정가)$-$(정가)$\times$(할인율)

21 ❶ 이번 달 남학생 수와 여학생 수 각각 구하기

(이번 달 남학생 수)$=180 \times \dfrac{8}{8+7}$

$=180 \times \dfrac{8}{15}=96$(명)

(이번 달 여학생 수)$=180-96=84$(명)

❷ 전학을 가기 전 여학생 수 구하기

전학을 가기 전 여학생 수를 □명이라 하면

$12 : 11=96 : $□입니다.

$12 \times$□$=11 \times 96, 12 \times$□$=1056,$ □$=88$

❸ 이번 달에 전학을 간 여학생 수 구하기

(이번 달에 전학을 간 여학생 수)

$=88-84=$**4(명)**

01 연정

02 8

03 예 ❶ (고추 모종의 수)=120−24=96(포기) ▶2점
    ❷ (상추 모종의 수) : (고추 모종의 수)
        =120 : 96=(120÷24) : (96÷24)=5 : 4
    ▶3점 / 5 : 4

04 80

05 3 : 4

06 5장

07 24

08 예 ❶ 정사각형 ㉮의 한 변의 길이를 (8×●)cm라 하면 정사각형 ㉯의 한 변의 길이는 (5×●)cm입니다.
    (㉮의 넓이) : (㉯의 넓이)
    =(8×●×8×●) : (5×●×5×●)
    =64 : 25 ▶3점
    ❷ 정사각형 ㉯의 넓이를 □cm^{2}라 하면
    64 : 25=256 : □입니다.
    → 64×□=25×256, 64×□=6400,
        □=100 ▶2점 / 100 cm^2

09 오후 12시 15분

10 40 %

11 48개

12 수아, 3 g

13 예 ❶ 오늘 오전 6시부터 다음 날 오후 3시까지는 33시간입니다.
    하루는 24시간이므로 33시간 동안 빨라지는 시간을 □분이라 하면
    24 : 8=33 : □, 24×□=8×33,
    24×□=264, □=11입니다. ▶3점
    ❷ 따라서 시계가 가리키는 시각은
    오후 3시+11분=오후 3시 11분입니다. ▶2점
    / 오후 3시 11분

14 32.5 cm

15 1 : 4

16 84 m^2

17 147 L

18 4000만 원

---

01 ❶ 가장 간단한 자연수의 비로 각각 나타내기
    • [지석] 32 : 28.8
            =(32×10) : (28.8×10)=320 : 288
            =(320÷32) : (288÷32)=10 : 9
    • [연정] $1\frac{2}{3} : \frac{3}{4} = \left(\frac{5}{3}×12\right) : \left(\frac{3}{4}×12\right)$ =20 : 9
    • [민준] 120 : 156
            =(120÷12) : (156÷12)=10 : 13
    ❷ 전항이 다른 사람 찾기
    따라서 전항이 다른 사람은 **연정**입니다.

02 ❶ □ 안에 들어가는 수 구하기
    4 : □=6 : 10.5
    → 4×10.5=□×6, □×6=42, □=7
    ❷ ♥에 알맞은 수 구하기
    7 : 2=28 : ♥ → 7×♥=2×28, 7×♥=56, ♥=**8**

03

채점 기준	❶ 고추 모종의 수 구하기	2점
	❷ 상추 모종의 수와 고추 모종의 수의 비를 가장 간단한 자연수의 비로 나타내기	3점

04 레벨UP공략
◆ 비의 전항을 ㉠, 후항을 ㉡이라 할 때
    • 비 → ㉠ : ㉡   • 비율 → ㉠÷㉡=$\frac{㉠}{㉡}$

❶ 문제에 알맞은 비례식 세우기
㉯에 대한 ㉮의 비율이 $\frac{㉮}{㉯}=\frac{5}{9}$이므로
㉮ : ㉯=5 : 9입니다.
㉮의 값을 □라 하면 5 : 9=□ : 144입니다.
❷ ㉮의 값 구하기
5×144=9×□, 9×□=720, □=**80**

05 ❶ 탄소의 원자량과 산소의 원자량의 관계 알아보기
탄소의 원자량을 ㉠, 산소의 원자량을 ㉡이라 하면
㉠÷㉡=0.75, ㉠=0.75×㉡입니다.
❷ 탄소와 산소의 원자량의 비를 가장 간단한 자연수의 비로 나타내기
㉠ : ㉡=0.75 : 1=(0.75×100) : (1×100)
        =75 : 100=(75÷25) : (100÷25)
        =**3 : 4**

06 ❶ 은석이가 지금 가지고 있는 엽서의 수 구하기
(은석이와 강은이의 엽서 수의 합)=30+30=60(장)
(은석이가 지금 가지고 있는 엽서의 수)
=$60×\frac{5}{5+7}=60×\frac{5}{12}$=25(장)
❷ 은석이가 강은이에게 준 엽서의 수 구하기
(은석이가 강은이에게 준 엽서의 수)
=30−25=**5(장)**
➕ 다른풀이 (은석이와 강은이의 엽서 수의 합)
        =30+30=60(장)
5 : 7=10 : 14=15 : 21=20 : 28=25 : 35=······
25+35=60이므로 은석이가 지금 가지고 있는 엽서는 25장입니다.
→ (은석이가 강은이에게 준 엽서의 수)
    =30−25=**5(장)**

진도북 **4** 단원

선행 개념 [중1] 분배법칙

• 분배법칙

$a \times (b+c) = a \times b + a \times c$

풀이 은석이가 강은이에게 준 엽서의 수를 □장이라 하면
$5:7=(30-\square):(30+\square)$입니다.
$5 \times (30+\square)=7 \times (30-\square)$,
$150+5 \times \square = 210-7 \times \square$, $12 \times \square = 60$, $\square = 5$

07 레벨UP공략

◇ 외항 또는 내항의 곱을 알 때 비례식에서 각 항의 값을 구하려면?
비례식의 성질을 이용하여 각 항의 값을 구합니다.

외항의 곱 = 내항의 곱

❶ 외항의 곱이 될 수 있는 수 구하기

㉠ : 7 = □ : ㉡에서 ㉠ × ㉡ = 7 × □이므로
㉠ × ㉡은 7의 배수입니다.
㉠ × ㉡은 200보다 작은 6의 배수이므로
㉠ × ㉡이 될 수 있는 수는 200보다 작은 수 중에서
6과 7의 공배수인 42, 84, 126, 168입니다.

❷ □ 안에 들어갈 수 있는 가장 큰 자연수 구하기

□ 안에 들어갈 수 있는 수가 가장 큰 경우는
㉠ × ㉡이 가장 큰 수일 때이므로
㉠ × ㉡은 168입니다. → 7 × □ = 168, □ = **24**

08

채점 기준	❶ 정사각형 ㉮와 ㉯의 넓이의 비 구하기	3점
	❷ 정사각형 ㉯의 넓이 구하기	2점

09 ❶ 211.2 km를 달리는 데 걸리는 시간 구하기

1시간 30분 $= 1\frac{30}{60}$시간 $= 1\frac{1}{2}$시간 $= 1.5$시간

211.2 km를 달리는 데 걸리는 시간을 □시간이라 하면 1.5 : 140.8 = □ : 211.2입니다.
$1.5 \times 211.2 = 140.8 \times \square$, $140.8 \times \square = 316.8$,
□ = 2.25

2.25시간 $= 2\frac{1}{4}$시간 $= 2\frac{15}{60}$시간 = 2시간 15분

❷ 할머니 댁에 도착하는 시각 구하기

오전 10시 + 2시간 15분 = **오후 12시 15분**

10 레벨UP공략

◇ 겹쳐진 두 도형에서 넓이의 비를 구하려면?

겹쳐진 두 도형에서 겹쳐진 부분의 넓이가
㉮의 ♥이고, ㉯의 ▲일 때

㉮ × ♥ = ㉯ × ▲ ⟷ ㉮ : ㉯ = ▲ : ♥
비례식의 성질

❶ 문제에 알맞은 비례식 세우기

겹쳐진 부분의 넓이를 원 ㉯의 □만큼이라 하면

㉮ $\times \frac{3}{4}$ = ㉯ × □, ㉮ : ㉯ = □ : $\frac{3}{4}$입니다.

❷ 겹쳐진 부분의 넓이는 원 ㉯의 몇 %인지 구하기

□ : $\frac{3}{4}$ = 8 : 15, $\square \times 15 = \frac{3}{4} \times 8$,

$\square \times 15 = 6$, $\square = 6 \div 15 = \frac{2}{5}$

→ $\frac{2}{5} \times 100 = $ **40 (%)**

11 레벨UP공략

◇ 맞물려 돌아가는 두 톱니바퀴에서 톱니 수의 비와 회전수의 비 사이의 관계는?
(㉮의 톱니 수) = ■, (㉯의 톱니 수) = ▲일 때

(㉮의 톱니 수) : (㉯의 톱니 수) = ■ : ▲

↓ → ㉮와 ㉯가 맞물려 돌아가므로 맞물린 톱니 수는 같습니다.

■ × (㉮의 회전수) = ▲ × (㉯의 회전수)

↓

(㉮의 회전수) : (㉯의 회전수) = ▲ : ■

❶ ㉮와 ㉯가 각각 1분 동안 도는 회전수 구하기

(㉮가 1분 동안 도는 회전수) = 72 ÷ 9 = 8(번)
(㉯가 1분 동안 도는 회전수) = 105 ÷ 7 = 15(번)

❷ ㉮의 톱니 수와 ㉯의 톱니 수의 비 구하기

(㉮의 회전수) : (㉯의 회전수) = 8 : 15
→ (㉮의 톱니 수) : (㉯의 톱니 수) = 15 : 8

❸ ㉯의 톱니 수 구하기

톱니바퀴 ㉯의 톱니 수를 □개라 하면
15 : 8 = 90 : □입니다.
$15 \times \square = 8 \times 90$, $15 \times \square = 720$, □ = 48
→ (톱니바퀴 ㉯의 톱니 수) = **48개**

12 ❶ 각각 사용한 노란색 물감의 양 구하기

(현준이가 사용한 노란색 물감의 양)
$= 39 \times \frac{5}{8+5} = 39 \times \frac{5}{13}$
$= 15 (g)$

(수아가 사용한 노란색 물감의 양)
$= 42 \times \frac{3}{3+4} = 42 \times \frac{3}{7}$
$= 18 (g)$

❷ 노란색 물감을 누가 몇 g 더 많이 사용했는지 구하기

따라서 노란색 물감을 **수아**가 18 - 15 = **3 (g)** 더 많이 사용했습니다.

13

채점	❶ 빨라지는 시간 구하기	3점
기준	❷ 시계가 가리키는 시각 구하기	2점

14 레벨UP공략

◇ 두 비의 관계를 이용하여 모르는 항의 값을 구하려면?
㉠ : ㉡=■ : ▲, ㉡ : ㉢=● : ♥에서 ㉠의 값이 주어졌을 때

> ㉠ : ㉡를 이용하여 ㉡의 값 구하기
> ↓
> ㉡ : ㉢를 이용하여 ㉢의 값 구하기

❶ ㉡의 값 구하기
㉡ : ㉢=55 : 18에서 55 : 18=㉡ : 9입니다.
$55 \times 9 = 18 \times ㉡$, $18 \times ㉡ = 495$, ㉡=27.5

❷ ㉠의 값 구하기
㉠ : ㉡=2 : 11에서 2 : 11=㉠ : 27.5입니다.
$2 \times 27.5 = 11 \times ㉠$, $11 \times ㉠ = 55$, ㉠=5

❸ ㉠과 ㉡의 길이의 합 구하기
$$㉠+㉡=5+27.5$$
$$=32.5 \text{(cm)}$$

15 ❶ 각각의 수도로 한 시간 동안 채운 물의 양 구하기
빈 수영장에 가득 채우는 물의 양을 1이라 하면 ㉮ 수도로 한 시간 동안 채우는 물의 양은 $\frac{1}{5}$이고, ㉯ 수도로 한 시간 동안 채우는 물의 양은 $\frac{1}{4}$입니다.

❷ ㉯ 수도로 채운 물의 양 구하기
(㉮와 ㉯ 수도로 동시에 한 시간 동안 채운 후 더 채워야 하는 물의 양) → ㉯ 수도로 채운 나머지 물의 양
$$=1-\left(\frac{1}{5}+\frac{1}{4}\right)$$
$$=1-\left(\frac{4}{20}+\frac{5}{20}\right)$$
$$=1-\frac{9}{20}=\frac{11}{20}$$
(㉯ 수도로 채운 물의 양)
$$=\frac{1}{4}+\frac{11}{20}=\frac{5}{20}+\frac{11}{20}=\frac{16}{20}=\frac{4}{5}$$

❸ ㉮ 수도로 채운 물의 양과 ㉯ 수도로 채운 물의 양의 비를 가장 간단한 자연수의 비로 나타내기
$$\frac{1}{5}:\frac{4}{5}=\left(\frac{1}{5}\times5\right):\left(\frac{4}{5}\times5\right)=1:4$$

16 ❶ ㉮의 넓이와 ㉯의 넓이의 비를 가장 간단한 자연수의 비로 나타내기
㉯와 ㉰의 넓이의 합은 전체의 100−28=72 (%)입니다.

• 백분율은 기준량을 100으로 할 때의 비율로 문제에서 ㉮의 넓이가 백분율로 주어졌으므로 비례배분을 이용하여 ㉯의 넓이의 백분율을 구합니다.

㉯의 넓이는 전체의
$$72 \times \frac{7}{5+7}=72 \times \frac{7}{12}=42\,(\%)$$입니다.
(㉮의 넓이) : (㉯의 넓이)
$$=28:42=(28 \div 14):(42 \div 14)=2:3$$

❷ ㉮의 넓이 구하기
㉮의 넓이를 $\square$ m²라 하면 $2:3=\square:126$입니다.
$2 \times 126 = 3 \times \square$, $3 \times \square = 252$, $\square = 84$
→ (㉮의 넓이)=84 m²

17 ❶ 1분 동안 구멍으로 새는 물의 양 구하기
1분 동안 구멍으로 새는 물의 양을 $\square$ L라 하면
$8:1=8.4:\square$입니다.
$8 \times \square = 8.4$, $\square = 1.05$

❷ 20분 후 욕조에 들어 있는 물의 양 구하기
(1분 동안 욕조에 차는 물의 양)
$$=8.4-1.05=7.35\,\text{(L)}$$
→ (20분 후 욕조에 들어 있는 물의 양)
$$=7.35 \times 20 = 147\,\text{(L)}$$

18 레벨UP공략

◇ 비례배분을 이용하여 전체의 수를 구하려면?
전체의 수 $\square$를 ■ : ▲의 비로 비례배분하였을 때

$$\square \times \frac{■}{■+▲}=♥ \rightarrow \square=♥ \div \frac{■}{■+▲}$$

❶ ㉮ 회사와 ㉯ 회사의 투자한 금액의 비를 가장 간단한 자연수의 비로 나타내기
(㉯ 회사가 투자한 금액)
$$=3500만 \times 1\frac{1}{5}=3500만 \times \frac{6}{5}=4200만\,(원)$$
(㉮ 회사) : (㉯ 회사)=3500만 : 4200만
$$=5:6$$

❷ 전체 이익금 구하기
(㉯ 회사가 받을 이익금)=4800만−4200만
$$=600만\,(원)$$
전체 이익금을 $\square$원이라 하면
$$\square \times \frac{6}{5+6}=\square \times \frac{6}{11}=600만$$입니다.
$$\square=600만 \div \frac{6}{11}=600만 \times \frac{11}{6}=1100만$$

❸ ㉮ 회사가 돌려받을 금액 구하기
(㉮ 회사가 받을 이익금)=1100만−600만
$$=500만\,(원)$$
→ (㉮ 회사가 돌려받을 금액)
$$=3500만+500만=4000만\,(원)$$

진도북 4단원

1 18 cm	**2** 4800원
3 5 : 11	**4** 12 cm
5 240 g	**6** 3시간 45분

1 ❶ 각 선분의 길이는 선분 ㄱㄴ의 길이의 얼마인지 구하기

선분 ㄱㄴ을 9 : 5로 나눈 점이 점 ㄷ이므로

선분 ㄱㄷ은 선분 ㄱㄴ의 $\dfrac{9}{9+5}=\dfrac{9}{14}$입니다.

선분 ㄱㄴ을 4 : 3으로 나눈 점이 점 ㄹ이므로

선분 ㄱㄹ은 선분 ㄱㄴ의 $\dfrac{4}{4+3}=\dfrac{4}{7}$입니다.

❷ 선분 ㄱㄴ의 길이 구하기

선분 ㄹㄷ은 선분 ㄱㄴ의 $\dfrac{9}{14}-\dfrac{4}{7}=\dfrac{1}{14}$이고, 그 길

이가 3 cm이므로

(선분 ㄱㄴ)$=3\div\dfrac{1}{14}=42$ (cm)입니다.

❸ 선분 ㄹㄴ의 길이 구하기

(선분 ㄹㄴ)$=42\times\dfrac{3}{4+3}=42\times\dfrac{3}{7}=\textbf{18 (cm)}$

2 ❶ 용준이와 민아가 가지고 있는 돈의 비 구하기

(용준이가 가지고 있는 돈)$\times\dfrac{2}{5}$

$=$(민아가 가지고 있는 돈)$\times\dfrac{3}{8}$

(용준이가 가지고 있는 돈) : (민아가 가지고 있는 돈)

$=\dfrac{3}{8} : \dfrac{2}{5}=\left(\dfrac{3}{8}\times40\right) : \left(\dfrac{2}{5}\times40\right)=15 : 16$

❷ 용준이가 가지고 있는 돈 구하기

용준이가 가지고 있는 돈을 $(15\times\square)$원, 민아가 가

지고 있는 돈을 $(16\times\square)$원이라 하면

$16\times\square-15\times\square=800$, $\square=800$입니다.

(용준이가 가지고 있는 돈)$=15\times800=12000$(원)

❸ 물건의 가격 구하기

(물건의 가격)$=12000\times\dfrac{2}{5}=\textbf{4800(원)}$

3 ❶ 삼각형 ㉯의 밑변의 길이 구하기

> 직사각형 ㉮의 세로, 삼각형 ㉯의 높이, 사다리꼴 ㉰의 높이는 모두 같습니다.

삼각형 ㉯의 밑변의 길이를 $\square$ cm라 하면

(직사각형 ㉮의 넓이) : (삼각형 ㉯의 넓이)

$=\{8\times(\text{세로})\} : \{\square\times(\text{높이})\div2\}=8 : (\square\div2)$

입니다.

$4 : 3=8 : (\square\div2)$, $4\times(\square\div2)=3\times8$,

$4\times(\square\div2)=24$, $\square\div2=6$, $\square=12$

❷ 사다리꼴 ㉰의 아랫변의 길이 구하기

사다리꼴 ㉰의 윗변의 길이와 아랫변의 길이의 합을

$\triangle$ cm라 하면

(삼각형 ㉯의 넓이) : (사다리꼴 ㉰의 넓이)

$=\{12\times(\text{높이})\div2\} : \{\triangle\times(\text{높이})\div2\}=12 : \triangle$입

니다.

$5 : 8=12 : \triangle$, $5\times\triangle=8\times12$, $5\times\triangle=96$,

$\triangle=19.2$

(사다리꼴 ㉰의 아랫변의 길이)$=19.2-6$

$=13.2$ (cm)

❸ 사다리꼴 ㉰의 윗변의 길이와 아랫변의 길이의 비를 가

장 간단한 자연수의 비로 나타내기

$6 : 13.2=(6\times10) : (13.2\times10)=60 : 132$

$=(60\div12) : (132\div12)=\textbf{5 : 11}$

4 ❶ 두 나무 막대의 길이의 비 구하기

두 나무 막대의 길이를 각각 ㉮와 ㉯라 하면 물에 잠

겨 있는 부분은

㉮의 $1-\dfrac{1}{4}=\dfrac{3}{4}$이고, ㉯의 $1-\dfrac{1}{3}=\dfrac{2}{3}$입니다.

$㉮\times\dfrac{3}{4}=㉯\times\dfrac{2}{3}$

→ $㉮ : ㉯=\dfrac{2}{3} : \dfrac{3}{4}=\left(\dfrac{2}{3}\times12\right) : \left(\dfrac{3}{4}\times12\right)$

$=8 : 9$

❷ 한 나무 막대의 길이 구하기

$㉮=34\times\dfrac{8}{8+9}=34\times\dfrac{8}{17}=16$ (cm)

❸ 나무 막대를 세운 수조의 물의 높이 구하기

(나무 막대를 세운 수조의 물의 높이)

$=16\times\dfrac{3}{4}=\textbf{12 (cm)}$

5 ❶ 혼합물 ㉯에 들어 있는 소금과 설탕의 양 각각 구하기

(혼합물 ㉯에 들어 있는 소금의 양)

$=360\times\dfrac{5}{5+4}=360\times\dfrac{5}{9}=200$ (g)

(혼합물 ㉯에 들어 있는 설탕의 양)

$=360-200=160$ (g)

❷ 혼합물 ㉰를 만드는 데 필요한 혼합물 ㉯의 양 구하기

혼합물 ㉰를 만드는 데 필요한 혼합물 ㉮의 양을

■ g, 혼합물 ㉯의 양을 ▲ g이라 하면

(혼합물 ㉰에 들어 있는 소금의 양)

$=■\times\dfrac{1}{1+1}+▲\times\dfrac{2}{2+1}$

$=■\times\dfrac{1}{2}+▲\times\dfrac{2}{3}=200$

(혼합물 ㉰에 들어 있는 설탕의 양)

$= \blacksquare \times \dfrac{1}{1+1} + \blacktriangle \times \dfrac{1}{2+1}$

$= \blacksquare \times \dfrac{1}{2} + \blacktriangle \times \dfrac{1}{3} = 160$

밑줄 친 두 식을 이용하여 ▲의 값을 구합니다.

$\blacksquare \times \dfrac{1}{2} + \blacktriangle \times \dfrac{2}{3} = \boxed{\blacksquare \times \dfrac{1}{2} + \blacktriangle \times \dfrac{1}{3}} + \blacktriangle \times \dfrac{1}{3}$

$= 200,$

$160 + \blacktriangle \times \dfrac{1}{3} = 200, \ \blacktriangle \times \dfrac{1}{3} = 40, \ \blacktriangle = 120$

❸ 혼합물 ㉰를 만드는 데 필요한 혼합물 ㉮의 양 구하기

(혼합물 ㉰를 만드는 데 필요한 혼합물 ㉮의 양)

$= 360 - 120 = \mathbf{240 \ (g)}$

6

↱ (㉮의 둘레)=(㉯의 둘레)

둘레가 같은 직사각형 모양의 논 ㉮와 ㉯의 가로와 세로의 비를 나타낸 것입니다. 일정한 빠르기로 논 ㉯ 전체에 모내기를 하는 데 4시간이 걸렸다면 같은 빠르기로 **논 ㉮ 전체에 모내기를 하는 데 걸리는 시간은 몇 시간 몇 분**인지 구해 보세요.

논	㉮	㉯
가로와 세로의 비	9 : 5	3 : 4

❶ ㉮의 가로를 $9 \times \square$, 세로를 $5 \times \square$라 할 때 ㉯의 가로와 세로를 식으로 나타내기

㉮의 가로를 $9 \times \square$, 세로를 $5 \times \square$라 하면

(㉮의 둘레)$=(9 \times \square + 5 \times \square) \times 2 = 28 \times \square$이므로

(㉯의 둘레)$=28 \times \square$입니다.

(㉯의 가로와 세로의 합)$=28 \times \square \div 2 = 14 \times \square$

(㉯의 가로)$=14 \times \square \times \dfrac{3}{3+4} = 6 \times \square$

(㉯의 세로)$=14 \times \square \times \dfrac{4}{3+4} = 8 \times \square$

❷ ㉮와 ㉯의 넓이의 비 구하기

(㉮의 넓이) : (㉯의 넓이)

$=(9 \times \square \times 5 \times \square) : (6 \times \square \times 8 \times \square)$

$=(45 \times \square \times \square) : (48 \times \square \times \square)$

$=45 : 48 = 15 : 16$

❸ 논 ㉮ 전체에 모내기를 하는 데 걸리는 시간 구하기

논 ㉮ 전체에 모내기를 하는 데 걸리는 시간을 ●시간이라 하면 $15 : 16 = ● : 4, \ 15 \times 4 = 16 \times ●,$

$16 \times ● = 60, \ ● = 3.75$입니다.

→ 3.75시간$=3\dfrac{3}{4}$시간$=3\dfrac{45}{60}$시간$=$**3시간 45분**

참고 논 ㉮와 ㉯에 모내기를 하는 데 걸리는 시간의 비는 논 ㉮와 ㉯의 넓이의 비와 같습니다.

01 31		**02** 24	
03 4 : 3		**04** 5개	
05 144 cm^2		**06** 35번	
07 10 %		**08** 13600원	
09 오후 1시 55분		**10** 110.4 cm^2	
11 1240만 원		**12** 15 cm	

01 ❶ ㉠에 알맞은 수 구하기

$0.8 : 12 = 1 : ㉠, \ 0.8 \times ㉠ = 12, \ ㉠ = 15$

❷ ㉡에 알맞은 수 구하기

$30 : ㉡ = 1\dfrac{1}{2} : \dfrac{4}{5}, \ 30 \times \dfrac{4}{5} = ㉡ \times 1\dfrac{1}{2},$

$㉡ \times 1\dfrac{1}{2} = 24, \ ㉡ = 16$

❸ ㉠과 ㉡에 알맞은 수의 합 구하기

$㉠ + ㉡ = 15 + 16 = \mathbf{31}$

02 ❶ 전항과 후항 각각 구하기

$3 : 11 = (3 \times \square) : (11 \times \square)$

$3 \times \square + 11 \times \square = 42, \ 14 \times \square = 42, \ \square = 3$

$(3 \times 3) : (11 \times 3) = 9 : 33 \ \rightarrow$ 전항: 9, 후항: 33

❷ 전항과 후항의 차 구하기

(전항과 후항의 차)$=33 - 9 = \mathbf{24}$

03 ❶ 하루에 하는 일의 양 각각 구하기

전체 일의 양을 1이라 하면 예은이가 하루에 하는 일의 양은 $\dfrac{1}{3}$, 정욱이가 하루에 하는 일의 양은 $\dfrac{1}{4}$입니다.

❷ 가장 간단한 자연수의 비로 나타내기

$\dfrac{1}{3} : \dfrac{1}{4} = \left(\dfrac{1}{3} \times 12\right) : \left(\dfrac{1}{4} \times 12\right) = \mathbf{4 : 3}$

04 ❶ 현우가 지금 가지고 있는 구슬의 수 구하기

(현우와 선미의 구슬 수의 합)$=40 + 40 = 80$(개)

(현우가 지금 가지고 있는 구슬의 수)

$=80 \times \dfrac{7}{7+9} = 80 \times \dfrac{7}{16} = 35$(개)

❷ 현우가 선미에게 준 구슬의 수 구하기

(현우가 선미에게 준 구슬의 수)$=40 - 35 = \mathbf{5(개)}$

05 ❶ 가의 넓이와 나의 넓이의 비 구하기

두 직사각형의 세로가 같으므로 넓이의 비는 가로의 비와 같습니다.

(가의 넓이) : (나의 넓이)

$=12 : 9 = (12 \div 3) : (9 \div 3) = 4 : 3$

❷ 가의 넓이 구하기

$$\text{(가의 넓이)} = 252 \times \frac{4}{4+3} = 252 \times \frac{4}{7} = \mathbf{144(cm^2)}$$

06 ❶ ㉮의 회전수와 ㉯의 회전수의 비 구하기

(㉮의 톱니 수) : (㉯의 톱니 수)

$$= 64 : 56 = (64 \div 8) : (56 \div 8) = 8 : 7$$

→ (㉮의 회전수) : (㉯의 회전수) = 7 : 8

❷ ㉮의 회전수 구하기

톱니바퀴 ㉮의 회전수를 □번이라 하면

7 : 8 = □ : 40입니다.

$7 \times 40 = 8 \times \square$, $8 \times \square = 280$, $\square = 35$

→ (㉮의 회전수) = **35번**

07 ❶ 문제에 알맞은 비례식 세우기

겹쳐진 부분의 넓이를 원 ㉯의 □만큼이라 하면

$㉮ \times \frac{1}{8} = ㉯ \times \square$, $㉮ : ㉯ = \square : \frac{1}{8}$입니다.

❷ 겹쳐진 부분의 넓이는 원 ㉯의 몇 %인지 구하기

$\square : \frac{1}{8} = 4 : 5$, $\square \times 5 = \frac{1}{8} \times 4$, $\square \times 5 = \frac{1}{2}$,

$\square = \frac{1}{10}$ → $\frac{1}{10} \times 100 = \mathbf{10 \,(\%)}$

08 ❶ 100원짜리와 500원짜리 동전 수 각각 구하기

(100원짜리와 500원짜리 동전 수의 합)

$$= 80 - 32 = 48(개)$$

(100원짜리 동전 수)

$$= 48 \times \frac{5}{5+3} = 48 \times \frac{5}{8} = 30(개)$$

(500원짜리 동전 수) = 48 - 30 = 18(개)

❷ 연주가 모은 동전의 금액 구하기

(연주가 모은 동전의 금액)

$$= 50 \times 32 + 100 \times 30 + 500 \times 18$$

$$= 1600 + 3000 + 9000$$

$$= \mathbf{13600(원)}$$

09 ❶ 느려지는 시간 구하기

오늘 오전 8시부터 다음 날 오후 2시까지는 30시간입니다.

하루는 24시간이므로 30시간 동안 느려지는 시간을 □분이라 하면

$24 : 4 = 30 : \square$, $24 \times \square = 4 \times 30$,

$24 \times \square = 120$, $\square = 5$입니다.

❷ 시계가 가리키는 시각 구하기

(시계가 가리키는 시각)

= 오후 2시 - 5분 = **오후 1시 55분**

10 ❶ ㉡의 값 구하기

㉡ : ㉢ = 2 : 3에서 2 : 3 = ㉡ : 12입니다.

$2 \times 12 = 3 \times ㉡$, $3 \times ㉡ = 24$, $㉡ = 8$

❷ ㉠의 값 구하기

㉠ : ㉡ = 13 : 10에서 13 : 10 = ㉠ : 8입니다.

$13 \times 8 = 10 \times ㉠$, $10 \times ㉠ = 104$, $㉠ = 10.4$

❸ 사다리꼴의 넓이 구하기

(사다리꼴의 넓이)

$$= (10.4 + 8) \times 12 \div 2 = 18.4 \times 12 \div 2$$

$$= 220.8 \div 2 = \mathbf{110.4(cm^2)}$$

11 ❶ ㉮ 회사와 ㉯ 회사의 투자한 금액의 비를 가장 간단한 자연수의 비로 나타내기

(㉯ 회사가 투자한 금액)

$$= 1200만 \times 2\frac{1}{4} = 1200만 \times \frac{9}{4} = 2700만 \,(원)$$

(㉮ 회사) : (㉯ 회사) = 1200만 : 2700만 = 4 : 9

❷ 전체 이익금 구하기

(㉯ 회사가 받을 이익금) = 2790만 - 2700만

$$= 90만 \,(원)$$

전체 이익금을 □원이라 하면

$$\square \times \frac{9}{4+9} = \square \times \frac{9}{13} = 90만입니다.$$

$$\square = 90만 \div \frac{9}{13} = 90만 \times \frac{13}{9} = 130만$$

❸ ㉮ 회사가 돌려받을 금액 구하기

(㉮ 회사가 받을 이익금) = 130만 - 90만 = 40만 (원)

→ (㉮ 회사가 돌려받을 금액)

$$= 1200만 + 40만 = \mathbf{1240만 \,(원)}$$

12 ❶ 두 나무 막대의 길이의 비 구하기

두 나무 막대의 길이를 각각 ㉮와 ㉯라 하면 물에 잠겨 있는 부분은 ㉮의 $1 - \frac{1}{6} = \frac{5}{6}$이고,

㉯의 $1 - \frac{4}{9} = \frac{5}{9}$입니다.

$$㉮ \times \frac{5}{6} = ㉯ \times \frac{5}{9}$$

$$→ ㉮ : ㉯ = \frac{5}{9} : \frac{5}{6} = 2 : 3$$

❷ 한 나무 막대의 길이 구하기

$$㉮ = 45 \times \frac{2}{2+3} = 45 \times \frac{2}{5} = 18 \,(cm)$$

❸ 나무 막대를 세운 수조의 물의 높이 구하기

(나무 막대를 세운 수조의 물의 높이)

$$= 18 \times \frac{5}{6} = \mathbf{15 \,(cm)}$$

5 원의 넓이

개념 넓히기   091쪽

1 40.82 cm

2 (위에서부터) 9 / 3.1 / 9

3 (왼쪽에서부터) 42, 14 / 588 cm^2

4 198.4 m^2

STEP **1**   응용 공략하기   092~097쪽

01 3.14배   **02** 83.7 cm   **03** 예 61 cm^2

04 ㉢   **05** 6 cm

06 예 ❶ (지름)=48÷3=16(cm)

(반지름)=16÷2=8(cm) ▶3점

❷ (원의 넓이)=8×8×3=192(cm^2) ▶2점

/ 192 cm^2

07 3바퀴

08 예 ❶ 14×14=196이므로 정사각형의 한 변의

길이는 14 cm입니다. ▶2점

❷ (원의 반지름)=14÷2=7(cm)

→ (원의 넓이)

=7×7×3.1=151.9(cm^2) ▶3점

/ 151.9 cm^2

09 5 cm   **10** 16 cm

11 84.78 cm^2 **12** 432 cm^2

13 139.5 cm^2 **14** 82.24 cm

15 예 ❶ (원의 넓이)=9×9×3=243(cm^2) ▶2점

❷ (변 ㄱㄴ)=(원의 반지름)=9 cm

변 ㄴㄷ의 길이를 □ cm라 하면 □×9=243,

□=27입니다. ▶1점

❸ (직사각형 ㄱㄴㄷㄹ의 둘레)

=(27+9)×2=36×2=72(cm) ▶2점

/ 72 cm

16 92.3 cm   **17** 72 cm^2 **18** 452.16 cm^2

---

01 ❶ 바퀴가 한 바퀴 굴러간 거리 알아보기

바퀴가 한 바퀴 굴러간 거리는 바퀴의 원주와 같습니다.

❷ 바퀴의 원주는 지름의 몇 배인지 구하기

(바퀴의 원주)÷(지름)=109.9÷35=**3.14(배)**

02 ❶ 각 고리의 원주 구하기

(파란색 고리의 원주)

=8×2×3.1=49.6(cm)

(노란색 고리의 원주)=11×3.1=34.1(cm)

❷ 두 고리의 원주의 합 구하기

(두 고리의 원주의 합)=49.6+34.1=**83.7(cm)**

03 ❶ 원 안과 원 밖의 모눈의 칸 수 각각 구하기

원 안에 색칠된 모눈은 45칸이

고, 원 밖의 굵은 선 안쪽 모눈은

77칸입니다.

❷ 컵 받침의 넓이 어림하기

컵 받침의 넓이는 45 cm^{2}보다 크고 77 cm^{2}보다 작

으므로 **61 cm^2**라고 어림할 수 있습니다.

04 ❶ 각각의 지름 구하기

㉡ (지름)=37.2÷3.1=12(cm)

㉢ (반지름)×(반지름)×3.1=198.4,

(반지름)×(반지름)=64, (반지름)=8 cm

→ (지름)=8×2=16(cm)

❷ 넓이가 가장 큰 쟁반 찾기

따라서 지름이 16 cm>15 cm>12 cm이므로 넓

이가 가장 큰 쟁반은 지름이 가장 긴 ㉢입니다.

05 ❶ 나의 원주 구하기

지름이 2배가 되면 원주도 2배가 됩니다.

(나의 원주)=9.42×2=18.84(cm)

❷ 나의 지름 구하기

(나의 지름)=18.84÷3.14=**6(cm)**

➕ 다른 풀이 (가의 지름)=9.42÷3.14=3(cm)

→ (나의 지름)=3×2=**6(cm)**

06

채점 기준		점수
❶ 원의 반지름 구하기		3점
❷ 원의 넓이 구하기		2점

07 ❶ 훌라후프의 원주 구하기

(훌라후프의 원주)=84×3=252(cm)

❷ 훌라후프를 굴린 횟수 구하기

(훌라후프를 굴린 횟수)=756÷252=**3(바퀴)**

08 선행 개념 [중1] 거듭제곱

• **거듭제곱**: 같은 수를 여러 번 곱할
때 곱하는 수와 곱하는 횟수를 이
용하여 간단히 나타낸 것

$$2×2×2=2^3 \leftarrow 지수$$
$$\underset{\text{2가 3번}}{} \quad 밑$$

• **밑**: 거듭하여 곱한 수

• **지수**: 거듭하여 곱한 횟수

참고 [문제 **08**]에서 14×14는 14를 2번 곱한 수이므로 거듭

제곱으로 나타낼 수 있습니다.

$$14×14=14^2$$

채점 기준		점수
❶ 정사각형의 한 변의 길이 구하기		2점
❷ 원의 넓이 구하기		3점

09 **❶ 두 원의 원주의 차 구하기**

(지름이 6 cm인 원의 원주)

$=6\times3.14=18.84$(cm)

(지름이 11 cm인 원의 원주)

$=11\times3.14=34.54$(cm)

(두 원의 원주의 차)$=34.54-18.84=15.7$(cm)

❷ 두 원의 원주의 차는 지름이 몇 cm인 원의 원주와 같은지 구하기

(원주가 15.7 cm인 원의 지름)

$=15.7\div3.14=5$(cm)

➔ 두 원의 원주의 차는 지름이 **5 cm**인 원의 원주와 같습니다.

10 **❶ 큰 원의 지름 구하기**

(큰 원의 지름)$=148.8\div3.1=48$(cm)

❷ 작은 원 1개의 지름 구하기

(작은 원 1개의 지름)$=$(큰 원의 지름)$\div3$

$=48\div3=\textbf{16 (cm)}$

➕ 다른 풀이 (작은 원 1개의 원주)

$=$(큰 원의 원주)$\div3$

$=148.8\div3=49.6$(cm)

➔ (작은 원 1개의 지름)$=49.6\div3.1=\textbf{16 (cm)}$

참고 작은 원 3개의 지름의 합이 큰 원의 지름과 같으므로 작은 원 3개의 원주의 합은 큰 원의 원주와 같습니다.

11 **❶ 노란색 부분의 넓이를 구하는 방법 알아보기**

그림과 같이 작은 반원 모양을 옮기면 노란색 부분의 넓이는 반지름이 9 cm인 원의 넓이의 $\dfrac{1}{3}$입니다.

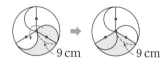

❷ 노란색 부분의 넓이 구하기

(노란색 부분의 넓이)

$=9\times9\times3.14\div3=\textbf{84.78 (cm}^2\textbf{)}$

12 **❶ 원을 그리는 규칙 찾기**

반지름이 2 cm, 3 cm, 4 cm……로 1 cm씩 늘어나는 규칙입니다.

❷ 11째에 그려지는 원의 넓이 구하기

(11째에 그려지는 원의 반지름)

$=2+(11-1)=2+10=12$(cm)

➔ (11째에 그려지는 원의 넓이)

$=12\times12\times3=\textbf{432 (cm}^2\textbf{)}$

13 **❶ 띠 종이가 지나간 부분의 넓이 알아보기**

띠 종이가 지나간 부분의 넓이는 반지름이 15 cm인 원의 넓이의 $\dfrac{72}{360}=\dfrac{1}{5}$입니다.

❷ 띠 종이가 지나간 부분의 넓이 구하기

(띠 종이가 지나간 부분의 넓이)

$=15\times15\times3.1\div5=\textbf{139.5 (cm}^2\textbf{)}$

14 **❶ 곡선 부분의 길이의 합과 직선 부분의 길이의 합 각각 구하기**

(곡선 부분의 길이의 합)

$=$(반지름이 16 cm인 원의 원주)$\div4\times2$

$=16\times2\times3.14\div4\times2=50.24$(cm)

(직선 부분의 길이의 합)

$=$(정사각형의 한 변의 길이)$\times2$

$=16\times2=32$(cm)

❷ 색칠한 부분의 둘레 구하기

(색칠한 부분의 둘레)$=50.24+32=\textbf{82.24 (cm)}$

15

채점 기준		
❶ 원의 넓이 구하기		2점
❷ 변 ㄱㄴ, 변 ㄴㄷ의 길이 각각 구하기		1점
❸ 직사각형 ㄱㄴㄷㄹ의 둘레 구하기		2점

16 **❶ 곡선 부분의 길이의 합과 직선 부분의 길이의 합 각각 구하기**

곡선 부분을 합하면 지름이 13 cm인 원의 원주와 같고, 직선 부분의 길이의 합은 원의 지름의 4배입니다.

(곡선 부분의 길이의 합)$=13\times3.1=40.3$(cm)

(직선 부분의 길이의 합)$=13\times4=52$(cm)

❷ 사용한 끈의 길이 구하기

(사용한 끈의 길이)$=40.3+52=\textbf{92.3 (cm)}$

17 **❶ 각 부분의 넓이 구하기**

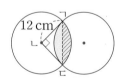

(반지름이 12 cm인 원의 넓이)$\div4$

$=12\times12\times3\div4=108$(cm^2)

참고 원의 일부분의 각이 90°일 때 넓이는

원의 넓이의 $\dfrac{90}{360}=\dfrac{1}{4}$입니다.

(삼각형 ㄱㄴㄷ의 넓이)$=12\times12\div2=72$(cm^2)

(빗금 친 부분의 넓이)$=108-72=36$(cm^2)

❷ 겹쳐진 부분의 넓이 구하기

(겹쳐진 부분의 넓이)$=36\times2=\textbf{72 (cm}^2\textbf{)}$

18 ❶ **원이 지나간 자리 알아보기**

원이 지나간 자리는 다음과 같습니다.

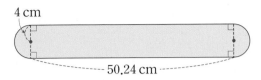
4 cm
50.24 cm

❷ **각 부분의 넓이 구하기**

(직사각형의 가로)

$=$(원의 원주)$\times 2$

$=4\times 2\times 3.14\times 2=50.24$(cm)

(직사각형의 세로)$=4\times 2=8$(cm)

(직사각형의 넓이)

$=50.24\times 8=401.92\,(\text{cm}^2)$

(반원 2개의 넓이의 합)

$=$(반지름이 4 cm인 원의 넓이)

$=4\times 4\times 3.14=50.24\,(\text{cm}^2)$

❸ **원이 지나간 자리의 넓이 구하기**

(원이 지나간 자리의 넓이)

$=401.92+50.24=\mathbf{452.16\,(cm^2)}$

STEP 2 심화 해결하기 098~102쪽

01 122.46 cm²	**02** 12 cm

03 예 ❶ (굴렁쇠가 한 바퀴 굴러간 거리)
　　　　$=967.2\div 6=161.2$(cm) ▸2점
　　❷ (굴렁쇠의 지름)$=161.2\div 3.1$
　　　　　　　$=52$(cm) ▸3점 / 52 cm

04 49.6 cm²	**05** 60 cm
06 44.56 cm	**07** 4032 cm²
08 24.8 cm²	**09** 87.4 cm

10 74.4 cm, 148.8 cm²

11 예 ❶ (정오각형의 모든 각의 크기의 합)
　　　　$=180°\times 3=540°$
　　(정오각형의 한 각의 크기)$=540°\div 5=108°$ ▸2점
　　❷ 색칠한 부분의 넓이는 반지름이 5 cm인 원의

　　넓이의 $\dfrac{108}{360}=\dfrac{3}{10}$입니다.

　　→ (색칠한 부분의 넓이)
　　　　$=5\times 5\times 3\times 0.3=22.5\,(\text{cm}^2)$ ▸3점
　　　　/ 22.5 cm²

12 50.24 cm	**13** 420 cm²
14 4.5 cm	**15** 251.86 cm²

---

01 ❶ **원 가와 나의 넓이 각각 구하기**

(원 가의 넓이)

$=8\times 8\times 3.14=200.96\,(\text{cm}^2)$

(원 나의 반지름)

$=10\div 2=5$(cm)

(원 나의 넓이)$=5\times 5\times 3.14=78.5\,(\text{cm}^2)$

❷ **두 원의 넓이의 차 구하기**

(두 원의 넓이의 차)

$=200.96-78.5=\mathbf{122.46\,(cm^2)}$

02 ❶ **큰 원과 작은 원의 반지름 각각 구하기**

(큰 원의 반지름)$=48\div 3\div 2=8$(cm)

작은 원의 지름은 큰 원의 반지름과 같습니다.

(작은 원의 반지름)$=8\div 2=4$(cm)

❷ **두 원의 반지름의 합 구하기**

(두 원의 반지름의 합)$=8+4=\mathbf{12\,(cm)}$

03 레벨UP공략

◈ 원 모양의 물건 ㉮를 ●바퀴 굴렸을 때 ㉮의 지름을 구하려
　면?
　(㉮가 한 바퀴 굴러간 거리)$=$(㉮가 굴러간 전체 거리)$\div$●
　→ (㉮의 지름)$=$(㉮가 한 바퀴 굴러간 거리)$\div$(원주율)

채점	❶ 굴렁쇠가 한 바퀴 굴러간 거리 구하기	2점
기준	❷ 굴렁쇠의 지름 구하기	3점

04 레벨UP공략

◈ 반지름이 ●배가 될 때 원의 넓이와 반지름의 관계는?
반지름이 ●배가 되면 원의 넓이는 (●×●)배가 됩니다.

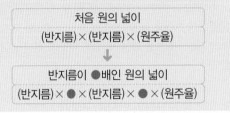

처음 원의 넓이
(반지름)$\times$(반지름)$\times$(원주율)
↓
반지름이 ●배인 원의 넓이
(반지름)$\times$●$\times$(반지름)$\times$●$\times$(원주율)

❶ **작은 쿠키의 넓이 구하기**

반지름이 2배가 되면 원의 넓이는 $2\times 2=4$(배)가 됩
니다.

(작은 쿠키의 넓이)

$=2\times 2\times 3.1=12.4\,(\text{cm}^2)$

❷ **큰 쿠키의 넓이 구하기**

(큰 쿠키의 넓이)

$=12.4\times 4=\mathbf{49.6\,(cm^2)}$

➕ 다른 풀이 (큰 쿠키의 반지름)$=2\times 2=4$(cm)

→ (큰 쿠키의 넓이)

$=4\times 4\times 3.1=\mathbf{49.6\,(cm^2)}$

05 ❶ 각각의 원의 둘레 구하기

(가장 작은 원의 원주)$=2 \times 2 \times 3 = 12$(cm)

(가운데 원의 원주)$=3 \times 2 \times 3 = 18$(cm)

(가장 큰 원의 원주)$=5 \times 2 \times 3 = 30$(cm)

❷ 원 모양 3개의 둘레의 합 구하기

(원 모양 3개의 둘레의 합)

$=12+18+30=$ **60(cm)**

06 ❶ 피자의 반지름 구하기

(피자의 반지름)

$=32 \div 2 = 16$(cm)

❷ 피자 한 조각의 둘레 구하기

(피자 한 조각의 둘레)

$=$(피자의 둘레)$\div 8 +$(피자의 반지름)$\times 2$

$=32 \times 3.14 \div 8 + 16 \times 2$

$=12.56+32=$ **44.56(cm)**

07 ❶ 가장 큰 원과 7점~10점을 얻을 수 있는 부분의 원의 반지름 구하기

(가장 큰 원의 반지름)

$=4 \times 10 = 40$(cm)

(7점~10점을 얻을 수 있는 부분의 원의 반지름)

$=4 \times 4 = 16$(cm)

❷ 6점 이하를 얻을 수 있는 부분의 넓이 구하기

(6점 이하를 얻을 수 있는 부분의 넓이)

$=40 \times 40 \times 3 - 16 \times 16 \times 3$

$=4800-768=$ **4032(cm²)**

참고 6점 이하를 얻을 수 있는 부분의 넓이는 가장 큰 원의 넓이에서 7점~10점을 얻을 수 있는 부분의 원의 넓이를 뺀 것과 같습니다.

08 ❶ 가장 작은 반원의 반지름 구하기

가장 작은 반원의 지름을 □ cm라 하면

□＋□＋□＝24, □×3＝24, □＝8입니다.

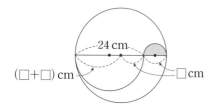

(가장 작은 반원의 반지름)$=8 \div 2 = 4$(cm)

❷ 가장 작은 반원의 넓이 구하기

(가장 작은 반원의 넓이)

$=4 \times 4 \times 3.1 \div 2 =$ **24.8(cm²)**

09 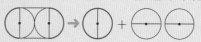 레벨UP공략

❖ 여러 개의 원을 묶는 데 사용한 끈의 길이를 구하려면?

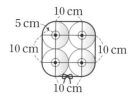

(사용한 끈의 길이)

$=$(곡선 부분의 길이의 합)$+$(직선 부분의 길이의 합)

❶ 곡선 부분의 길이의 합과 직선 부분의 길이의 합 각각 구하기

곡선 부분을 합하면 지름이 $5 \times 2 = 10$(cm)인 원의 원주와 같고, 직선 부분의 길이의 합은 원의 지름의 4배입니다.

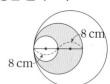

(곡선 부분의 길이의 합)

$=10 \times 3.14 = 31.4$(cm)

(직선 부분의 길이의 합)$=10 \times 4 = 40$(cm)

❷ 사용한 끈의 길이 구하기

(사용한 끈의 길이)$=31.4+40+16=$ **87.4(cm)**

주의 매듭을 짓는 데 사용한 끈의 길이를 빠뜨리지 않고 계산합니다.

10 ❶ 색칠한 부분의 둘레와 넓이 구하는 방법 알아보기

색칠한 부분의 아래쪽을 왼쪽으로 뒤집으면 오른쪽과 같습니다.

❷ 색칠한 부분의 둘레 구하기

(색칠한 부분의 둘레)

$=$(반지름이 8 cm인 원의 원주)

$+$(지름이 8 cm인 원의 원주)

$=16 \times 3.1 + 8 \times 3.1 = 49.6 + 24.8$

$=$ **74.4(cm)**

❸ 색칠한 부분의 넓이 구하기

(색칠한 부분의 넓이)

$=$(반지름이 8 cm인 원의 넓이)

$-$(지름이 8 cm인 원의 넓이)

$=8 \times 8 \times 3.1 - 4 \times 4 \times 3.1$

$=198.4-49.6=$ **148.8(cm²)**

11 레벨UP공략

❖ 원의 일부분의 넓이를 구하려면?

오른쪽 도형의 넓이는 왼쪽 원의

넓이의 $\dfrac{\blacktriangle}{360}$입니다.

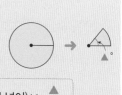

(원의 일부분의 넓이)$=$(원의 넓이)$\times \dfrac{\blacktriangle}{360}$

채점 기준	❶ 정오각형의 한 각의 크기 구하기	2점
	❷ 색칠한 부분의 넓이 구하기	3점

12 ❶ **태극 문양의 반지름 구하기**

다음과 같이 작은 반원 모양을 옮기면 빨간색 부분의 넓이는 큰 원의 반원의 넓이와 같습니다.

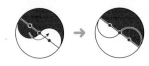

큰 원의 반지름을 □cm라 하면

□×□×3.14÷2=100.48입니다.

□×□×3.14=200.96,

□×□=64, □=8

❷ **빨간색 부분의 둘레 구하기**

(빨간색 부분의 둘레)

=(반지름이 8 cm인 원의 원주)÷2

　+(지름이 8 cm인 원의 원주)

=8×2×3.14÷2+8×3.14

=25.12+25.12=**50.24(cm)**

13 ❶ **원의 지나간 자리 알아보기**

원이 지나간 자리는 오른쪽과 같습니다.

❷ **각 부분의 넓이 구하기**

(직사각형 4개의 넓이의 합)

=13×6×4=⎡312⎤(cm²)

정사각형의 꼭짓점을 지나는 원의 일부분 4개를 모으면 반지름이 6 cm인 원의 넓이와 같습니다.

(원의 일부분 4개의 넓이의 합)

=(반지름이 6 cm인 원의 넓이)

=6×6×3=⎡108⎤(cm²)

❸ **원이 지나간 자리의 넓이 구하기**

(원이 지나간 자리의 넓이)

=312+108=**420(cm²)**

14 ❶ **원의 넓이의 $\frac{1}{4}$과 직사각형 ㄱㄴㄷㄹ의 넓이 사이의 관계 알아보기**

• (원의 넓이)÷4

　=(㉮의 넓이)+(㉯의 넓이)

• (직사각형 ㄱㄴㄷㄹ의 넓이)

　=(㉯의 넓이)+(㉰의 넓이)

(㉮의 넓이)=(㉰의 넓이)이므로

(직사각형 ㄱㄴㄷㄹ의 넓이)=(원의 넓이)÷4입니다.

(원의 넓이)÷4

=20×20×3.1÷4

=310(cm²)

❷ **선분 ㄱㄴ의 길이 구하기**

직사각형 ㄱㄴㄷㄹ에서 선분 ㄱㄴ의 길이를 □cm라 하면

20×□=310, □=15.5입니다.

❸ **선분 ㄱㅁ의 길이 구하기**

(선분 ㄱㅁ)=20-15.5=**4.5(cm)**

15 ❶ **색칠한 부분을 나누어 각 부분의 넓이 구하기**

원의 둘레를 12등분하면

(각 ㄹㅇㄷ)=360°÷12=30°입니다.

(각 ㄱㅇㄴ)=(각 ㄴㅇㄹ)

　　　　　=30°×3=90°

색칠한 부분은 삼각형 ㄱㅇㄴ과 원의 넓이의

$\frac{90}{360}=\frac{1}{4}$로 이루어져 있습니다.

(삼각형 ㄱㅇㄴ의 넓이)

=14×14÷2=98(cm²)

(원의 넓이)÷4=14×14×3.14÷4

　　　　　　=153.86(cm²)

❷ **색칠한 부분의 넓이 구하기**

(색칠한 부분의 넓이)

=98+153.86=**251.86(cm²)**

STEP 3 | **최상위 도전하기** | 103~105쪽

1 37.2 cm²	**2** 25.12 cm
3 75.7 cm	**4** 6.2 m
5 15번	**6** 98 m²

1 ❶ **색칠한 부분의 넓이 구하는 방법 알아보기**

색칠한 부분을 다음과 같이 나누어서 생각합니다.

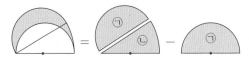

(색칠한 부분의 넓이)

=(㉠의 넓이)+(㉡의 넓이)-(㉠의 넓이)

=(㉡의 넓이)

㉡의 넓이는 반지름이 6×2=12(cm)인 원의 넓이의 $\frac{30}{360}=\frac{1}{12}$입니다.

❷ **색칠한 부분의 넓이 구하기**

(색칠한 부분의 넓이)

=12×12×3.1÷12=**37.2(cm²)**

2 ❶ 삼각형 ㄱㄴㄷ의 넓이 구하기

오른쪽 그림에서

(삼각형 ㄱㄴㄷ의 넓이)

$=10 \times 24 \div 2$

$=120(\text{cm}^2)$이고, 삼각형 ㄱㄴㄷ의 넓이는 삼각형 ㅇㄱㄴ, 삼각형 ㅇㄴㄷ, 삼각형 ㅇㄷㄱ의 넓이의 합과 같습니다.

❷ 삼각형 안에 그린 원의 반지름 구하기

삼각형 안에 그린 원의 반지름을 □ cm라 하면

$10 \times \square \div 2 + 26 \times \square \div 2 + 24 \times \square \div 2 = 120$입니다.

$5 \times \square + 13 \times \square + 12 \times \square = 120$,

$30 \times \square = 120$, $\square = 4$

❸ 삼각형 안에 그린 원의 원주 구하기

(삼각형 안에 그린 원의 원주) $= 4 \times 2 \times 3.14$

$= \textbf{25.12(cm)}$

선행 개념 [중2] 삼각형의 내심

- **내접원**: 삼각형의 내부에서 세 변에 모두 맞닿는 원
- **내심**: 삼각형의 내접원의 중심
- **내심의 성질**
  ① 삼각형의 세 각을 이등분하는 선은 한 점 (내심)에서 만납니다.
  ② 삼각형의 내심에서 세 변에 이르는 거리(내접원의 반지름)는 같습니다.

내심

참고 [문제 2]에서 직각삼각형 ㄱㄴㄷ 안에 그린 원은 직각삼각형 ㄱㄴㄷ의 내접원이고, 점 ㅇ은 내심입니다.

---

3 ❶ 선분 ㄴㅁ과 선분 ㅁㄷ의 길이 각각 구하기

(선분 ㄴㅁ)=(선분 ㅁㄷ)=(선분 ㄴㄷ)

$\qquad\qquad$ =(원의 반지름)=15 cm

❷ 각 ㄱㄴㅁ과 각 ㄹㄷㅁ의 크기 각각 구하기

삼각형 ㅁㄴㄷ은 정삼각형이므로

(각 ㅁㄴㄷ)=(각 ㅁㄷㄴ)=60°입니다.

(각 ㄱㄴㅁ)=(각 ㄹㄷㅁ)=90°−60°=30°

❸ 색칠한 부분의 둘레 구하기

두 곡선 부분은 각각 반지름이 15 cm인 원의 둘레의 $\dfrac{30}{360} = \dfrac{1}{12}$입니다.

→ (색칠한 부분의 둘레)

$\quad$ =(삼각형 ㅁㄴㄷ의 둘레)

$\qquad$ +(반지름이 15 cm인 원의 둘레)$\div 12 \times 2$

$\qquad$ +(선분 ㄱㄹ)

$\quad$ $= 15 \times 3 + 15 \times 2 \times 3.14 \div 12 \times 2 + 15$

$\quad$ $= 45 + 15.7 + 15 = \textbf{75.7(cm)}$

---

4 ❶ 1번 레인의 한쪽 곡선 구간의 거리 구하기

(1번 레인의 한쪽 곡선 구간의 거리)

$= 50 \times 3.1 \div 2 = 77.5(\text{m})$

❷ 3번 레인의 한쪽 곡선 구간의 거리 구하기

(3번 레인의 곡선 구간인 반원의 지름)

$= 50 + 1 \times 2 \times 2 = 50 + 4 = 54(\text{m})$

(3번 레인의 한쪽 곡선 구간의 거리)

$= 54 \times 3.1 \div 2 = 83.7(\text{m})$

❸ 3번 레인의 출발선은 1번 레인의 출발선보다 몇 m 앞에 있어야 하는지 구하기

(1번 레인과 3번 레인의 한쪽 곡선 구간의 거리의 차)

$= 83.7 - 77.5 = 6.2(\text{m})$

→ 3번 레인의 출발선은 1번 레인의 출발선보다 **6.2 m** 앞에 있어야 합니다.

참고 레인의 폭이 1 m씩 늘어나므로 곡선 구간에서는 3번 레인으로 갈수록 곡선 구간인 반원의 지름이 (1×2) m씩 늘어납니다.

---

5 ❶ 큰 바퀴의 회전수 구하기

큰 바퀴와 작은 바퀴의 반지름의 비가

$25 : 20 = 5 : 4$이므로 원주의 비도 $5 : 4$입니다.

큰 바퀴가 4번 회전하는 동안 작은 바퀴는 5번 회전하므로 회전수의 비는 $4 : 5$입니다. 큰 바퀴의 회전수를 $(4 \times \square)$번, 작은 바퀴의 회전수를 $(5 \times \square)$번이라 하면

$4 \times \square + 5 \times \square = 135$, $9 \times \square = 135$,

$\square = 15$입니다.

(큰 바퀴의 회전수)$= 4 \times 15 = 60$(번)

(작은 바퀴의 회전수)$= 5 \times 15 = 75$(번)

❷ 큰 바퀴가 위 ❶의 회전수만큼 회전할 때 움직인 벨트의 길이 구하기

(큰 바퀴가 60번 회전할 때 움직인 벨트의 길이)

$= 25 \times 2 \times 3.1 \times 60 = 9300(\text{cm})$

❸ 벨트의 회전수 구하기

$6.2\ \text{m} = 620\ \text{cm}$

→ (벨트의 회전수)$= 9300 \div 620 = \textbf{15(번)}$

참고 작은 바퀴의 회전수로 벨트의 회전수를 구해도 답은 같습니다.

---

6 강아지가 묶인 꼭짓점을 원의 중심으로 하는 원의 일부분만큼 움직일 수 있고, 꽃밭의 한 변을 따라 꺾이는 부분에서도 원의 일부분만큼 움직일 수 있습니다.

오른쪽 그림과 같이 한 변의 길이가 4 m인 정삼각형 모양 꽃밭의 한 꼭짓점에 길이가 6 m인 줄로 강아지를 묶어 놓았습니다. 꽃밭 밖에서 **강아지가 움직일 수 있는 범위의 넓이는 최대 몇 m²인지 구해 보세요.** (단, 줄의 매듭의 길이와 강아지의 크기는 생각하지 않습니다.) (원주율: 3)

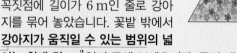

4 m

❶ 강아지가 움직일 수 있는 범위 알아보기
강아지가 움직일 수 있는 범위는 색칠한 부분과 같습니다.

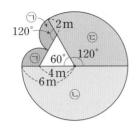

- ㉠의 넓이:

  각각 반지름이 2 m인 원의 넓이의 $\dfrac{120}{360}=\dfrac{1}{3}$

- ㉡의 넓이:

  반지름이 6 m인 원의 넓이의 $\dfrac{180}{360}=\dfrac{1}{2}$

- ㉢의 넓이:

  반지름이 6 m인 원의 넓이의 $\dfrac{120}{360}=\dfrac{1}{3}$

❷ 위 ❶의 각 부분의 넓이 구하기

(㉠의 넓이)=(반지름이 2 m인 원의 넓이)÷3
$\qquad =2\times2\times3\div3=\mathbf{4}\,(m^2)$

(㉡의 넓이)=(반지름이 6 m인 원의 넓이)÷2
$\qquad =6\times6\times3\div2=\mathbf{54}\,(m^2)$

(㉢의 넓이)=(반지름이 6 m인 원의 넓이)÷3
$\qquad =6\times6\times3\div3=\mathbf{36}\,(m^2)$

❸ 강아지가 움직일 수 있는 범위의 최대 넓이 구하기

(강아지가 움직일 수 있는 범위의 최대 넓이)
$=4\times2+54+36$
$=8+54+36=\mathbf{98\,(m^2)}$

상위권 TEST
106~107쪽

01	153.86 cm²	02	9 cm
03	111.6 cm²	04	151.9 cm²
05	35.7 cm	06	75.36 cm
07	64 cm	08	74.6 cm
09	98 cm²	10	75.36 cm²
11	6.3 cm	12	28번

01 ❶ 원의 반지름 구하기
(원의 반지름)=43.96÷3.14÷2=7 (cm)
❷ 원의 넓이 구하기
(원의 넓이)=$7\times7\times3.14=\mathbf{153.86\,(cm^2)}$

02 ❶ 각 원의 원주 구하기
(큰 원의 원주)=10×3=30 (cm)
(작은 원의 지름)=10-3=7 (cm)
(작은 원의 원주)=7×3=21 (cm)
❷ 큰 원의 원주는 작은 원의 원주보다 몇 cm 더 긴지 구하기
큰 원의 원주는 작은 원의 원주보다
30-21=**9(cm)** 더 깁니다.

03 ❶ 원의 반지름 구하기
12×12=144이므로 정사각형의 한 변의 길이는
12 cm입니다.
(원의 반지름)=12÷2=6 (cm)
❷ 원의 넓이 구하기
(원의 넓이)=$6\times6\times3.1=\mathbf{111.6\,(cm^2)}$

참고 정사각형 안에 그릴 수 있는 가장 큰 원의 지름은 정사각형의 한 변의 길이와 같습니다.

04 ❶ 각 부분의 넓이 구하기
(반지름이 14 cm인 반원의 넓이)
$=14\times14\times3.1\div2=303.8\,(cm^2)$
(작은 반원 2개의 넓이의 합)
=(지름이 14 cm인 원의 넓이)
$=7\times7\times3.1=151.9\,(cm^2)$
❷ 색칠한 부분의 넓이 구하기
(색칠한 부분의 넓이)
$=303.8-151.9=\mathbf{151.9\,(cm^2)}$

05 ❶ 호두 파이의 반지름 구하기
(호두 파이의 반지름)=20÷2=10 (cm)
❷ 호두 파이 한 조각의 둘레 구하기
(호두 파이 한 조각의 둘레)
=(호두 파이의 둘레)÷4
  +(호두 파이의 반지름)×2
$=20\times3.14\div4+10\times2$
$=15.7+20=\mathbf{35.7\,(cm)}$

06 ❶ 가장 작은 원의 지름 구하기
(가장 작은 원의 지름)=18.84÷3.14=6 (cm)
❷ 가장 큰 원의 지름 구하기
중간 원의 지름은 가장 작은 원의 지름의 2배이고, 가장 큰 원의 지름은 중간 원의 지름의 2배이므로 가장 큰 원의 지름은 가장 작은 원의 지름의 4배입니다.
(가장 큰 원의 지름)=6×4=24 (cm)
❸ 가장 큰 원의 원주 구하기
(가장 큰 원의 원주)=24×3.14=**75.36(cm)**

07 ❶ 원의 넓이 구하기

(원의 넓이)=8×8×3=192(cm²)

❷ 변 ㄱㄴ, 변 ㄴㄷ의 길이 각각 구하기

(변 ㄱㄴ)=(원의 반지름)=8 cm

변 ㄴㄷ의 길이를 □ cm라 하면

□×8=192, □=24입니다.

❸ 직사각형 ㄱㄴㄷㄹ의 둘레 구하기

(직사각형 ㄱㄴㄷㄹ의 둘레)

=(24+8)×2=32×2

=**64(cm)**

08 ❶ 곡선 부분의 길이의 합과 직선 부분의 길이의 합 각각 구하기

곡선 부분을 합하면 지름이 3×2=6(cm)인 원의 원주와 같고, 직선 부분의 길이의 합은 원의 지름의 6배입니다.

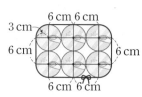

(곡선 부분의 길이의 합)=6×3.1=18.6(cm)

(직선 부분의 길이의 합)=6×6=36(cm)

❷ 사용한 끈의 길이 구하기

(사용한 끈의 길이)=18.6+36+20

=**74.6(cm)**

09 ❶ 각 부분의 넓이 구하기

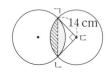

(반지름이 14 cm인 원의 넓이)÷4

=14×14×3÷4=147(cm²)

(삼각형 ㄱㄴㄷ의 넓이)

=14×14÷2=98(cm²)

(빗금 친 부분의 넓이)

=147-98=49(cm²)

❷ 겹쳐진 부분의 넓이 구하기

(겹쳐진 부분의 넓이)=49×2

=**98(cm²)**

10 ❶ 정팔각형의 한 각의 크기 구하기

정팔각형은 삼각형 6개로 나눠집니다.

(정팔각형의 모든 각의 크기의 합)

=180°×6=1080°

(정팔각형의 한 각의 크기)=1080°÷8=135°

❷ 색칠한 부분의 넓이 구하기

색칠한 부분의 넓이는 반지름이 8 cm인 원의 넓이의 $\frac{135}{360}=\frac{3}{8}$입니다.

→ (색칠한 부분의 넓이)

=8×8×3.14×$\frac{3}{8}$=**75.36(cm²)**

11 ❶ 직사각형 ㄱㄴㄷㅂ의 넓이와 원의 일부분의 넓이 사이의 관계 알아보기

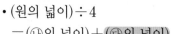

• (직사각형 ㄱㄴㄷㅂ의 넓이)
  =(㉮의 넓이)+(㉯의 넓이)

• (원의 넓이)÷4
  =(㉯의 넓이)+(㉰의 넓이)

(㉮의 넓이)=(㉰의 넓이)이므로

(직사각형 ㄱㄴㄷㅂ의 넓이)=(원의 넓이)÷4입니다.

❷ 선분 ㄴㄷ의 길이 구하기

(원의 넓이)÷4=28×28×3.1÷4

=607.6(cm²)

직사각형 ㄱㄴㄷㅂ에서 선분 ㄴㄷ의 길이를 □ cm라 하면

□×28=607.6, □=21.7입니다.

❸ 선분 ㄷㄹ의 길이 구하기

(선분 ㄷㄹ)=28-21.7=**6.3(cm)**

12 ❶ 큰 바퀴의 회전수 구하기

작은 바퀴와 큰 바퀴의 반지름의 비가 15:24=5:8이므로 원주의 비도 5:8입니다.

작은 바퀴가 8번 회전하는 동안 큰 바퀴는 5번 회전하므로 회전수의 비는 8:5입니다.

작은 바퀴의 회전수를 (8×□)번, 큰 바퀴의 회전수를 (5×□)번이라 하면

8×□+5×□=182, 13×□=182,

□=14입니다.

(작은 바퀴의 회전수)=8×14=112(번)

(큰 바퀴의 회전수)=5×14=70(번)

❷ 작은 바퀴가 위 ❶의 회전수만큼 회전할 때 움직인 벨트의 길이 구하기

(작은 바퀴가 112번 회전할 때 움직인 벨트의 길이)

=15×2×3×112=10080(cm)

❸ 벨트의 회전수 구하기

3.6 m=360 cm

→ (벨트의 회전수)=10080÷360=**28(번)**

참고 큰 바퀴의 회전수로 벨트의 회전수를 구할 수도 있습니다.

6 원기둥, 원뿔, 구

개념 넓히기   111쪽

1 다   **2** 5 cm, 4 cm

3 예

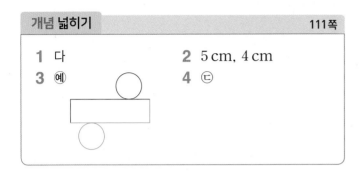

4 ㉢

STEP **1**   응용 공략하기   112~117쪽

01 21 cm   **02** ㉢

03 48 cm, 108 cm²   **04** 12 cm

05 예 ❶ ・혜선: $5 \times 2 = 10$ (cm)

         ・은찬: $12 \times 2 = 24$ (cm) ▶3점

         ❷ (밑면의 지름의 차)$= 24 - 10 = 14$ (cm) ▶2점

         / 14 cm

06 115.2 cm   **07** 254.34 cm²

08 7 cm   **09** 61.38 m²

10 11 cm   **11** 3 cm, 12 cm

12 예 ❶ (한 밑면의 넓이)

         $= 7 \times 7 \times 3 = 147$ (cm²)

         (옆면의 넓이)$=14 \times 3 \times 15 = 630$ (cm²) ▶3점

         ❷ (원기둥의 모든 면의 넓이의 합)

         $=147 \times 2 + 630 = 924$ (cm²)

         따라서 필요한 포장지의 넓이는 적어도

         924 cm² 입니다. ▶2점 / 924 cm²

13 32 cm

14 예 ❶ (한 밑면의 넓이)

         $=6 \times 6 \times 3.1 = 111.6$ (cm²)

         (옆면의 넓이)$=12 \times 3.1 \times 13$

         $=483.6$ (cm²) ▶3점

         ❷ (원기둥의 모든 면의 넓이의 합)

         $=111.6 \times 2 + 483.6 = 706.8$ (cm²) ▶2점

         / 706.8 cm²

15 84 cm²   **16** 2936 cm²

17 22 cm   **18** 75.36 cm

01 ❶ 원기둥 가와 원뿔 나의 높이 각각 구하기

     (원기둥 가의 높이)$=9$ cm

     (원뿔 나의 높이)$=12$ cm

---

❷ 원기둥 가와 원뿔 나의 높이의 합 구하기

(원기둥 가와 원뿔 나의 높이의 합)

$=9 + 12 = 21$ (cm)

02 ❶ 각각의 설명 알아보기

㉠ 원기둥과 원뿔의 옆면은 굽은 면입니다.

㉡ 원뿔에서 뾰족한 부분의 점을 원뿔의 꼭짓점이라고 합니다.

㉢ 원기둥과 원뿔은 앞에서 본 모양이 원이 아닙니다.

❷ 설명이 잘못된 것 찾기

원기둥, 원뿔, 구에 대한 설명이 잘못된 것은 ㉢입니다.

03 ❶ 원뿔을 앞에서 본 모양 알아보기

원뿔을 앞에서 본 모양은 오른쪽과 같은 이등변삼각형입니다.

❷ 앞에서 본 모양의 둘레와 넓이 각각 구하기

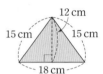

(앞에서 본 모양의 둘레)$=15 + 18 + 15 = 48$ (cm)

(앞에서 본 모양의 넓이)$=18 \times 12 \div 2 = 108$ (cm²)

04 ❶ 반원의 반지름 구하기

반원의 반지름을 □cm라 하면 $\square \times \square \times 3 \div 2 = 54$ 입니다. → $\square \times \square \times 3 = 108$, $\square \times \square = 36$, $\square = 6$

❷ 구의 지름 구하기

(구의 지름)$=$(반원의 지름)$=6 \times 2 = 12$ (cm)

05

채점 기준	❶ 밑면의 지름 각각 구하기	3점
	❷ 밑면의 지름의 차 구하기	2점

06 ❶ 한 밑면의 둘레 구하기

(한 밑면의 둘레)$=4 \times 2 \times 3.1 = 24.8$ (cm)

❷ 전개도의 둘레 구하기

(전개도의 둘레)$=24.8 \times 4 + 8 \times 2 = 115.2$ (cm)

07 ❶ 구를 평면으로 자를 때 자른 면이 가장 크게 되는 경우 알아보기

다음과 같이 평면이 구의 중심을 지나도록 구를 잘랐을 때 자른 면이 가장 큽니다.

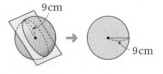

❷ 위 ❶의 경우의 자른 면의 넓이 구하기

(가장 큰 면의 넓이)

$=9 \times 9 \times 3.14 = 254.34$ (cm²)

08 ❶ 옆면의 세로 구하기

(옆면의 가로)$=6 \times 2 \times 3.1 = 37.2$ (cm)

(옆면의 세로)$=260.4 \div 37.2 = 7$ (cm)

② 원기둥의 높이 구하기

(원기둥의 높이)=(옆면의 세로)=**7 cm**

09 ① 롤러의 옆면의 넓이 구하기

(롤러의 옆면의 넓이)

$=2\times3.1\times3.3=20.46\,(\text{m}^2)$

② 포장한 도로의 넓이 구하기

(포장한 도로의 넓이)

$=20.46\times3=\textbf{61.38}\,(\textbf{m}^2)$

10 ① 모선에 사용한 철사의 길이 구하기

(밑면에 사용한 철사의 길이)

$=5\times2\times3.1=31\,(\text{cm})$

(모선에 사용한 철사의 길이)

$=75-31=44\,(\text{cm})$

② 선분 ㄱㄷ의 길이 구하기

(선분 ㄱㄷ)$=44\div4=\textbf{11}\,(\textbf{cm})$

11 ① 원기둥의 밑면의 지름 구하기

원기둥의 밑면의 지름을 □ cm라 하면

높이는 (□×2) cm입니다.

(전개도의 옆면의 가로)=(□×3) cm

(전개도의 옆면의 세로)=(□×2) cm

(전개도의 옆면의 둘레)=(□×3+□×2)×2=60,

□×3+□×2=30, □×5=30, □=6

② 원기둥의 밑면의 반지름과 높이 각각 구하기

(원기둥의 밑면의 반지름)$=6\div2=\textbf{3}\,(\textbf{cm})$

(원기둥의 높이)$=6\times2=\textbf{12}\,(\textbf{cm})$

12

채점 기준		
① 한 밑면의 넓이와 옆면의 넓이 각각 구하기		3점
② 필요한 포장지의 넓이 구하기		2점

13 ① 돌리기 전의 평면도형 알아보기

돌리기 전의 평면도형은 가로가

$7-2=5\,(\text{cm})$, 세로가 11 cm인

직사각형입니다.

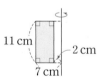

② 돌리기 전의 평면도형의 둘레 구하기

(돌리기 전의 평면도형의 둘레)

$=(5+11)\times2=16\times2=\textbf{32}\,(\textbf{cm})$

14

채점 기준		
① 한 밑면의 넓이와 옆면의 넓이 각각 구하기		3점
② 원기둥의 모든 면의 넓이의 합 구하기		2점

참고 원기둥의 밑면의 지름은 위에서 본 모양인 원의 지름과 같으므로 12 cm이고, 원기둥의 높이는 앞에서 본 모양인 직사각형의 세로와 같으므로 13 cm입니다.

15 ① 평면으로 자른 면 알아보기

입체도형을 선분 ㄱㄴ을 포함하는 평면으로 자르면 다음과 같은 면이 생깁니다.

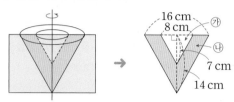

② 평면으로 자른 면의 넓이 구하기

(삼각형 ㉮의 넓이)$=8\times7\div2=28\,(\text{cm}^2)$

(삼각형 ㉯의 넓이)$=16\times14\div2=112\,(\text{cm}^2)$

(평면으로 자른 면의 넓이)$=112-28=\textbf{84}\,(\textbf{cm}^2)$

16 ① 직사각형 모양 투명 비닐의 가로 구하기

(직사각형 모양 투명 비닐의 가로)

$=20\times4+10\times2\times3.14+4$

$=80+62.8+4=146.8\,(\text{cm})$

② 사용한 투명 비닐의 넓이 구하기

(사용한 투명 비닐의 넓이)

$=146.8\times20=\textbf{2936}\,(\textbf{cm}^2)$

17 ① 입체도형을 이루는 각 부분의 넓이 알아보기

입체도형의 높이를 □ cm라 하고 ㉠, ㉡, ㉢의 넓이를 각각 알아봅니다.

(㉠의 넓이)$=6\times6\times3\div2=54\,(\text{cm}^2)$

(㉡의 넓이)$=(12\times3\div2\times\square)\,\text{cm}^2$

$\qquad\quad=(18\times\square)\,\text{cm}^2$

(㉢의 넓이)$=(12\times\square)\,\text{cm}^2$

② 입체도형의 높이 구하기

$54\times2+18\times\square+12\times\square=768$, $30\times\square=660$,

$\square=22$ → (입체도형의 높이)=**22 cm**

18 ① 입체도형의 밑면의 반지름 구하기

만든 입체도형은 원기둥입니다.

㉠의 길이를 (3×□) cm, ㉡의 길이를 (5×□) cm라 하면 만든 입체도형을 앞에서 본 모양은 가로가

$(3\times\square\times2)\,\text{cm}=(6\times\square)\,\text{cm}$,

세로가 (5×□) cm인 직사각형입니다.

$6\times\square\times5\times\square=480$, $30\times\square\times\square=480$,

$\square\times\square=16$, $\square=4$

만든 입체도형은 밑면의 반지름이

$3\times4=12\,(\text{cm})$인 원기둥입니다.

② 입체도형의 한 밑면의 둘레 구하기

(한 밑면의 둘레)$=12\times2\times3.14=\textbf{75.36}\,(\textbf{cm})$

01	4	**02**	16 cm, 16 cm

03 예 ❶ (옆면의 가로)=$7 \times 2 \times 3.1 = 43.4$ (cm)
    (옆면의 세로)=9 cm ▶2점

    ❷ (옆면의 넓이)=$43.4 \times 9 = 390.6$ (cm^2) ▶3점
/ 390.6 cm^2

04	15 cm	**05**	153.86 cm^2
06	50 cm^2	**07**	96 cm
08	형준, 12 cm^2	**09**	297.6 cm^2
10	69.08 cm	**11**	75 cm^2

12 예 ❶ 원기둥의 밑면의 반지름을 □ cm라 하면
    $\square \times \square \times 3.1 = 310$, $\square \times \square = 100$, $\square = 10$입니다.
    (원기둥의 높이)
    =(앞에서 본 모양의 세로)=11 cm ▶3점

    ❷ (원기둥의 모든 면의 넓이의 합)
        =$310 \times 2 + 10 \times 2 \times 3.1 \times 11$
        =$620 + 682 = 1302$ (cm^2) ▶2점 / 1302 cm^2

13	278.1 m^2	**14**	74 cm
15	1560.28 cm^2		

01 ❶ 원기둥, 원뿔, 구의 개수 각각 구하기
- 원기둥: 마(1개)   • 원뿔: 가, 라(2개)
- 구: 나(1개)

❷ ㉠+㉡+㉢의 값 구하기
㉠+㉡+㉢=$1+2+1=$**4**

02 ❶ 입체도형의 종류 알아보기
원기둥, 원뿔, 구 중 위에서 본 모양이 원이고, 앞에서
본 모양이 정사각형인 입체도형은 원기둥입니다.
❷ 입체도형의 밑면의 지름과 높이 각각 구하기
- (원기둥의 밑면의 지름)=$8 \times 2 =$**16(cm)**
- 앞에서 본 모양이 정사각형이므로 원기둥의 높이는
밑면의 지름과 같습니다.
(원기둥의 높이)=**16 cm**

03

채점	❶ 옆면의 가로와 세로 각각 구하기	2점
기준	❷ 옆면의 넓이 구하기	3점

04 ❶ 원뿔 나를 앞에서 본 모양의 넓이 구하기
원기둥 가와 원뿔 나를
앞에서 본 모양은 오른
쪽과 같습니다.
(원뿔 나를 앞에서 본 모양의 넓이)
=$30 \times 20 \div 2 = 300$ (cm^2)

02 ❷ 원기둥 가의 높이 구하기
원기둥 가의 높이를 □ cm라 하면
$20 \times \square = 300$, $\square =$**15**입니다.

05 ❶ 밑면의 반지름 구하기
밑면의 반지름을 □ cm라 하면
(한 밑면의 둘레)=$\square \times 2 \times 3.14$
          =$\square \times 6.28$입니다.
$\square \times 6.28 \times 4 + 10 \times 2 = 195.84$,
$\square \times 25.12 + 20 = 195.84$,
$\square \times 25.12 = 175.84$, $\square = 7$

❷ 한 밑면의 넓이 구하기
(한 밑면의 넓이)
=$7 \times 7 \times 3.14 =$**153.86(cm^2)**

06 ❶ 돌리기 전의 평면도형 알아보기
돌리기 전의 평면도형은 윗변의 길이가
$8 \div 2 = 4$(cm), 아랫변의 길이가
$12 \div 2 = 6$(cm), 높이가 10 cm인
사다리꼴입니다.

❷ 돌리기 전의 평면도형의 넓이 구하기
(돌리기 전의 평면도형의 넓이)
=$(4+6) \times 10 \div 2$
=$10 \times 10 \div 2 =$**50(cm^2)**

선행 개념 [중1] 원뿔대

- **원뿔대**: 원뿔을 밑면에 평행한 평면으로 자를 때 생기는 두 입
체도형 중 원뿔이 아닌 쪽의 입체도형

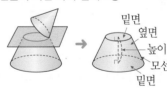

참고 [문제 06]에서 주어진 입체도형은 원뿔대입니다.

07 레벨UP공략

◆ 원뿔의 구성 요소의 성질은?

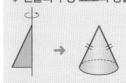

직각삼각형을 한 변을 기준으로 한
바퀴 돌리면 원뿔이 만들어집니다.
➡ 모선의 길이는 모두 같습니다.

❶ 앞에서 본 모양 알아보기
원뿔을 앞에서 본 모양은 이등변삼각형입니다.
(이등변삼각형의 나머지 한 각의 크기)
=$180° - 60° - 60° = 60°$
오른쪽 삼각형은 세 각의 크기가 모두
같으므로 정삼각형입니다.

진도북

6
단원

❷ ❶의 모양에서 한 변의 길이 구하기

(정삼각형의 한 변의 길이)=24＋24=48(cm)

❸ 빨간색 부분의 길이 구하기

(빨간색 부분의 길이)=48×2=**96(cm)**

08 ❶ 사용한 색종이의 넓이 각각 구하기

• 수아: $(8×8×3)×2+8×2×3×12$
$=384+576=960(cm^2)$

• 형준: $(9×9×3)×2+18×3×9$
$=486+486=972(cm^2)$

❷ 사용한 색종이의 넓이는 누가 몇 cm^2 더 넓은지 구하기

사용한 색종이의 넓이는 **형준**이가

$972-960=$**12(cm^2)** 더 넓습니다.

09 ❶ 원기둥의 밑면의 반지름과 높이 각각 구하기

원기둥의 밑면의 반지름은 구의
반지름과 같은 4 cm이고, 원기
둥의 높이는 구의 지름과 같은
4×2=8(cm)입니다.

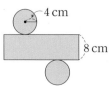

❷ 원기둥의 전개도의 넓이 구하기

(한 밑면의 넓이)$=4×4×3.1=49.6(cm^2)$

(옆면의 넓이)$=4×2×3.1×8=198.4(cm^2)$

→ (원기둥의 전개도의 넓이)
$=49.6×2+198.4=$**297.6(cm^2)**

10 ❶ 만든 입체도형을 위에서 본 모양 알아보기

직각삼각형을 선분 ㄱㄴ을 기준으로
한 바퀴 돌려서 만든 입체도형을 위
에서 본 모양은 오른쪽과 같습니다.

❷ 위에서 본 모양의 둘레 구하기

(큰 원의 원주)=8×2×3.14=50.24(cm)

(작은 원의 원주)=3×2×3.14=18.84(cm)

→ (위에서 본 모양의 둘레)
$=50.24+18.84=$**69.08(cm)**

11 ❶ 전개도로 만들 수 있는 입체도형의 밑면의 반지름 구하기

전개도로 만들 수 있는 입체도형은 원기둥입니다.

원기둥의 밑면의 반지름을 ▢cm라 하면

▢×2×3.14×15=471입니다.

▢×94.2=471, ▢=5

❷ 돌리기 전의 평면도형의 넓이 구하기

돌리기 전의 평면도형은 가로가 5 cm,
세로가 15 cm인 직사각형입니다.

→ (돌리기 전의 평면도형의 넓이)
$=5×15=$**75(cm^2)**

12 레벨UP공략

◇ 원기둥을 위와 앞에서 본 모양은?

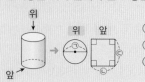

㉠=(원기둥의 밑면의 지름)
㉡=(원기둥의 밑면의 지름)
㉢=(원기둥의 높이)

채점 기준	❶ 원기둥의 밑면의 반지름과 높이 각각 구하기	3점
	❷ 원기둥의 모든 면의 넓이의 합 구하기	2점

13 ❶ 비닐하우스를 이루는 각 면의 넓이 구하기

(직사각형 모양 옆면 4개의 넓이의 합)

$=(6×3+14×3)×2$

$=60×2=120(m^2)$

(반원 2개의 넓이의 합)

$=3×3×3.1÷2×2=27.9(m^2)$

(윗부분의 굽은 면의 넓이)

$=3×2×3.1÷2×14=130.2(m^2)$

❷ 필요한 비닐의 넓이 구하기

(필요한 비닐의 넓이)

$=120+27.9+130.2=$**278.1(m^2)**

14 ❶ 입체도형을 평면으로 자른 면 알아보기

입체도형을 선분 ㄱㄴ을 포함하는
평면으로 자르면 오른쪽과 같은 면
이 생깁니다.

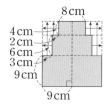

❷ 입체도형을 평면으로 자른 면의 둘레 구하기

선분 ㄱㄴ을 포함하는 평면으로 자른 면의 둘레는 가
로가 9＋9=18(cm), 세로가 4＋6＋9=19(cm)
인 직사각형의 둘레와 같습니다.

→ (평면으로 자른 면의 둘레)
$=(18+19)×2$
$=37×2=$**74(cm)**

15 ❶ 나무토막을 이루는 각 면의 넓이 구하기

(한 밑면의 넓이)

$=14×10-3×3×3.14=111.74(cm^2)$

(직육면체의 옆면의 넓이)

$=(14×20+10×20)×2=960(cm^2)$

(원기둥의 옆면의 넓이)

$=3×2×3.14×20=376.8(cm^2)$

❷ 페인트가 묻은 부분의 넓이 구하기

(페인트가 묻은 부분의 넓이)

$=111.74×2+960+376.8$

$=$**1560.28(cm^2)**

1 3 : 5	**2** 20 cm
3 404 cm²	**4** 1507.2 cm²
5 21 cm	**6** 9 cm

1 ❶ 평면도형으로 만든 입체도형을 앞에서 본 모양의 넓이 구하기

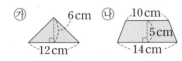

• 왼쪽 평면도형으로 만든 입체도형을 앞에서 본 모양 ㉮는 밑변의 길이가 $6 \times 2 = 12$(cm), 높이가 6 cm인 삼각형입니다.

(㉮의 넓이)$= 12 \times 6 \div 2 = 36$(cm²)

• 오른쪽 평면도형으로 만든 입체도형을 앞에서 본 모양 ㉯는 윗변의 길이가 $(4+1) \times 2 = 10$(cm), 아랫변의 길이가 $(6+1) \times 2 = 14$(cm), 높이가 5 cm인 사다리꼴입니다.

(㉯의 넓이)$= (10+14) \times 5 \div 2 = 60$(cm²)

❷ ㉮와 ㉯의 넓이의 비를 가장 간단한 자연수의 비로 나타내기

(㉮의 넓이) : (㉯의 넓이)
$= 36 : 60 = (36 \div 12) : (60 \div 12) = $ **3 : 5**

2 ❶ 각각 만들 수 있는 원기둥의 높이 구하기

• 동민:

(한 밑면의 둘레)
$= 5 \times 2 \times 3 = 30$(cm)

(높이)$= 28 - 10 - 10 = 8$(cm)

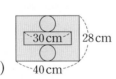

• 윤지:

(한 밑면의 둘레)
$= 6 \times 2 \times 3 = 36$(cm)

(높이)$= 28 - 12 - 12 = 4$(cm)

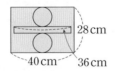

• 서율: (한 밑면의 둘레)$= 4 \times 2 \times 3 = 24$(cm)

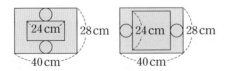

⌈ (높이)$= 28 - 8 - 8 = 12$(cm)
⌊ (높이)$= 40 - 8 - 8 = 24$(cm) → 최대 높이

❷ 만든 상자의 높이가 가장 높은 사람과 가장 낮은 사람의 높이의 차 구하기

(상자의 높이가 가장 높은 사람과 가장 낮은 사람의 높이의 차)$= 24 - 4 = $ **20(cm)**

3 ❶ 한 밑면의 넓이 구하기

(한 밑면의 넓이)

$=$(반지름이 8 cm인 원의 넓이)$\times \dfrac{1}{4}$

$= 8 \times 8 \times 3 \times \dfrac{1}{4} = 48$(cm²)

❷ 옆면의 넓이 구하기

(옆면의 가로)$= 8 + 8 + 8 \times 2 \times 3 \times \dfrac{1}{4}$

$\qquad\qquad\quad = 8 + 8 + 12 = 28$(cm)

(옆면의 세로)$= 11$ cm

(옆면의 넓이)$= 28 \times 11 = 308$(cm²)

❸ 전개도의 넓이 구하기

(전개도의 넓이)$= 48 \times 2 + 308$

$\qquad\qquad\qquad = 96 + 308 = $ **404(cm²)**

4 ❶ 입체도형의 한 밑면의 넓이 구하기

(바깥쪽 원기둥의 밑면의 원주)
$= 219.8 \div 5 = 43.96$(cm)

(바깥쪽 원기둥의 지름)
$= 43.96 \div 3.14 = 14$(cm)

(바깥쪽 원기둥의 반지름)$= 14 \div 2 = 7$(cm)

(입체도형의 한 밑면의 넓이)
$= 7 \times 7 \times 3.14 - 3 \times 3 \times 3.14$
$= 153.86 - 28.26 = 125.6$(cm²)

❷ 바깥쪽과 안쪽 원기둥의 옆면의 넓이 각각 구하기

(바깥쪽 원기둥의 옆면의 넓이)
$= 14 \times 3.14 \times 20 = 879.2$(cm²)

(안쪽 원기둥의 옆면의 넓이)
$= 6 \times 3.14 \times 20 = 376.8$(cm²)

❸ 입체도형의 모든 면의 넓이의 합 구하기

(입체도형의 모든 면의 넓이의 합)
$= 125.6 \times 2 + 879.2 + 376.8$
$= 251.2 + 879.2 + 376.8 = $ **1507.2(cm²)**

5 ❶ 맷돌을 앞에서 본 모양 알아보기

맷돌을 앞에서 본 모양은 다음과 같습니다.

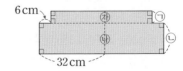

㉠의 길이를 $(2 \times \square)$ cm, ㉡의 길이를 $(5 \times \square)$ cm라 하면 ㉮는 가로가 $(32 - 6) \times 2 = 52$(cm), 세로가 $(2 \times \square)$ cm인 직사각형이므로

(㉮의 넓이)$= (52 \times 2 \times \square)$ cm²
$\qquad\qquad\quad = (104 \times \square)$ cm² 입니다.

⊕는 가로가 $32 \times 2 = 64$ (cm),
세로가 $(5 \times \square)$ cm인 직사각형이므로
(⊕의 넓이) $= (64 \times 5 \times \square)$ cm^2
$= (320 \times \square)$ cm^2 입니다.

❷ ㉠과 ㉡의 길이 각각 구하기

$104 \times \square + 320 \times \square = 1272$, $424 \times \square = 1272$,
$\square = 3$
㉠ $= 2 \times 3 = 6$ (cm), ㉡ $= 5 \times 3 = 15$ (cm)

❸ 맷돌의 높이 구하기

(맷돌의 높이) $= 6 + 15$
$= \mathbf{21}$ **(cm)**

6
> ・(자른 나무토막의 수)
> =(자른 횟수)+1
>
> 다음과 같은 원기둥 모양의 통나무를 같은 간격으로 4번 잘랐습니다. 자른 나무토막의 모든 면의 넓이의 합은 자르기 전 통나무의 모든 면의 넓이의 합의 2배입니다. **자른 나무토막 한 개의 높이**는 몇 **cm**인지 구해 보세요. (원주율: 3.1)
> ・(자르기 전 통나무의 높이)÷5
>
> 15 cm

❶ 자른 나무토막의 수 구하기

(자른 나무토막의 수) $= 4 + 1 = 5$ (개)

❷ 자르기 전 통나무의 높이 구하기

자르기 전 통나무의 한 밑면의 넓이를 ㉠ cm^2,
자르기 전 통나무의 옆면의 넓이를 ㉡ cm^2 라 하면
(자르기 전 통나무의 모든 면의 넓이의 합)
$= (㉠ \times 2 + ㉡)$ cm^2 입니다.
(자른 나무토막의 밑면의 넓이의 합)
$= (㉠ \times 10)$ cm^2
(자른 나무토막의 옆면의 넓이의 합)
$= ㉡$ cm^2
(자른 나무토막의 모든 면의 넓이의 합)
$= (㉠ \times 10 + ㉡)$ cm^2
$= (㉠ \times 2 + ㉡ + ㉠ \times 8)$ cm^2
(자른 나무토막의 모든 면의 넓이의 합)
$= $ (자르기 전 통나무의 모든 면의 넓이의 합) $\times 2$
이므로
$㉠ \times 2 + ㉡ + ㉠ \times 8 = (㉠ \times 2 + ㉡) \times 2$,
$㉠ \times 8 = ㉠ \times 2 + ㉡$, $㉠ \times 6 = ㉡$ 입니다.
자르기 전 통나무의 높이를 $\square$ cm라 하면
$15 \times 15 \times 3.1 \times 6 = 15 \times 2 \times 3.1 \times \square$ 입니다.
$4185 = 93 \times \square$, $\square = 45$

> 자르기 전 통나무의 모든 면의 넓이의 합과 자른 나무토막의 모든 면의 넓이의 합 사이의 관계를 하나의 식으로 나타냅니다.

❸ 자른 나무토막 한 개의 높이 구하기

(자른 나무토막 한 개의 높이) $= 45 \div 5 = \mathbf{9}$ **(cm)**

---

01 2 cm
02 ㉢
03 50.24 cm, 200.96 cm^2
04 8 cm
05 108 cm^2
06 미정, 86.8 cm^2
07 98 cm^2
08 84 cm^2
09 669.6 cm^2
10 8 cm
11 108 cm
12 1758.4 cm^2

01 ❶ 높이와 모선의 길이 각각 구하기
높이: 24 cm, 모선의 길이: 26 cm

❷ 높이와 모선의 길이의 차 구하기
(높이와 모선의 길이의 차)
$= 26 - 24 = \mathbf{2}$ **(cm)**

02 ❶ 각각의 설명 알아보기
㉠ 원기둥에는 뾰족한 부분이 없습니다.
㉡ 원뿔은 밑면이 1개입니다.
㉢ 원기둥과 원뿔은 밑면의 모양이 모두 원입니다.

❷ 바르게 설명한 것 찾기
원기둥과 원뿔에 대해 바르게 설명한 것은 ㉢입니다.

03 ❶ 위에서 본 모양 알아보기
구를 위에서 본 모양은 오른쪽과 같은 원입니다.

8 cm

❷ 위에서 본 모양의 둘레와 넓이 각각 구하기
(위에서 본 모양의 둘레)
$= 8 \times 2 \times 3.14 = \mathbf{50.24}$ **(cm)**
(위에서 본 모양의 넓이)
$= 8 \times 8 \times 3.14 = \mathbf{200.96}$ **(cm^2)**

04 ❶ 모선에 사용한 철사의 길이 구하기
(밑면에 사용한 철사의 길이)
$= 8 \times 2 \times 3.14 = 50.24$ (cm)
(모선에 사용한 철사의 길이)
$= 90.24 - 50.24 = 40$ (cm)

❷ 선분 ㄱㅁ의 길이 구하기
(선분 ㄱㅁ) $= 40 \div 5 = \mathbf{8}$ **(cm)**

05 ❶ 밑면의 반지름 구하기
밑면의 반지름을 $\square$ cm라 하면
(한 밑면의 둘레) $= (\square \times 2 \times 3)$ cm $= (\square \times 6)$ cm
➡ $\square \times 6 \times 4 + 13 \times 2 = 170$, $\square \times 24 + 26 = 170$,
$\square \times 24 = 144$, $\square = 6$

❷ 한 밑면의 넓이 구하기
(한 밑면의 넓이) $= 6 \times 6 \times 3 = \mathbf{108}$ **(cm^2)**

06 ❶ **사용한 포장지의 넓이 각각 구하기**
- 윤재: $(6 \times 6 \times 3.1) \times 2 + 12 \times 3.1 \times 8$
  $= 223.2 + 297.6 = 520.8 (cm^2)$
- 미정: $(7 \times 7 \times 3.1) \times 2 + 7 \times 2 \times 3.1 \times 7$
  $= 303.8 + 303.8 = 607.6 (cm^2)$

❷ **사용한 포장지의 넓이는 누가 몇 cm^2 더 넓은지 구하기**
사용한 포장지의 넓이는 **미정**이가
$607.6 - 520.8 = $ **86.8(cm²)** 더 넓습니다.

07 ❶ **평면으로 자른 면 알아보기**
입체도형을 선분 ㄱㄴ을 포함하는
평면으로 자르면 오른쪽과 같은 면
이 생깁니다.

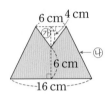

❷ **평면으로 자른 면의 넓이 구하기**
(삼각형 ㉮의 넓이)
$= 6 \times 4 \div 2 = 12 (cm^2)$
(사다리꼴 ㉯의 넓이)
$= (6 + 16) \times 10 \div 2 = 110 (cm^2)$
(평면으로 자른 면의 넓이)
$= 110 - 12 = $ **98(cm²)**

08 ❶ **전개도로 만들 수 있는 입체도형의 밑면의 반지름 구하기**
전개도로 만들 수 있는 입체도형은 원기둥입니다.
원기둥의 밑면의 반지름을 □cm라 하면
$\square \times 2 \times 3.1 \times 12 = 520.8$입니다.
$\square \times 74.4 = 520.8$, $\square = 7$

❷ **돌리기 전의 평면도형의 넓이 구하기**
돌리기 전의 평면도형은 가로가 7 cm,
세로가 12 cm인 직사각형입니다.

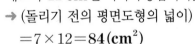

→ (돌리기 전의 평면도형의 넓이)
$= 7 \times 12 = $ **84(cm²)**

09 ❶ **종이의 넓이 구하기**
(종이의 넓이) $= 37.2 \times 33 = 1227.6 (cm^2)$

❷ **전개도의 넓이 구하기**
(한 밑면의 둘레) $=$ (옆면의 가로) $= 37.2$ cm
밑면의 반지름을 □cm라 하면
$\square \times 2 \times 3.1 = 37.2$, $\square \times 6.2 = 37.2$, $\square = 6$입니다.
(높이) $=$ (옆면의 세로) $= 33 - 12 - 12 = 9 (cm)$
(전개도의 넓이)
$= (6 \times 6 \times 3.1) \times 2 + 37.2 \times 9$
$= 223.2 + 334.8 = 558 (cm^2)$

❸ **남은 종이의 넓이 구하기**
(남은 종이의 넓이)
$= 1227.6 - 558 = $ **669.6(cm²)**

10 ❶ **각 부분의 넓이 알아보기**
입체도형의 높이를 □cm라 하고 ㉠, ㉡, ㉢의 넓이
를 각각 알아봅니다.

(㉠의 넓이) $= 2 \times 2 \times 3 \div 2 = 6 (cm^2)$
(㉡의 넓이) $= (4 \times 3 \div 2 \times \square) cm^2 = (6 \times \square) cm^2$
(㉢의 넓이) $= (4 \times \square) cm^2$

❷ **입체도형의 높이 구하기**
$6 \times 2 + 6 \times \square + 4 \times \square = 92$,
$12 + 10 \times \square = 92$, $10 \times \square = 80$, $\square = 8$
→ (입체도형의 높이) $= $ **8 cm**

11 ❶ **입체도형을 평면으로 자른 면 알아보기**
입체도형을 선분 ㄱㄴ을 포함하는
평면으로 자른 면은 오른쪽과 같
습니다.

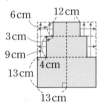

❷ **입체도형을 평면으로 자른 면의 둘레 구하기**
선분 ㄱㄴ을 포함하는 평면으로 자른 면의 둘레는
가로가 $13 + 13 = 26 (cm)$,
세로가 $6 + 9 + 13 = 28 (cm)$인
직사각형의 둘레와 같습니다.
→ (평면으로 자른 면의 둘레)
$= (26 + 28) \times 2 = 54 \times 2 = $ **108(cm)**

12 ❶ **입체도형의 한 밑면의 넓이 구하기**
(바깥쪽 원기둥의 밑면의 원주)
$= 200.96 \div 4 = 50.24 (cm)$
(바깥쪽 원기둥의 지름) $= 50.24 \div 3.14 = 16 (cm)$
(바깥쪽 원기둥의 반지름) $= 16 \div 2 = 8 (cm)$
(입체도형의 한 밑면의 넓이)
$= 8 \times 8 \times 3.14 - 2 \times 2 \times 3.14$
$= 200.96 - 12.56 = 188.4 (cm^2)$

❷ **바깥쪽과 안쪽 원기둥의 옆면의 넓이 각각 구하기**
(바깥쪽 원기둥의 옆면의 넓이)
$= 16 \times 3.14 \times 22 = 1105.28 (cm^2)$
(안쪽 원기둥의 옆면의 넓이)
$= 4 \times 3.14 \times 22 = 276.32 (cm^2)$

❸ **입체도형의 모든 면의 넓이의 합 구하기**
(입체도형의 모든 면의 넓이의 합)
$= 188.4 \times 2 + 1105.28 + 276.32$
$= 376.8 + 1105.28 + 276.32$
$= $ **1758.4(cm²)**

경시대회 예상 문제

A형 1. 분수의 나눗셈   01~02쪽

1 $5\dfrac{5}{6}$ **2** $1\dfrac{13}{27}$배

3 $1\dfrac{5}{9}$ m   **4** 18

5 예 ❶ (통나무 1 m의 무게)

$$=\frac{14}{15}\div\frac{7}{8}=\frac{\overset{2}{14}}{15}\times\frac{8}{\underset{1}{7}}=\frac{16}{15}\,(\text{kg}) \blacktriangleright 5점$$

    ❷ (통나무 9 m의 무게)

$$=\frac{16}{\underset{5}{15}}\times\overset{3}{9}=\frac{48}{5}=9\frac{3}{5}\,(\text{kg}) \blacktriangleright 3점$$

    / $9\dfrac{3}{5}$ kg

6 $\dfrac{8}{9}\div\dfrac{5}{9}$ **7** $1\dfrac{11}{28}$ **8** $1\dfrac{7}{8}$ m

9 예 ❶ 6학년 전체 학생 수를 □명이라 하면

    $\square\times\dfrac{6}{11}=96$, $\square=96\div\dfrac{6}{11}=176$입니다. ▶7점

    ❷ (6학년 여학생 수)$=176-96=80$(명) ▶3점

    / 80명

10 $\dfrac{3}{7}$ **11** 영호, $1\dfrac{23}{30}$ km   **12** 13시간 48분

---

1 · $\dfrac{7}{8}\div\dfrac{3}{8}=7\div3=\dfrac{7}{3}$

    · $\square\times\dfrac{2}{5}=\dfrac{7}{3}$ → $\square=\dfrac{7}{3}\div\dfrac{2}{5}=\dfrac{35}{6}=\mathbf{5\dfrac{5}{6}}$

4 $20\div\dfrac{5}{\bigcirc}=\overset{4}{20}\times\dfrac{\bigcirc}{\underset{1}{5}}=4\times\bigcirc$, $16<4\times\bigcirc<30$이

므로 ㉠에 알맞은 자연수는 5, 6, 7입니다.
→ $5+6+7=\mathbf{18}$

5

채점 기준	❶ 통나무 1 m의 무게 구하기	5점
	❷ 통나무 9 m의 무게 구하기	3점

6 분모가 10보다 작은 진분수이고 분자 중에 8이 있으
므로 분모는 9입니다. 두 분수의 분모가 같고 $8\div5$
를 이용하여 계산할 수 있으므로 $\dfrac{8}{9}\div\dfrac{5}{9}$입니다.

---

7 (눈금 11칸의 크기)$=\dfrac{7}{8}-\dfrac{5}{12}=\dfrac{21}{24}-\dfrac{10}{24}=\dfrac{11}{24}$

   (눈금 한 칸의 크기)$=\dfrac{11}{24}\div11=\dfrac{\overset{1}{11}}{24}\times\dfrac{1}{\underset{1}{11}}=\dfrac{1}{24}$

   $\bigcirc=\dfrac{5}{12}+\dfrac{1}{\underset{8}{24}}\times\overset{1}{3}=\dfrac{5}{12}+\dfrac{1}{8}=\dfrac{13}{24}$

   → $\bigcirc\div\dfrac{7}{18}=\dfrac{13}{24}\div\dfrac{7}{18}=\dfrac{13}{\underset{4}{24}}\times\dfrac{\overset{3}{18}}{7}=\dfrac{39}{28}=\mathbf{1\dfrac{11}{28}}$

8 (평행사변형 가의 넓이)

$$=1\frac{3}{4}\times\frac{3}{7}=\frac{\overset{1}{7}}{4}\times\frac{3}{\underset{1}{7}}=\frac{3}{4}\,(\text{m}^2)$$

   마름모 나의 다른 대각선의 길이를 □ m라 하면

   $\square\times\dfrac{4}{5}\div2=\dfrac{3}{4}$입니다.

   $\square=\dfrac{3}{4}\times2\div\dfrac{4}{5}=\dfrac{3}{\underset{2}{4}}\times\overset{1}{2}\times\dfrac{5}{4}=\dfrac{15}{8}=1\dfrac{7}{8}$

   → (다른 대각선의 길이)$=\dfrac{15}{8}$ m$=\mathbf{1\dfrac{7}{8}}$ **m**

9

채점 기준	❶ 6학년 전체 학생 수 구하기	7점
	❷ 6학년 여학생 수 구하기	3점

10 $\dfrac{5}{8}\blacklozenge\dfrac{1}{4}=\left(\dfrac{5}{8}-\dfrac{1}{4}\right)\div\left(\dfrac{5}{8}+\dfrac{1}{4}\right)=\dfrac{3}{8}\div\dfrac{7}{8}=\mathbf{\dfrac{3}{7}}$

11 (동우가 한 시간 동안 가는 거리)

$$=4\frac{3}{8}\div\frac{3}{4}=\frac{35}{\underset{2}{8}}\times\frac{\overset{1}{4}}{3}=\frac{35}{6}=5\frac{5}{6}\,(\text{km})$$

   (영호가 한 시간 동안 가는 거리)

$$=3\frac{1}{6}\div\frac{5}{12}=\frac{19}{\underset{1}{6}}\times\frac{\overset{2}{12}}{5}=\frac{38}{5}=7\frac{3}{5}\,(\text{km})$$

   → **영호**가 $7\dfrac{3}{5}-5\dfrac{5}{6}=7\dfrac{18}{30}-5\dfrac{25}{30}=\mathbf{1\dfrac{23}{30}}$**(km)**
   더 멀리 갑니다.

12 낮의 길이를 □시간이라 하면 밤의 길이는

   $\left(\square\times\dfrac{17}{23}\right)$시간이므로 $\square+\square\times\dfrac{17}{23}=24$입니다.

   $\square\times1\dfrac{17}{23}=24$, $\square=24\div1\dfrac{17}{23}=\overset{3}{24}\times\dfrac{23}{\underset{5}{40}}=13\dfrac{4}{5}$

   → $13\dfrac{4}{5}$시간$=13\dfrac{48}{60}$시간$=\mathbf{13}$**시간** $\mathbf{48}$**분**

1 18 **2** ㉡

3 예 ❶ (거북이 1분 동안 갈 수 있는 거리)

$$=\frac{7}{12}\div\frac{1}{8}=\frac{7}{\cancel{12}}\times\cancel{8}^{2}=\frac{14}{3}(m)\ \blacktriangleright 5점$$

❷ (거북이 3분 동안 갈 수 있는 거리)

$$=\frac{14}{\cancel{3}}\times\cancel{3}^{1}=14(m)\ \blacktriangleright 3점\ /\ 14\,m$$

4 6개 **5** 12개

6 예 ❶ 어떤 분수를 □라 하면

$$\square\times\frac{6}{11}=9입니다.\ \blacktriangleright 3점$$

❷ $\square=9\div\frac{6}{11}=\cancel{9}^{3}\times\frac{11}{\cancel{6}_{2}}=\frac{33}{2}=16\frac{1}{2}\ \blacktriangleright 5점$

$/\ 16\frac{1}{2}$

7 70개 **8** $3\frac{1}{8}$ cm **9** $42\,m^2$

10 $6\frac{3}{10}$ **11** 330 g **12** $9\frac{3}{5}$ cm

---

1 $\frac{16}{5}=3\frac{1}{5}$이므로 $8>\frac{16}{5}>\frac{4}{9}$입니다.

$\rightarrow 8\div\frac{4}{9}=\cancel{8}^{2}\times\frac{9}{\cancel{4}_{1}}=18$

3

채점	❶ 거북이 1분 동안 갈 수 있는 거리 구하기	5점
기준	❷ 거북이 3분 동안 갈 수 있는 거리 구하기	3점

5 막대자석의 수를 □개라 하면 $6\frac{3}{4}\times\square=81$입니다.

$\square=81\div6\frac{3}{4}=81\div\frac{27}{4}=\cancel{81}^{3}\times\frac{4}{\cancel{27}_{1}}=12$

$\rightarrow$ 이어 붙인 막대자석은 **12개**입니다.

6

채점	❶ 문제에 알맞은 식 만들기	3점
기준	❷ 어떤 분수 구하기	5점

7 (공장에서 장난감을 만드는 시간)$=6\times7=42$(시간)

$\rightarrow 42\div\frac{3}{5}=\cancel{42}^{14}\times\frac{5}{\cancel{3}_{1}}=\textbf{70(개)}$

8 삼각형의 밑변의 길이를 □cm라 하면

$\square\times2\frac{2}{5}\div2=3\frac{3}{4}$입니다.

$\square=3\frac{3}{4}\times2\div2\frac{2}{5}=\frac{25}{8}=3\frac{1}{8}$

$\rightarrow$ (삼각형의 밑변의 길이)$=3\frac{1}{8}$ **cm**

9 (벽의 넓이)$=4\frac{4}{5}\times2\frac{2}{9}=\frac{\cancel{24}^{8}}{\cancel{5}_{1}}\times\frac{\cancel{20}^{4}}{\cancel{9}_{3}}=\frac{32}{3}(m^2)$

(1 L의 페인트로 칠할 수 있는 벽의 넓이)

$=\frac{32}{3}\div2\frac{2}{7}=\frac{\cancel{32}^{2}}{3}\times\frac{7}{\cancel{16}_{1}}=\frac{14}{3}(m^2)$

$\rightarrow\frac{14}{\cancel{3}_{1}}\times\cancel{9}^{3}=\textbf{42}(m^2)$

10 나누어지는 수가 클수록, 나누는 수가 작을수록 몫이 커집니다. 나누어지는 수는 9이고, 나누는 수는 1, 3, 7로 가장 작은 대분수를 만들면 $1\frac{3}{7}$입니다.

$\rightarrow 9\div1\frac{3}{7}=9\div\frac{10}{7}=9\times\frac{7}{10}=\frac{63}{10}=\textbf{6}\frac{3}{10}$

11 사용한 물의 양: 물병 전체의 $\frac{5}{\cancel{8}_{2}}\times\frac{\cancel{4}^{1}}{9}=\frac{5}{18}$

(사용한 물의 무게)$=600-480=120\,(g)$
빈 물병 전체를 채우는 물의 무게를 □g이라 하면

$\square\times\frac{5}{18}=120$입니다.

$\square=120\div\frac{5}{18}=\cancel{120}^{24}\times\frac{18}{\cancel{5}_{1}}=432$

(물병 전체의 $\frac{5}{8}$만큼 채운 물의 무게)

$=\cancel{432}^{54}\times\frac{5}{\cancel{8}_{1}}=270\,(g)$

$\rightarrow$ (빈 물병의 무게)$=600-270=\textbf{330}\,(\textbf{g})$

12 (직사각형 ㄱㄴㄷㄹ의 넓이)

$=10\frac{4}{5}\times4\frac{4}{9}=\frac{\cancel{54}^{6}}{\cancel{5}_{1}}\times\frac{\cancel{40}^{8}}{\cancel{9}_{1}}=48\,(cm^2)$

(삼각형 ㄱㄴㅁ의 넓이)$=\cancel{48}^{16}\times\frac{4}{\cancel{9}_{3}}=\frac{64}{3}\,(cm^2)$

선분 ㄱㅁ의 길이를 □cm라 하면

$\square\times4\frac{4}{9}\div2=\frac{64}{3}$입니다.

$\square=\frac{64}{3}\times2\div4\frac{4}{9}=\frac{\cancel{64}^{16}}{\cancel{3}_{1}}\times2\times\frac{\cancel{9}^{3}}{\cancel{40}_{5}}=\frac{48}{5}=9\frac{3}{5}$

경시대비북 예상문제

1 2배   **2** ㉡

3 4 cm   **4** 0.05

5 예 ❶ (철근 1 m의 무게)
$=84 \div 17.5 = 4.8 \, (kg)$ ▶5점

❷ (철근 5 m의 무게)$= 4.8 \times 5 = 24 \, (kg)$ ▶3점
/ 24 kg

6 19통   **7** 7

8 예 ❶ 1시간 24분$=1\frac{24}{60}$시간$=1.4$시간

(트럭이 1시간 동안 달리는 거리)
$=119 \div 1.4 = 85 \, (km)$ ▶7점

❷ (트럭이 3시간 동안 달리는 거리)
$=85 \times 3 = 255 \, (km)$ ▶3점 / 255 km

9 7.83 kg   **10** 45

11 1.7 kg   **12** 4시간

---

1 ㉠ $30 \div 0.6 = 50$

㉡ $24 \div 0.96 = 25$

→ ㉠$\div$㉡$= 50 \div 25 = $**2(배)**

4 $47.6 \div 5.2 = 9.153 \cdots\cdots$

• 반올림하여 소수 첫째 자리까지: $9.15\cdots\cdots \rightarrow 9.2$

• 반올림하여 소수 둘째 자리까지: $9.153\cdots\cdots \rightarrow 9.15$

→ $9.2 - 9.15 = $**0.05**

5

채점 기준		
❶ 철근 1 m의 무게 구하기		5점
❷ 철근 5 m의 무게 구하기		3점

6 (벽의 넓이)$= 6.4 \times 3.5 = 22.4 \, (m^2)$

$411.6 \div 22.4 = 18 \cdots 8.4$

→ 페인트가 적어도 $18 + 1 = $**19(통)** 필요합니다.

7 $47 \div 11 = 4.27\,27\,27 \cdots\cdots$

따라서 몫의 소수 16째 자리 숫자는 소수 둘째 자리 숫자와 같은 **7**입니다.

8

채점 기준		
❶ 트럭이 1시간 동안 달리는 거리 구하기		7점
❷ 트럭이 3시간 동안 달리는 거리 구하기		3점

9 ㉮ 행성에서 잰 몸무게는 지구에서 잰 몸무게의

$7 \div 42 = \frac{7}{42} = \frac{1}{6}$(배)입니다.

(지구에서 잰 정현이의 몸무게)
$= 169.2 \div 3.6 = 47 \, (kg)$

(㉮ 행성에서 잰 정현이의 몸무게)
$= 47 \div 6 = 7.833 \cdots\cdots \rightarrow $ **7.83 kg**

---

10 큰 수를 ㉠, 작은 수를 ㉡이라 하면
㉠$+$㉡$=73.6$, ㉠$-$㉡$=70.4$입니다.

• 두 식을 더하면 ㉠$+$㉠$=144$, ㉠$\times 2 = 144$,
㉠$= 144 \div 2 = 72$입니다.

• $72 + $㉡$= 73.6$, ㉡$= 73.6 - 72 = 1.6$

→ ㉠$\div$㉡$= 72 \div 1.6 = $**45**

11 (음료수 16개의 무게)$= 21.86 - 15.14 = 6.72 \, (kg)$

(음료수 1개의 무게)$= 6.72 \div 16 = 0.42 \, (kg)$

(음료수 48개의 무게)$= 0.42 \times 48 = 20.16 \, (kg)$

→ (빈 상자의 무게)$= 21.86 - 20.16 = $**1.7(kg)**

12 1시간 48분$= 1\frac{48}{60}$시간$= 1\frac{8}{10}$시간$= 1.8$시간

(배가 한 시간 동안 가는 거리)
$= 63 \div 1.8 = 35 \, (km)$

(배가 강물이 흐르는 방향으로 한 시간 동안 가는 거리)
$= 12.5 + 35 = 47.5 \, (km)$

→ (배가 강물이 흐르는 방향으로 190 km를 가는 데 걸리는 시간)
$= 190 \div 47.5 = $**4(시간)**

1 2.2

2 예 ❶ $23.94 > 22 > 17.6 > 3.8$이므로 가장 큰 수는 23.94이고, 가장 작은 수는 3.8입니다. ▶2점

❷ (가장 큰 수)$\div$(가장 작은 수)
$= 23.94 \div 3.8 = 6.3$ ▶3점 / 6.3

3 2시간 15분   **4** 4개

5 2.04   **6** 12 m^2

7 5.8 cm

8 예 ❶ 어떤 수를 □라 하면 □$\times 2.4 = 324$입니다.
□$= 324 \div 2.4 = 135$ ▶5점

❷ 따라서 바르게 계산하면 $135 \div 2.4 = 56.25$입니다. ▶5점 / 56.25

9 46 L   **10** 9

11 58개   **12** 7.7 cm

---

1 • $15.6 \div 2.6 = 6$

• $34.03 \div 4.15 = 8.2$

→ $8.2 - 6 = $**2.2**

2

채점 기준		
❶ 가장 큰 수와 가장 작은 수 각각 구하기		2점
❷ 가장 큰 수를 가장 작은 수로 나눈 몫 구하기		3점

3 (162 km를 달리는 데 걸리는 시간)
$=162÷1.2=135$(분)
➜ 135분$=120$분$+15$분 **2시간 15분**

4 $16.38÷3.9=4.2$, $5.44÷0.64=8.5$
➜ $4.2<□<8.5$이므로 □ 안에 들어갈 수 있는 자연수는 5, 6, 7, 8로 모두 **4개**입니다.

6 (사용한 페인트의 양)$=598+845=1443$(mL)
➜ (칠한 벽의 넓이)
$=1443÷120.25=$**12(m^2)**

7 삼각형의 높이를 □ cm라 하면
$9.2×□÷2=26.68$입니다.
$□=26.68×2÷9.2=53.36÷9.2=5.8$
➜ (삼각형의 높이)$=$**5.8 cm**

8

채점 기준	❶ 어떤 수 구하기	5점
	❷ 바르게 계산하기	5점

9 (가 자동차의 연비)$=438÷36.5=12$
(나 자동차의 연비)$=680.4÷50.4=13.5$
$12<13.5$이므로 연비가 더 높은 자동차는 나 자동차입니다.
따라서 나 자동차를 타고 621 km를 가려면
$621÷13.5=$**46(L)**의 연료가 필요합니다.

10 몫을 반올림하여 소수 둘째 자리까지 나타내면 0.65이므로 $3.□2÷6$의 몫은 0.645 이상 0.655 미만인 수입니다.
따라서 $3.□2$는 $0.645×6=3.87$ 이상
$0.655×6=3.93$ 미만인 수이므로 □ 안에 알맞은 수는 9입니다.

11 (터널의 한쪽의 간격의 수)
$=122.88÷3.84=32$(군데)
(터널의 한쪽에 단 조명등의 수)
$=32+1=$33(개)
(터널의 다른 한쪽의 간격 수)
$=122.88÷5.12=24$(군데)
(터널의 다른 한쪽에 단 조명등의 수)
$=24+1=$25(개)
➜ (터널의 양쪽에 단 조명등 수의 합)
$=33+25=$**58(개)**

12 (삼각형 ㄱㄴㄷ의 넓이)
$=24.5×9.6÷2=117.6$(cm^2)
(삼각형 ㄹㅁㄷ의 넓이)
$=117.6×1.6=188.16$(cm^2)

선분 ㅁㄷ의 길이를 □ cm라 하면
$□×22.4÷2=188.16$입니다.
$□=188.16×2÷22.4=376.32÷22.4=16.8$
➜ (선분 ㄴㅁ)$=24.5-16.8=$**7.7(cm)**

1 ㉢   **2** ㉠

3 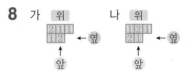 / 10개   **4** 가, 나 / 가, 다

5 (예) ❶ 2층 이상에 쌓인 쌓기나무는 2층에 6개, 3층에 3개, 4층에 1개입니다. ▶5점
❷ (2층 이상에 쌓인 쌓기나무의 수의 합)
$=6+3+1=10$(개) ▶3점 / 10개

6 ㉡   **7** 다

8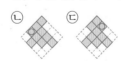

9 현지, 1개

10 1376 cm^2

11 (예) ❶ (사용한 쌓기나무의 수)
$=3+2+1+2+1+3=12$(개) ▶4점
❷ 가장 작은 정육면체 모양을 만들려면 쌓기나무가 한 모서리에 3개씩 필요하므로
$3×3×3=27$(개)입니다.
➜ (더 필요한 쌓기나무의 수)
$=27-12=15$(개) ▶6점
/ 15개

12 17개, 13개

---

1 ㉠은 뒤에서, ㉡은 앞에서 찍은 사진입니다.
➜ 가능하지 않은 사진은 ㉢입니다.

2 ㉡, ㉢을 앞에서 보면 ○표 한 쌓기나무가 보입니다.

㉡ ㉢

3 쌓기나무를 층별로 나타낸 모양에서 1층의 ○ 부분은 쌓기나무가 3층까지 있고, △ 부분은 쌓기나무가 2층까지 있습니다. 나머지 부분은 1층만 쌓기나무가 있습니다.
➜ 똑같은 모양으로 쌓는 데 필요한 쌓기나무는 **10개**입니다.

4

가, 나 / 가, 다

5

채점	❶ 2층 이상의 각 층에 쌓인 쌓기나무의 수 구하기	5점
기준	❷ 2층 이상에 쌓인 쌓기나무의 수의 합 구하기	3점

6 ⓒ 위에서 본 모양에 수를 쓰면 오른쪽과 같습니다. 빗금 친 자리에는 1 또는 2가 들어갈 수 있으므로 만들어지는 모양이 한 개가 아닌 것은 ⓒ입니다.

7 가 나 라

따라서 두 가지 모양을 사용하여 만들 수 없는 모양은 다입니다.

8 쌓기나무 7개를 사용해야 하는 조건과 위에서 본 모양에 의해 2층 이상에 쌓인 쌓기나무는 2개입니다. 1층에 5개의 쌓기나무를 위에서 본 모양과 같이 놓고 나머지 2개의 위치를 이동하면서 위, 앞, 옆에서 본 모양이 서로 같도록 만듭니다.

9 • 승우: $3+1+1+1+2+1=9$(개)
• 현지: $4+1+1+2+2=10$(개)
➔ **현지**가 사용한 쌓기나무가
$10-9=$**1(개)** 더 많습니다.

10 (모든 겉면의 수)
$=(25+9+9)\times2$
$=43\times2=86$(개)
(쌓기나무 한 개의 한 면의 넓이)
$=4\times4=16$ (cm^2)
➔ (쌓기나무로 만든 모양의 겉넓이)
$=16\times86=$**1376(cm^2)**

11

채점	❶ 사용한 쌓기나무의 수 구하기	4점
기준	❷ 더 필요한 쌓기나무의 수 구하기	6점

12 위, 앞, 옆에서 본 모양을 보고 위에서 본 모양의 각 자리에 쌓은 쌓기나무의 수를 쓰면 오른쪽과 같습니다.
• 가장 많은 경우: ⊙=ⓒ=3일 때
➔ $3+3+1+1+1+1+3+3+1=$**17(개)**
• 가장 적은 경우: ⊙=ⓒ=1일 때
➔ $3+1+1+1+1+1+1+3+1=$**13(개)**

B형 **3. 공간과 입체** 11~12쪽

1 13개 **2** ③, ②, ①
3 위 / 9개 **4**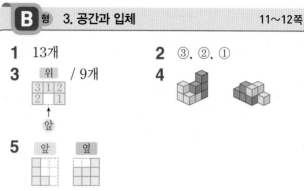

5 앞 옆

6 예 ❶ ㉮는 아래쪽부터 놓여 있지 않으므로 위에서 본 모양입니다. ㉮는 가로로 3칸이므로 앞에서 본 모양은 ㉰이고, ㉮는 세로로 2칸이므로 옆에서 본 모양은 ㉯입니다. ▶4점

❷ ㉮ ▶4점

7 앞 옆

8 앞

9 정우, 1개 **10** 144 cm^2 **11** 3가지
12 예 ❶ (색칠된 면의 수의 합)
$=(20+10+8)\times2=76$(개)
(쌓기나무 한 개의 한 면의 넓이)
$=684\div76=9$(cm^2) ▶4점
❷ (쌓기나무 40개의 전체 면의 수)
$=6\times40=240$(개)
(색칠되지 않은 면의 수의 합)
$=240-76=164$(개) ▶3점
❸ (색칠되지 않은 면의 넓이의 합)
$=9\times164=1476$(cm^2) ▶3점 / 1476 cm^2

1 $3+2+1+2+3+1+1=$**13(개)**

3 위에서 본 모양은 1층 모양과 같습니다.
➔ (필요한 쌓기나무의 수)
$=3+1+2+2+1=$**9(개)**

5 쌓기나무 11개로 만든 모양이므로 보이지 않는 곳에 쌓기나무는 없습니다.

6

채점	❶ 위, 앞, 옆에서 본 모양 각각 찾기	4점
기준	❷ 위에서 본 모양에 쌓기나무의 수 쓰기	4점

7 위에서 본 모양의 각 자리에 쌓은 쌓기나무의 수를 쓰면 오른쪽과 같이 뒤쪽에 보이지 않는 쌓기나무가 있을 때 쌓기나무가 가장 많이 사용된 경우입니다.

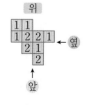

8 옆에서 본 모양을 보고 위에서 본 모양에 수를 쓰면 오른쪽과 같습니다.

쌓기나무 13개로 쌓았으므로 ㉠, ㉡, ㉢, ㉣에 쌓은 쌓기나무는 13−1−1−3=8(개)입니다.

㉠, ㉡, ㉢, ㉣이 쌓인 곳을 옆에서 보면 2층으로 보이므로 ㉠=㉡=㉢=㉣=2입니다.

9 (연아가 쌓은 모양에서 2층 이상에 쌓인 쌓기나무의 수)
=4+2=6(개)

(정우가 쌓은 모양에서 2층 이상에 쌓인 쌓기나무의 수)
=5+2=7(개)

→ **정우**가 7−6=**1(개)** 더 많습니다.

10 (보이는 겉면의 수의 합)=(6+6+5)×2=34(개)

(보이지 않는 겉면의 수의 합)=2개

(모든 겉면의 수)=34+2=36(개)

(쌓기나무 한 개의 한 면의 넓이)=2×2=4(cm²)

→ (쌓은 모양의 겉넓이)=4×36=**144(cm²)**

11 위, 앞, 옆에서 본 모양을 보고 위에서 본 모양의 각 자리에 쌓은 쌓기나무의 수를 쓰면 오른쪽과 같습니다.

㉠에는 3 이하인 수가 올 수 있습니다.

→ 만들 수 있는 서로 다른 모양은 모두 **3가지**입니다.

12
채점기준		
❶ 쌓기나무 한 개의 한 면의 넓이 구하기	4점
❷ 색칠되지 않은 면의 수의 합 구하기	3점
❸ 색칠되지 않은 면의 넓이의 합 구하기	3점

A형 4. 비례식과 비례배분 13~14쪽

1 연서 **2** ㉢ **3** 7 : 6
4 264 cm **5** 20개
6 예 ❶ 이번 주에 받은 용돈을 □원이라 하면
65 : 100=13000 : □입니다. ▶4점
❷ 65×□=100×13000, 65×□=1300000,
□=20000이므로 이번 주에 받은 용돈은
20000원입니다. ▶4점 / 20000원
7 240 cm²
8 예 ❶ (전체 우표 수)=69×2=138(장)
(지금 은혜가 가지고 있는 우표 수)
=138×$\frac{9}{9+14}$=138×$\frac{9}{23}$=54(장) ▶6점
❷ (은혜가 진웅이에게 준 우표 수)
=69−54=15(장) ▶4점 / 15장
9 100 g **10** 4000만 원
11 15 % **12** 10000원

---

1 [진우] $\frac{1}{3}$: $\frac{1}{9}$=$\left(\frac{1}{3}×9\right)$: $\left(\frac{1}{9}×9\right)$=3 : 1

[연서] 63 : 28=(63÷7) : (28÷7)=9 : 4

→ 바르게 나타낸 사람은 **연서**입니다.

4 7 : 4에서 전항에 12를 곱하면 84가 되므로 각 항에 12를 곱합니다.

7 : 4=(7×12) : (4×12)=84 : 48

→ (직사각형의 둘레)
=(84+48)×2=**264(cm)**

5 • 소현: 52×$\frac{4}{4+9}$=52×$\frac{4}{13}$=16(개)

• 준우: 52×$\frac{9}{4+9}$=52×$\frac{9}{13}$=36(개)

→ 준우가 사탕을 36−16=**20(개)** 더 많이 가졌습니다.

6
채점기준		
❶ 문제에 알맞은 비례식 만들기	4점
❷ 이번 주에 받은 용돈 구하기	4점

7 직사각형 ㉠의 세로와 평행사변형 ㉡의 높이를 □cm라 하면

(직사각형 ㉠의 넓이)=(27×□) cm²,

(평행사변형 ㉡의 넓이)=(15×□) cm²입니다.

(27×□) : (15×□)=27 : 15=9 : 5

→ 672×$\frac{5}{9+5}$=672×$\frac{5}{14}$=**240(cm²)**

8
채점기준		
❶ 지금 은혜가 가지고 있는 우표 수 구하기	6점
❷ 은혜가 진웅이에게 준 우표 수 구하기	4점

9 물이 증발하는 것이므로 소금의 양은 변하지 않습니다.

(소금의 양)=400×$\frac{1}{7+1}$=400×$\frac{1}{8}$=50(g)

증발하고 남은 소금물의 양을 □g이라 하면

□×$\frac{1}{5+1}$=50, □×$\frac{1}{6}$=50, □=300입니다.

→ (증발한 물의 양)=400−300=**100(g)**

10 ㉮ 회사와 ㉯ 회사의 투자한 금액의 비는 4500만 : 3000만=3 : 2입니다.

전체 이익금을 □원이라 하면

□×$\frac{3}{3+2}$=2400만, □×$\frac{3}{5}$=2400만입니다.

□=2400만÷$\frac{3}{5}$=2400만×$\frac{5}{3}$=4000만

→ (전체 이익금)=**4000만 원**

11 원 ㉯의 넓이를 1이라 하고, 겹쳐진 부분의 넓이가
원 ㉯의 □만큼이라 하면

$㉮ \times \dfrac{3}{8} = ㉯ \times □$, $㉮ : ㉯ = □ : \dfrac{3}{8}$ 입니다.

$□ : \dfrac{3}{8} = 2 : 5$, $□ \times 5 = \dfrac{3}{8} \times 2$, $□ = \dfrac{3}{20}$

$\rightarrow \dfrac{3}{20} \times 100 = \mathbf{15(\%)}$

12 (은서의 용돈) $\times \dfrac{5}{12} =$ (동우의 용돈) $\times \dfrac{4}{9}$

(은서의 용돈) : (동우의 용돈) $= \dfrac{4}{9} : \dfrac{5}{12} = 16 : 15$

은서의 용돈을 $(16 \times □)$원, 동우의 용돈을
$(15 \times □)$원이라 하면

$16 \times □ - 15 \times □ = 1500$, $□ = 1500$입니다.

(은서의 용돈) $= 16 \times 1500 = 24000$(원)

$\rightarrow$ (물건의 가격) $= 24000 \times \dfrac{5}{12} = \mathbf{10000(원)}$

Ｂ 형 **4. 비례식과 비례배분** 15~16쪽

1 16 **2** 23 : 26
3 6, 15, 40
4 예 ❶ 남학생 수를 □명이라 하면 $6 : 7 = □ : 21$
입니다.
$6 \times 21 = 7 \times □$, $7 \times □ = 126$, $□ = 18$ ▶5점
❷ (유정이네 반 학생 수) $= 18 + 21 = 39$(명) ▶3점
/ 39명
5 540 cm^2 **6** 2.5
7 예 ❶ $6 : 13 = (6 \times □) : (13 \times □)$
$6 \times □ + 13 \times □ = 266$, $19 \times □ = 266$, $□ = 14$
두 자연수는 $6 \times 14 = 84$, $13 \times 14 = 182$입니다. ▶6점
❷ (두 자연수의 차) $= 182 - 84 = 98$ ▶2점 / 98
8 7 : 6 **9** 보라색, 3 g **10** 25번
11 오후 9시 39분 **12** 4명

---

2 (첨성대의 높이) : (다보탑의 높이)
$= 9.2 : 10.4 = (9.2 \times 10) : (10.4 \times 10)$
$= 92 : 104 = (92 \div 4) : (104 \div 4) = \mathbf{23 : 26}$

3 • ㉠ : 16 = ㉡ : ㉢에서 내항의 곱은 240이므로
$16 \times ㉡ = 240$입니다. $\rightarrow ㉡ = \mathbf{15}$

• $\dfrac{㉠}{16} = \dfrac{3}{8}$이므로 ㉠ = **6**입니다.

• $6 \times ㉢ = 240 \rightarrow ㉢ = \mathbf{40}$

4
채점 기준	❶ 남학생 수 구하기	5점
	❷ 유정이네 반 학생 수 구하기	3점

5 (가로와 세로의 합) $= 96 \div 2 = 48(\text{cm})$

(가로) $= 48 \times \dfrac{5}{5+3} = 48 \times \dfrac{5}{8} = 30(\text{cm})$

(세로) $= 48 \times \dfrac{3}{5+3} = 48 \times \dfrac{3}{8} = 18(\text{cm})$

$\rightarrow$ (직사각형의 넓이) $= 30 \times 18 = \mathbf{540(cm^2)}$

6 $40\% = \dfrac{40}{100} = 0.4$이므로 $㉮ \times 0.16 = ㉯ \times 0.4$입니다.

$㉮ : ㉯ = 0.4 : 0.16 = 40 : 16 = 5 : 2$

$\rightarrow \dfrac{㉮}{㉯} = \dfrac{5}{2} = \mathbf{2.5}$

7
채점 기준	❶ 두 자연수를 각각 구하기	6점
	❷ 두 자연수의 차 구하기	2점

8 ㉯ 상자에 담는 바둑돌의 수를 □개라 하면 ㉮ 상자
에 담는 바둑돌의 수는 $(□ + 15)$개입니다.

$□ + 15 + □ = 195$, $□ + □ = 180$, $□ = 90$
(㉮ 상자에 담는 바둑돌의 수) $= 90 + 15 = 105$(개)

$\rightarrow 105 : 90 = (105 \div 15) : (90 \div 15) = \mathbf{7 : 6}$

9 • 보라색: $40 \times \dfrac{3}{5+3} = 40 \times \dfrac{3}{8} = 15(\text{g})$

• 초록색: $66 \times \dfrac{2}{9+2} = 66 \times \dfrac{2}{11} = 12(\text{g})$

$\rightarrow$ **보라색**에 사용한 파란색 물감이 $15 - 12 = \mathbf{3(g)}$
더 많습니다.

10 (㉮의 톱니 수) : (㉯의 톱니 수)
$= 56 : 35 = (56 \div 7) : (35 \div 7) = 8 : 5$
$\rightarrow$ (㉮의 회전수) : (㉯의 회전수) $= 5 : 8$
톱니바퀴 ㉮의 회전수를 □번이라 하면
$5 : 8 = □ : 40$, $5 \times 40 = 8 \times □$, $□ = 25$입니다.

$\rightarrow$ 톱니바퀴 ㉮는 **25번**을 돌게 됩니다.

11 오늘 오전 10시부터 내일 오후 10시까지는 36시간
입니다.
36시간 동안 느려지는 시간을 □분이라 하면
$24 : 14 = 36 : □$입니다.
$24 \times □ = 14 \times 36$, $24 \times □ = 504$, $□ = 21$

$\rightarrow$ 오후 10시 - 21분 = **오후 9시 39분**

12 (이번 달 여학생 수)

$$=204 \times \frac{8}{9+8}=204 \times \frac{8}{17}=96(\text{명})$$

(이번 달 남학생 수)$=204-96=108(\text{명})$

전학을 오기 전 남학생 수를 □명이라 하면

$13 : 12=$□$: 96$입니다.

$13 \times 96=12 \times$□$, \ 12 \times$□$=1248, \ $□$=104$

→ $108-104=4(\text{명})$

A형 **5. 원의 넓이** 17~18쪽

1 3.14배 **2** $12\ \text{cm}$ **3** ㉡

4 예 $46\ \text{cm}^2$ **5** 5바퀴

6 ❶ (돌림판의 원주)$=90 \times 3.1=279(\text{cm})$ ▶4점

　 ❷ (손잡이가 이동한 거리)

　　 $=279 \times 6=1674(\text{cm})$ ▶4점 / $1674\ \text{cm}$

7 ❶ 사과 파이의 반지름을 □cm라 하면

　 □$\times$□$\times 3.14=379.94$입니다.

　 □$\times$□$=121,\ $□$=11$ ▶5점

　 ❷ (사과 파이의 지름)$=11 \times 2=22(\text{cm})$이므로

　 상자의 밑면의 한 변의 길이는 적어도 $22\ \text{cm}$이어

　 야 합니다. ▶3점 / $22\ \text{cm}$

8 $62.475\ \text{cm}^2$ **9** $1323\ \text{cm}^2$

10 $79.2\ \text{cm}^2$ **11** $48.6\ \text{cm}$

12 $36.48\ \text{cm}^2$

---

2 (원 가의 원주)$=8 \times 3=24(\text{cm})$

　(원 나의 원주)$=6 \times 2 \times 3=36(\text{cm})$

　→ $36-24=\textbf{12(cm)}$

3 ㉠ (반지름)$=13\ \text{cm}$

　㉡ (반지름)$=93 \div 3.1 \div 2=15(\text{cm})$

　㉢ (반지름)$\times$(반지름)$\times 3.1=375.1,$

　　(반지름)$\times$(반지름)$=121,$ (반지름)$=11\ \text{cm}$

　→ 넓이가 가장 큰 원은 ㉡입니다.

4 원 안에 색칠된 모눈은 32칸이

　고, 원 밖의 빨간색 선 안쪽 모눈

　은 60칸입니다.

　→ 통조림통의 넓이는 $32\ \text{cm}^2$보

　　다 크고 $60\ \text{cm}^2$보다 작으므로 **46 cm²**라고 어림

　　할 수 있습니다.

5 (굴렁쇠의 원주)$=45 \times 3.14=141.3\ (\text{cm})$

　→ (굴렁쇠를 굴린 횟수)$=706.5 \div 141.3=\textbf{5(바퀴)}$

6

채점기준	❶ 돌림판의 원주 구하기	4점
	❷ 손잡이가 이동한 거리 구하기	4점

7

채점기준	❶ 사과 파이의 반지름 구하기	5점
	❷ 상자의 밑면의 한 변의 길이는 적어도 몇 cm이어야 하는지 구하기	3점

8 (만든 모양의 넓이)

　$=$(반지름이 $7\ \text{cm}$인 원의 넓이)$\times \frac{1}{4}$

　　$+$(삼각형의 넓이)

　$=7 \times 7 \times 3.1 \div 4+7 \times 7 \div 2$

　$=37.975+24.5=\textbf{62.475(cm}^2\textbf{)}$

9 (멀어진 물체와 벽 사이의 거리)

　$=20-12=8(\text{cm})$

　(벽에 생기는 그림자의 반지름)

　$=5+2 \times 8=21(\text{cm})$

　→ (벽에 생기는 그림자의 넓이)

　　$=21 \times 21 \times 3=\textbf{1323(cm}^2\textbf{)}$

10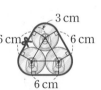

　(지름이 $12\ \text{cm}$인 원의 넓이)

　$=6 \times 6 \times 3.1=111.6(\text{cm}^2)$

　(마름모 ㄱㄴㄷㄹ의 넓이)

　$=12 \times 12 \div 2=72(\text{cm}^2)$

　→ (색칠한 부분의 넓이)

　　$=(111.6-72) \times 2=39.6 \times 2=\textbf{79.2(cm}^2\textbf{)}$

11 곡선 부분을 합하면 지름이

　$3 \times 2=6(\text{cm})$인 원이 되고, 직

　선 부분의 길이의 합은 원의 지

　름의 3배입니다.

　(곡선 부분의 길이의 합)$=6 \times 3.1=18.6(\text{cm})$

　(직선 부분의 길이의 합)$=6 \times 3=18(\text{cm})$

　→ (사용한 끈의 길이)

　　$=18.6+18+12=\textbf{48.6(cm)}$

주의 매듭을 짓는 데 사용한 끈의 길이를 빠뜨리지 않고 계산합니다.

12 (반지름이 $8\ \text{cm}$인 원의 넓이)$\times \frac{1}{4}$

　$=8 \times 8 \times 3.14 \div 4=50.24(\text{cm}^2)$

　(삼각형 ㄱㄴㄷ의 넓이)

　$=8 \times 8 \div 2=32(\text{cm}^2)$

　(빗금 친 부분의 넓이)$=50.24-32=18.24(\text{cm}^2)$

　→ (겹쳐진 부분의 넓이)$=18.24 \times 2=\textbf{36.48(cm}^2\textbf{)}$

1 24.8 cm, 49.6 cm²   **2** 75.36 m

3 243 cm²

4 예 ❶ (원 안에 있는 정육각형의 넓이)
$=50×6=300\,(cm^2)$
(원 밖에 있는 정육각형의 넓이)
$=60×6=360\,(cm^2)$ ▶6점
❷ 따라서 원의 넓이는 300 cm²보다 크고
360 cm²보다 작으므로 330 cm²라고 어림할 수
있습니다. ▶2점 / 예 330 cm²

5 31 cm   **6** 200.96 cm²

7 7 cm

8 ❶ (가장 큰 원의 반지름)$=9÷2=4.5(m)$
(가장 큰 원의 넓이)
$=4.5×4.5×3=60.75(m^2)$ ▶4점
❷ (두 번째로 큰 원의 반지름)
$=(9-2)÷2=3.5(m)$
(두 번째로 큰 원의 넓이)
$=3.5×3.5×3=36.75(m^2)$ ▶4점
❸ (빨간색 부분의 넓이)
$=60.75-36.75=24(m^2)$ ▶2점 / 24 m²

9 110.4 cm²   **10** 96 cm

11 65.8 cm   **12** 306.24 cm²

---

1 (원주)$=4×2×3.1=$**24.8(cm)**
(원의 넓이)$=4×4×3.1=$**49.6(cm²)**

2 기차가 달린 거리는 철로의 원주의 2배입니다.
→ (기차가 달린 거리)$=12×3.14×2=$**75.36(m)**

3 원을 그릴 때 컴퍼스의 침과 연필심 사이의 거리는
그린 원의 반지름과 같습니다.
→ (그린 원의 넓이)$=9×9×3=$**243(cm²)**

4

채점 기준		
❶ 원 안과 원 밖의 정육각형의 넓이 각각 구하기		6점
❷ 원의 넓이 어림하기		2점

5 원의 반지름을 □cm라 하면
$□×□×3.1=77.5$입니다.
$□×□=25$, $□=5$
→ (원주)$=5×2×3.1=$**31(cm)**

6 $16×16=256$이므로 정사각형의 한 변의 길이는
16 cm입니다.
(가장 큰 원의 반지름)$=16÷2=8\,(cm)$
→ (그린 원의 넓이)$=8×8×3.14=$**200.96(cm²)**

7 (민준이가 그린 원의 지름)$=65.1÷3.1=21(cm)$
(연수가 그린 원의 지름)$=86.8÷3.1=28(cm)$
→ (두 원의 지름의 차)$=28-21=$**7(cm)**

8

채점 기준		
❶ 가장 큰 원의 넓이 구하기		4점
❷ 두 번째로 큰 원의 넓이 구하기		4점
❸ 빨간색 부분의 넓이 구하기		2점

9

(㉮의 넓이)
$=8×8=64\,(cm^2)$
(㉯의 넓이)
$=8×8÷2=32\,(cm^2)$
(㉰의 넓이)$=8×8-8×8×3.1÷4$
$=64-49.6=14.4\,(cm^2)$
→ (색칠한 부분의 넓이)
$=64+32+14.4=$**110.4(cm²)**

10 (원의 넓이)$=12×12×3=432(cm^2)$
(변 ㄱㄴ)$=$(원의 반지름)$=12\,cm$
변 ㄴㄷ의 길이를 □cm라 하면
$□×12=432$, $□=36$입니다.
→ (직사각형 ㄱㄴㄷㄹ의 둘레)
$=(36+12)×2=48×2=$**96(cm)**

11 $\dfrac{72}{360}=\dfrac{1}{5}$이므로 곡선 부분의 길이는 반지름이

25 cm인 원의 원주의 $\dfrac{1}{5}$만큼과 반지름이 20 cm인

원의 원주의 $\dfrac{1}{5}$만큼이고,

직선 부분은 $25-20=5(cm)$가 2개입니다.
→ (색칠한 부분의 둘레)
$=25×2×3.1÷5+20×2×3.1÷5+5×2$
$=31+24.8+10=$**65.8(cm)**

12 원이 지나간 자리는 오른쪽과 같습니다.

(직사각형 4개의 넓이의 합)
$=16×4×4=256(cm^2)$
정사각형의 꼭짓점을 지나는 원의 일부분 4개를 모
으면 반지름이 4 cm인 원이 됩니다.
(원의 일부분 4개의 넓이의 합)
$=$(반지름이 4 cm인 원의 넓이)
$=4×4×3.14=50.24(cm^2)$
→ (원이 지나간 자리의 넓이)
$=256+50.24=$**306.24(cm²)**

1 3 cm   **2** 36 cm

3 ❶ 민규 ▶3점

❷ 구는 어떤 방향에서 보아도 모양이 모두 원이지만 원기둥을 앞과 옆에서 본 모양은 직사각형입니다. ▶5점

4 84 cm   **5** 73.5 cm²

6 1406.72 cm²   **7** 6280 cm²

8 20.925 cm

9 ❶ 밑면의 반지름을 □ cm라 하면

(한 밑면의 둘레)=(□×2×3) cm
= (□×6) cm입니다.

□×6×4+13×2=146,

□×24+26=146, □×24=120, □=5 ▶6점

❷ (한 밑면의 넓이)=5×5×3=75 (cm²) ▶4점
/ 75 cm²

10 694.4 cm²   **11** 60 cm²

12 1128 cm²

---

1 (원기둥 가의 높이)=9 cm

(원뿔 나의 높이)=12 cm

→ (원기둥 가와 원뿔 나의 높이의 차)
=12-9=**3(cm)**

2 원뿔을 앞에서 본 모양은 오른쪽과 같은 이등변삼각형입니다.

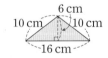

→ (앞에서 본 모양의 둘레)
=10+16+10=**36(cm)**

3

채점 기준		
❶ 잘못 생각한 사람 찾기		3점
❷ 잘못 생각한 이유 쓰기		5점

4 (옆면의 가로)=(한 밑면의 둘레)
=5×2×3.1=31(cm)

(옆면의 세로)=(원기둥의 높이)
=11 cm

→ (옆면의 둘레)
=(31+11)×2=**84(cm)**

5 돌리기 전의 평면도형은 오른쪽과 같은 반원입니다.

→ (돌리기 전의 평면도형의 넓이)
=7×7×3÷2=**73.5(cm²)**

---

6 (한 밑면의 넓이)=8×8×3.14=200.96(cm²)

(옆면의 넓이)=16×3.14×20=1004.8(cm²)

→ (원기둥의 모든 면의 넓이의 합)
=200.96×2+1004.8=401.92+1004.8
=**1406.72(cm²)**

7 (롤러의 옆면의 넓이)
=4×2×3.14×25=628(cm²)

→ (페인트가 칠해진 부분의 넓이)
=628×10=**6280(cm²)**

8 (구 나를 앞에서 본 모양의 넓이)
=9×9×3.1=251.1(cm²)

원뿔 가의 높이를 □ cm라 하면 원뿔 가를 앞에서 본 모양은 밑변의 길이가 12×2=24(cm)이고, 높이가 □ cm인 삼각형입니다.

24×□÷2=251.1, 24×□=502.2,

□=20.925

→ (원뿔 가의 높이)=**20.925 cm**

9

채점 기준		
❶ 밑면의 반지름 구하기		6점
❷ 한 밑면의 넓이 구하기		4점

10 (한 밑면의 넓이)=7×7×3.1=151.9(cm²)

(옆면의 넓이)=14×3.1×9=390.6(cm²)

→ (원기둥의 모든 면의 넓이의 합)
=151.9×2+390.6=303.8+390.6
=**694.4(cm²)**

11 입체도형의 밑면의 반지름을 □ cm라 하면

□×2×3.14×10=376.8입니다.

□×62.8=376.8, □=6

돌리기 전의 평면도형은 가로가 6 cm, 세로가 10 cm인 직사각형입니다.

→ (돌리기 전의 평면도형의 넓이)
=6×10=**60(cm²)**

12 (한 밑면의 넓이)=5×5×3.14+10×10
=78.5+100=178.5(cm²)

(옆면의 가로)=10×2+5×2×3.14
=20+31.4=51.4(cm)

(옆면의 넓이)
=51.4×15=771(cm²)

→ (입체도형의 모든 면의 넓이의 합)
=178.5×2+771
=357+771=**1128(cm²)**

경시대비북 예상문제

B형 6. 원기둥, 원뿔, 구 23~24쪽

1 25.12 cm　　**2** 9 cm
3 ㉢　　　　　**4** 62.8 cm
5 14 cm
6 예 ❶ 돌리기 전의 평면도형은 가로가
12÷2=6(cm), 세로가 4 cm인 직사각형입니다. ▶4점
❷ (돌리기 전의 평면도형의 둘레)
=(6+4)×2=20(cm) ▶4점 / 20 cm
7 예 ❶ 밑면의 반지름을 □cm라 하면
□×2×3.14=37.68,
□=37.68÷3.14÷2=6입니다. ▶3점
❷ (한 밑면의 넓이)
=6×6×3.14=113.04(cm²)
(옆면의 넓이)=37.68×15=565.2(cm²)
→ (모든 면의 넓이의 합)
=113.04×2+565.2=791.28(cm²) ▶5점
/ 791.28 cm²
8 4 cm　　　**9** 12 cm
10 225 cm²　　**11** 628 cm²
12 16 cm

1 (선분 ㄱㄹ)=(한 밑면의 원주)
=4×2×3.14=**25.12(cm)**

2 반원 모양의 종이를 한 변을 기준으로 돌려 만든 입체도형은 구입니다.
→ (구의 반지름)=18÷2=**9(cm)**

3 ㉢ 모선의 길이는 높이보다 항상 깁니다.
따라서 원뿔에 대한 설명으로 잘못된 것은 ㉢입니다.

4 지구본을 중심을 지나는 평면으로 자른 면은 지름이 20 cm인 원입니다.
→ (평면으로 자른 면의 둘레)
=20×3.14=**62.8(cm)**

5 원기둥의 높이와 밑면의 지름을 □cm라 하면 한 밑면의 둘레는 (□×3) cm이므로 옆면의 가로도 (□×3) cm입니다.
(□×3+□)×2=112, □×4=56, □=14
→ (원기둥의 높이)=**14 cm**

6

채점 기준		
❶ 돌리기 전의 평면도형 알기		4점
❷ 돌리기 전의 평면도형의 둘레 구하기		4점

7

채점 기준		
❶ 밑면의 반지름 구하기		3점
❷ 원기둥의 모든 면의 넓이의 합 구하기		5점

8 (원기둥 모양 통의 옆면의 넓이)
=2880÷5=576 (cm²)
밑면의 반지름을 □cm라 하면
□×2×3×24=576, □×144=576, □=4입니다.
→ (밑면의 반지름)=**4 cm**

9 (한 밑면의 넓이)=8×8×3.1=198.4(cm²)
198.4×2+(옆면의 넓이)=992,
396.8+(옆면의 넓이)=992,
(옆면의 넓이)=992−396.8=595.2(cm²)
원기둥의 높이를 □cm라 하면
8×2×3.1×□=595.2, 49.6×□=595.2,
□=12입니다.
→ (원기둥의 높이)=**12 cm**

10 • 가로를 기준으로 하는 경우
(한 밑면의 넓이)=10×10×3=300 (cm²)
• 세로를 기준으로 하는 경우
(한 밑면의 넓이)=5×5×3=75 (cm²)
→ 차: 300−75=**225 (cm²)**

11 직각삼각형을 직선 ㄱㄴ을 기준으로 한 바퀴 돌려서 만든 입체도형을 위에서 본 모양은 오른쪽과 같습니다.

(큰 원의 넓이)=15×15×3.14=706.5(cm²)
(작은 원의 넓이)=5×5×3.14=78.5(cm²)
→ (위에서 본 모양의 넓이)
=706.5−78.5=**628(cm²)**

12 입체도형의 높이를 □cm라 하여 ㉠, ㉡, ㉢의 넓이를 각각 알아봅니다.
(㉠의 넓이)=5×5×3÷2
=37.5(cm²)
(㉡의 넓이)=(5×2×□) cm²=(10×□) cm²
(㉢의 넓이)=(5×2×3÷2×□) cm²
=(15×□) cm²
37.5×2+10×□+15×□=475,
75+25×□=475, 25×□=400, □=16
→ (입체도형의 높이)=**16 cm**

실전! 경시대회 모의고사

1 12   **2** 6

3 예 ❶ (큰 원의 원주)=14×3=42(cm)
(작은 원의 원주)=5.5×2×3=33(cm) ▶4점
❷ (원주의 차)=42−33=9(cm) ▶1점 / 9 cm

4 4 cm   **5** 16   **6** 89.36 cm

7 6   **8**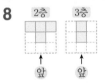

9 예 ❶ 접시의 반지름을 □cm라 하면
□×2×3.1=74.4, □×6.2=74.4,
□=12입니다. ▶3점
❷ (접시의 넓이)=12×12×3.1
=446.4(cm²) ▶2점 / 446.4 cm²

10 7 cm

11 예 ❶ (벽의 넓이)=12×1$\frac{2}{5}$=$\frac{84}{5}$(m²) ▶2점
❷ (1 L의 페인트로 칠한 벽의 넓이)
=$\frac{84}{5}$÷2$\frac{5}{8}$=$\frac{84}{5}$÷$\frac{21}{8}$=$\frac{32}{5}$=6$\frac{2}{5}$(m²)
▶3점
/ 6$\frac{2}{5}$ m²

12 222.8 cm   **13** 25200 m²   **14** 36개
15 115 cm²   **16** 6 cm   **17** 15개
18 84.78 cm²   **19** 16 : 17   **20** 9일

---

1 가장 큰 수: 3, 가장 작은 수: 0.25
→ 3÷0.25=**12**

2 전항을 □라 하여 비를 쓰면 □ : 10입니다.
→ □ : 10의 비율이 $\frac{3}{5}$이므로
$\frac{□}{10}$=$\frac{3}{5}$에서 □=**6**입니다.

3
채점 기준	❶ 두 원의 원주 각각 구하기	4점
	❷ 원주의 차 구하기	1점

4 직사각형의 세로를 □cm라 하면
7.8×□=31.2, □=31.2÷7.8=4입니다.
→ (직사각형의 세로)=**4 cm**

5 어떤 수를 □라 하면 □×$\frac{7}{8}$=14입니다.
→ □=14÷$\frac{7}{8}$=$\overset{2}{14}$×$\frac{8}{\underset{1}{7}}$=**16**

6 (한 밑면의 둘레)=3×2×3.14=18.84(cm)
→ 18.84×4+7×2=**89.36(cm)**

7 4.14÷1.2=3.45
3.45＞3.□8이므로 □ 안에 들어갈 수 있는 한 자리
수는 0, 1, 2, 3입니다. → 0+1+2+3=**6**

8 쌓은 모양에서 색칠한 쌓기나무 2개를
빼낸 모양은 오른쪽과 같습니다.
→ 쌓인 쌓기나무는 2층에 4개, 3층에
2개입니다.

9
채점 기준	❶ 접시의 반지름 구하기	3점
	❷ 접시의 넓이 구하기	2점

10 원기둥의 밑면의 지름을 □cm라 하면
(□×3)×4+9×2=102, □×12+18=102,
□×12=84, □=7 → (밑면의 지름)=**7 cm**

11
채점 기준	❶ 벽의 넓이 구하기	2점
	❷ 1 L의 페인트로 칠한 벽의 넓이 구하기	3점

12 (사용한 끈의 길이)
=10×2×3.14+10×8×2
=62.8+160=**222.8(cm)**

13 • 주택 단지의 실제 가로를 ㉠ cm라 하면
1 : 15000=1.4 : ㉠입니다.
㉠=15000×1.4=21000
→ 21000 cm 210 m
• 주택 단지의 실제 세로를 ㉡ cm라 하면
1 : 15000=0.8 : ㉡입니다.
㉡=15000×0.8=12000
→ 12000 cm 120 m
→ 210×120=**25200(m²)**

14 두 면이 색칠된 쌓기나무는 모서리
마다 3개씩 있습니다.
→ 3×12=**36(개)**

15 돌리기 전의 평면도형은 오른쪽과
같은 사다리꼴입니다.
→ (돌리기 전의 평면도형의 넓이)
=(8+7+8)×10÷2
=**115(cm²)**

16 (정사각형 ㄱㄴㄷㄹ의 넓이)$=24\times24=576(\text{cm}^2)$

(사다리꼴 ㉯의 넓이)

$=576\times\dfrac{5}{3+5}=576\times\dfrac{5}{8}=360(\text{cm}^2)$

선분 ㅁㄷ의 길이를 □cm라 하면

$(24+□)\times24\div2=360$, $(24+□)\times24=720$,

$24+□=30$, $□=6$입니다.

→ (선분 ㅁㄷ)=**6 cm**

17 쌓기나무를 앞과 옆에서 본 모양을 보고 위에서 본 모양에 수를 쓰면 오른쪽과 같습니다. ㉠과 ㉡에는 1개 또는 2개의 쌓기나무를 쌓을 수 있으므로 가장 많은 경우는 2개를 쌓았을 때입니다.

→ (쌓기나무의 수)

$=1+3+4+2+2+2+1=$**15(개)**

18 정육각형은 삼각형 4개로 나눌 수 있습니다.

(정육각형의 모든 각의 크기의 합)$=180°\times4=720°$

(정육각형의 한 각의 크기)$=720°\div6=120°$

색칠한 부분의 넓이는 반지름이 9 cm인 원의 넓이의

$\dfrac{120}{360}=\dfrac{1}{3}$입니다.

→ $9\times9\times3.14\times\dfrac{1}{3}=$**84.78(cm²)**

19 $15\%=\dfrac{15}{100}=0.15$, $\dfrac{1}{5}=\dfrac{2}{10}=0.2$

㉮의 정가를 ■원, ㉯의 정가를 ▲원이라 하면

$■-■\times0.15=▲-▲\times0.2$입니다.

$■\times0.85=▲\times0.8$

→ $■:▲=0.8:0.85=80:85=$**16 : 17**

20 전체 일의 양을 1이라 하면 하루 동안 하는 일의 양은 다음과 같습니다.

• 선호: $\dfrac{5}{6}\div10=\dfrac{5}{6}\times\dfrac{1}{10}=\dfrac{1}{12}$

• 정아: $\dfrac{4}{9}\div6=\dfrac{4}{9}\times\dfrac{1}{6}=\dfrac{2}{27}$

(선호가 4일 동안 하는 일의 양)$=\dfrac{1}{12}\times4=\dfrac{1}{3}$

(정아가 해야 하는 일의 양)$=1-\dfrac{1}{3}=\dfrac{2}{3}$

→ $\dfrac{2}{3}\div\dfrac{2}{27}=\dfrac{2}{3}\times\dfrac{27}{2}=$**9(일)**

2회

1 $4\dfrac{1}{2}$ **2** ㉢

3 72 cm **4** 6

5 예 ❶ (고무관 1 m의 무게)

$=\dfrac{5}{6}\div\dfrac{7}{9}=\dfrac{5}{6}\times\dfrac{9}{7}=\dfrac{15}{14}(\text{kg})$ ▶3점

❷ (고무관 4 m의 무게)

$=\dfrac{15}{14}\times4=\dfrac{30}{7}=4\dfrac{2}{7}(\text{kg})$ ▶2점

$/\ 4\dfrac{2}{7}$ kg

6 57.6 cm² **7** 65 cm

8 $12\dfrac{2}{5}$ cm **9** 28.08 cm

10 예 ❶ $14.6\div3.3=4.424242\cdots$ ▶2점

❷ 따라서 몫의 소수점 아래 숫자는 4, 2가 반복되는 규칙이므로 소수 50째 자리 숫자는 소수 둘째 자리 숫자와 같은 2입니다. ▶3점 / 2

11 옆 **12** 100 cm²

13 예 ❶ (케이크의 둘레)

$=36\times3.14=113.04(\text{cm})$

(케이크의 반지름)$=36\div2=18(\text{cm})$ ▶3점

❷ (케이크 한 조각의 둘레)

$=113.04\div12+18\times2$

$=9.42+36=45.42(\text{cm})$ ▶2점 / 45.42 cm

14 42개 **15** 960 cm²

16 2시간 5분 후 **17** 오후 9시 8분 45초

18 369 cm² **19** 66개 **20** 4시간

---

1 • $\dfrac{5}{6}\times1\dfrac{1}{2}=\dfrac{5}{6}\times\dfrac{3}{2}=\dfrac{5}{4}$

• $5\dfrac{5}{8}\div㉠=\dfrac{5}{4}$ → $㉠=5\dfrac{5}{8}\div\dfrac{5}{4}=\dfrac{9}{2}=4\dfrac{1}{2}$

2 ㉠ $45\div7=6.42\cdots→6.4$

㉡ $8.5\div1.3=6.53\cdots→6.5$

㉢ $19.1\div2.9=6.58\cdots→6.6$

따라서 몫을 반올림하여 소수 첫째 자리까지 나타낸 값이 가장 큰 것은 ㉢입니다.

4 • $4:9=32:□$ → $4\times□=288$, $□=72$

• $60:72=5:㉠$ → $60\times㉠=360$, $㉠=6$

5

채점 기준	❶ 고무관 1 m의 무게 구하기	3점
	❷ 고무관 4 m의 무게 구하기	2점

6 (색칠한 부분의 넓이)$=16\times16-8\times8\times3.1$
$\qquad\qquad\qquad\qquad=256-198.4=\mathbf{57.6\,(cm^2)}$

7 $1.7\,m=170\,cm$
(모선에 사용한 철사의 길이)$=21\times5=105\,(cm)$
$\rightarrow 170-105=\mathbf{65\,(cm)}$

8 다른 대각선의 길이를 $\square\,cm$라 하면
$\square\times8\dfrac{1}{3}\div2=51\dfrac{2}{3}$입니다.
$\square=51\dfrac{2}{3}\times2\div8\dfrac{1}{3}=\dfrac{62}{5}=12\dfrac{2}{5}$
$\rightarrow$ (다른 대각선의 길이)$=\mathbf{12\dfrac{2}{5}\,cm}$

9 신용카드의 가로를 $\square\,cm$라 하면
$1:1.6=5.4:\square$, $\square=1.6\times5.4$, $\square=8.64$입니다.
$\rightarrow (8.64+5.4)\times2=\mathbf{28.08\,(cm)}$

10

채점 기준	❶ 나눗셈 하기	2점
	❷ 몫의 소수 50째 자리 숫자 구하기	3점

12 입체도형을 직선 ㄱㄴ을 포함하는 평면으로 자른 면은 오른쪽과 같습니다.

$\rightarrow 20\times14\div2-10\times8\div2$
$\quad=140-40=\mathbf{100\,(cm^2)}$

13

채점 기준	❶ 케이크의 둘레와 반지름 각각 구하기	3점
	❷ 케이크 한 조각의 둘레 구하기	2점

14 (사용한 쌓기나무의 수)
$=2+3+4+2+1+2+1+3+2+1+1$
$=22(개)$
(가장 작은 정육면체 모양의 쌓기나무의 수)
$=4\times4\times4=64(개)$
$\rightarrow$ (더 필요한 쌓기나무의 수)$=64-22=\mathbf{42(개)}$

15 (가장 작은 원의 반지름)$=8\div2=4\,(cm)$
(파란색 부분까지의 반지름)$=4+4\times5=24\,(cm)$
(빨간색 부분까지의 반지름)$=4+4\times3=16\,(cm)$
$\rightarrow 24\times24\times3-16\times16\times3=\mathbf{960\,(cm^2)}$

16 (1분 동안 타는 양초의 길이)
$=1.12\div8=0.14\,(cm)$
(줄어든 양초의 길이)$=33.3-15.8=17.5\,(cm)$
(양초가 17.5 cm 타는 데 걸리는 시간)
$=17.5\div0.14=125(분)$ $\rightarrow$ **2시간 5분 후**

17 오전 10시부터 다음 날 오후 9시까지는 35시간입니다.
6분$=360$초이고 35시간 동안 빨라지는 시간을 $\square$ 초라 하면 $24:360=35:\square$입니다.
$24\times\square=360\times35$, $24\times\square=12600$, $\square=525$
525초$=8$분 45초 $\rightarrow$ **오후 9시 8분 45초**

18 (한 밑면의 넓이)
$=6\times6\times3\div4=27\,(cm^2)$
(옆면의 가로)$=6+6+6\times2\times3\div4=21\,(cm)$
(옆면의 넓이)$=21\times15=315\,(cm^2)$
$\rightarrow$ (전개도의 넓이)$=27\times2+315=\mathbf{369\,(cm^2)}$

19 ①, ④, ⑤에 쌓인 쌓기나무의 수는 변하지 않고, ②에 쌓인 쌓기나무는 2개씩, ③과 ⑥에 쌓인 쌓기나무는 한 개씩 늘어나는 규칙입니다.
규칙에 따라 15째에 올 모양을 위에서 본 모양에 수를 쓰면 오른쪽과 같습니다.

$\rightarrow$ (15째에 올 모양의 쌓기나무의 수)
$\quad=1+30+17+2+1+15=\mathbf{66(개)}$

20 1시간 42분$=1\dfrac{42}{60}$시간$=1\dfrac{7}{10}$시간$=1.7$시간
(여객선이 한 시간 동안 가는 거리)
$=71.4\div1.7=42\,(km)$
(여객선이 강물이 흐르는 반대 방향으로 한 시간 동안 가는 거리)$=42-18.5=23.5\,(km)$
$\rightarrow 94\div23.5=\mathbf{4(시간)}$

3 회 33~36쪽

1	혜미	**2**	80 cm
3	$1\dfrac{3}{25}$	**4**	400 cm²
5	35 cm		

6 (예) ❶ $5\div0.36=13\cdots0.32$
철사를 0.36 m씩 나누어 주면 13명에게 나누어 줄 수 있고 0.32 m가 남습니다. ▶3점
❷ 따라서 철사를 남김없이 모두 나누어 주려면 적어도 $0.36-0.32=0.04\,(m)$의 철사가 더 필요합니다. ▶2점
/ 0.04 m

7 3개

8 예 ❶ (정다각형의 변의 수)

$$=7\frac{4}{5}\div\frac{13}{15}=\frac{39}{5}\div\frac{13}{15}=9(개) ▶3점$$

❷ 따라서 소현이가 만든 정다각형은 변이 9개이므로 정구각형입니다. ▶2점 / 정구각형

9 98 cm²

10

11 예 ❶ (가로수 사이의 간격 수)

$$=44.8\div2.8=16(군데)$$

(도로 한쪽에 심은 가로수의 수)

$$=16+1=17(그루) ▶3점$$

❷ (도로 양쪽에 심은 가로수의 수)

$$=17\times2=34(그루) ▶2점 / 34그루$$

12 60 cm² **13** 81.68 cm

14 460만 원 **15** $4\frac{4}{5}$

16

17 버스, 4 km **18** 29 : 71

19 1946.8 cm² **20** 28번

---

2 원뿔을 앞에서 본 모양은 오른쪽과 같은 이등변삼각형입니다.

$$→25+30+25=\mathbf{80(cm)}$$

3 ㉠ $\frac{7}{8}\div\frac{3}{8}=\frac{7}{3}$ ㉡ $1\frac{2}{3}\div\frac{4}{5}=\frac{25}{12}$

$$→\frac{7}{3}\div\frac{25}{12}=\frac{7}{\overset{1}{3}}\times\frac{\overset{4}{12}}{25}=\frac{28}{25}=1\frac{3}{25}$$

4 (포장지의 넓이)$=35\times20=700(cm^2)$

$$•700\times\frac{3}{3+4}=700\times\frac{3}{7}=300(cm^2)$$

$$•700\times\frac{4}{3+4}=700\times\frac{4}{7}=400(cm^2)$$

→ 더 넓은 포장지의 넓이는 **400 cm²**입니다.

5 돌리기 전의 평면도형은 오른쪽과 같은 반원입니다.

$$→7\times2\times3\div2+7\times2=\mathbf{35(cm)}$$

6

채점 기준	❶ 철사를 몇 명에게 나누어 주고 몇 m가 남는지 구하기	3점
	❷ 더 필요한 철사의 길이 구하기	2점

8

채점 기준	❶ 정다각형의 변의 수 구하기	3점
	❷ 정다각형의 이름 구하기	2점

9 오른쪽과 같이 색칠한 부분을 옮기면 색칠한 부분의 넓이는 직사각형의 넓이와 같습니다.

$$→7\times14=\mathbf{98(cm^2)}$$

10 쌓기나무를 빼내기 전과 후에 쌓은 모양을 위에서 본 모양에 수를 쓰면 오른쪽과 같습니다.

11

채점 기준	❶ 도로 한쪽에 심은 가로수의 수 구하기	3점
	❷ 도로 양쪽에 심은 가로수의 수 구하기	2점

12 돌리기 전의 평면도형은 오른쪽과 같이 가로가 $8-2=6(cm)$, 세로가 10 cm인 직사각형입니다.

→ (평면도형의 넓이)$=6\times10=\mathbf{60(cm^2)}$

13 • 곡선 부분: $12\times2\times3.14\div2=37.68(cm)$

• 직선 부분: $12\times2+10\times2=44(cm)$

$$→37.68+44=\mathbf{81.68(cm)}$$

15 어떤 분수를 $\frac{▲}{■}$라 하면

$$\frac{▲}{■}\div\frac{8}{15}=\frac{▲}{■}\times\frac{15}{8},\quad\frac{▲}{■}\div\frac{12}{25}=\frac{▲}{■}\times\frac{25}{12}입니다.$$

$\frac{▲}{■}\times\frac{15}{8}$와 $\frac{▲}{■}\times\frac{25}{12}$의 계산 결과가 자연수가 되어야 하고, $\frac{▲}{■}$가 가장 작은 분수이어야 하므로 ■는 15와 25의 최대공약수이고, ▲는 8과 12의 최소공배수입니다.

$$→■=5, ▲=24이므로 \frac{▲}{■}=\frac{24}{5}=4\frac{4}{5}입니다.$$

16 쌓기나무를 쌓아 만든 모양에서 쌓은 쌓기나무가 가장 많은 경우에 위에서 본 모양은 오른쪽과 같고 쌓은 쌓기나무의 수를 쓰면 오른쪽과 같습니다.

17 $1시간 15분=1\frac{15}{60}시간=1.25시간$

$2시간 24분=2\frac{24}{60}시간=2.4시간$

(승용차가 1시간 동안 달린 거리)

$$=90\div1.25=72(km)$$

(버스가 1시간 동안 달린 거리)
$=182.4 \div 2.4 = 76(km)$

→ 1시간 동안 **버스**가 $76 - 72 = 4(km)$ 더 빨리 달렸습니다.

18 육반구에서 육지와 바다의 넓이의 합과 수반구에서 육지와 바다의 넓이의 합은 같습니다.
육반구에서 육지와 바다의 넓이를 각각 $12 \times \square$, $13 \times \square$이라 하고, 수반구에서 육지와 바다의 넓이를 각각 $\triangle$, $9 \times \triangle$라 하면
$12 \times \square + 13 \times \square = \triangle + 9 \times \triangle$, $25 \times \square = 10 \times \triangle$, $\triangle = 2.5 \times \square$입니다.

• 지구 전체의 육지의 넓이:
$12 \times \square + \triangle = 12 \times \square + 2.5 \times \square = 14.5 \times \square$

• 지구 전체의 바다의 넓이:
$13 \times \square + 9 \times \triangle = 13 \times \square + 9 \times 2.5 \times \square$
$= 13 \times \square + 22.5 \times \square$
$= 35.5 \times \square$

→ $(14.5 \times \square) : (35.5 \times \square)$
$= 145 : 355 = (145 \div 5) : (355 \div 5)$
$= 29 : 71$

19 (바깥쪽 원기둥의 밑면의 원주)
$= 301.44 \div 6 = 50.24(cm)$
(바깥쪽 원기둥의 지름) $= 50.24 \div 3.14 = 16(cm)$
(입체도형의 한 밑면의 넓이)
$= 8 \times 8 \times 3.14 - 2 \times 2 \times 3.14 = 188.4(cm^2)$
(입체도형의 바깥쪽 옆면의 넓이)
$= 16 \times 3.14 \times 25 = 1256(cm^2)$
(입체도형의 안쪽 옆면의 넓이)
$= 4 \times 3.14 \times 25 = 314(cm^2)$
→ $188.4 \times 2 + 1256 + 314 = \mathbf{1946.8(cm^2)}$

20 작은 바퀴와 큰 바퀴의 반지름의 비가
$16 : 28 = 4 : 7$이므로 원주의 비도 $4 : 7$입니다.
작은 바퀴가 7번 회전하는 동안 큰 바퀴는 4번 회전하므로 작은 바퀴의 회전수를 $(7 \times \square)$번, 큰 바퀴의 회전수를 $(4 \times \square)$번이라 하면 $7 \times \square + 4 \times \square = 220$, $11 \times \square = 220$, $\square = 20$입니다.
(작은 바퀴의 회전수) $= 7 \times 20 = 140$(번),
(큰 바퀴의 회전수) $= 4 \times 20 = 80$(번)
(큰 바퀴가 80번 회전할 때 움직인 벨트의 길이)
$= 28 \times 2 \times 3 \times 80 = 13440(cm)$
→ (벨트의 회전수) $= 13440 \div \underline{480} = \mathbf{28(번)}$
└ 4.8 m=480 cm

---

1 216 cm   **2** ㉠   **3** 4
4 4.8 cm   **5** 14 cm

6 예 ❶ 1시간 15분 $= 1\frac{15}{60}$시간 $= 1\frac{1}{4}$시간 ▶2점
❷ (한 시간 동안 걸은 거리)
$= 4\frac{3}{8} \div 1\frac{1}{4} = \frac{7}{2} = 3\frac{1}{2}(km)$ ▶3점
/ $3\frac{1}{2}$ km

7 14 cm

8 예 ❶ $5.8 \div 2.7 = 2.148148\cdots\cdots$ ▶2점
❷ 따라서 몫의 소수점 아래 숫자는 1, 4, 8이 반복되는 규칙이므로 소수 17째 자리 숫자는 소수 둘째 자리 숫자와 같은 4입니다. ▶3점 / 4

9 121 cm^2 **10** 0.82배

11 예 ❶ 어떤 수를 $\square$라 하면 $\square \times \frac{4}{5} = \frac{8}{15}$입니다.
$\square = \frac{8}{15} \div \frac{4}{5} = \frac{\overset{2}{\cancel{8}}}{\underset{3}{\cancel{15}}} \times \frac{\overset{1}{\cancel{5}}}{\underset{1}{\cancel{4}}} = \frac{2}{3}$ ▶3점
❷ (바른 계산) $= \frac{2}{3} \div \frac{4}{5} = \frac{2}{3} \times \frac{5}{\underset{2}{\cancel{4}}} = \frac{5}{6}$ ▶2점 / $\frac{5}{6}$

12 13개   **13** 725.4 cm^2 **14** 372 cm^2
15 396 cm^2 **16** 25 %   **17** 71 cm^2
18 $\frac{15}{28}$배   **19** 5가지   **20** 35 cm

---

1 (타이어의 원주) $= 72 \times 3 = \mathbf{216(cm)}$
└ 타이어가 굴러간 거리

4 삼각형의 높이를 $\square$cm라 하면
$8.6 \times \square \div 2 = 20.64$입니다.
$\square = 20.64 \times 2 \div 8.6 = 41.28 \div 8.6 = 4.8$
→ (삼각형의 높이) $= \mathbf{4.8\ cm}$

5 (옆면의 가로) $= 5 \times 2 \times 3.1 = 31(cm)$
(옆면의 세로) $= 434 \div 31 = 14(cm)$
→ (원기둥의 높이) $= \mathbf{14\ cm}$

6

채점 기준		
❶ 1시간 15분을 분수로 나타내기		2점
❷ 한 시간 동안 걸은 거리 구하기		3점

7 • 변 ㄱㄴ이 기준일 때:
$12 \times 2 = 24(cm)$
• 변 ㄴㄷ이 기준일 때: $5 \times 2 = 10(cm)$
→ (밑면의 지름의 차) $= 24 - 10 = \mathbf{14(cm)}$

8

채점 기준	❶ 나눗셈 하기	2점
	❷ 몫의 소수 17째 자리 숫자 구하기	3점

9 색칠한 부분을 옮기면 오른쪽과 같습니다.

→ $22 \times 11 \div 2 =$ **121 (cm^2)**

10 • A4용지: $118.9 \div 2 \div 2 = 29.725(\text{cm})$

• B4용지: $145.6 \div 2 \div 2 = 36.4(\text{cm})$

→ $29.725 \div 36.4 = 0.816\cdots\cdots →$ **0.82(배)**

11

채점 기준	❶ 어떤 수 구하기	3점
	❷ 바르게 계산하기	2점

12 쌓은 쌓기나무가 가장 많은 경우 쌓은 모습을 위에서 본 모양에 수를 쓰면 오른쪽과 같습니다.

→ $1+1+2+2+2+3+1+1 =$ **13(개)**

13 (큰 원기둥의 한 밑면의 넓이)

$= 7 \times 7 \times 3.1 = 151.9(\text{cm}^2)$

(작은 원기둥의 옆면의 넓이)

$= 3 \times 2 \times 3.1 \times 4 = 74.4(\text{cm}^2)$

(큰 원기둥의 옆면의 넓이)

$= 7 \times 2 \times 3.1 \times 8 = 347.2(\text{cm}^2)$

→ $151.9 \times 2 + 74.4 + 347.2 =$ **725.4 (cm^2)**

14 (색칠한 부분의 넓이)

$= 4 \times 4 \times 3.1 \div 4 + 8 \times 8 \times 3.1 \div 4$

$\quad + 12 \times 12 \times 3.1 \div 4 + 16 \times 16 \times 3.1 \div 4$

$= 12.4 + 49.6 + 111.6 + 198.4 =$ **372 (cm^2)**

15 쌓기나무가 1층에 8개, 2층에 4개, 3층에 1개로 모두 $8+4+1 = 13$(개)이므로 보이지 않는 뒤쪽에 쌓인 쌓기나무는 없습니다.

(보이는 겉면의 수의 합)$= (8+6+7) \times 2 = 42$(개)

(보이지 않는 겉면의 수의 합)$= 2$개

(쌓기나무 한 개의 한 면의 넓이)$= 3 \times 3 = 9(\text{cm}^2)$

→ (쌓은 모양의 겉넓이)$= 9 \times 44 =$ **396 (cm^2)**

16 겹쳐진 부분의 넓이를 ㉯의 □만큼이라 하면

㉮$\times \dfrac{2}{5} =$ ㉯$\times$□입니다. → ㉮ : ㉯$=$□ $: \dfrac{2}{5}$

㉮ : ㉯$=5 : 8$이므로 □ $: \dfrac{2}{5} = 5 : 8$입니다.

□ $\times 8 = \dfrac{2}{5} \times 5$, □ $\times 8 = 2$, □ $= \dfrac{1}{4}$

→ $\dfrac{1}{4} \times 100 =$ **25(%)**

17 ㉮$-$㉯

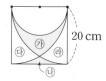

$= ($㉮$+$㉣$) - ($㉯$+$㉢$)$

$= (20 \times 20 \times 3.14 \div 4$

$\quad - 10 \times 10 \times 3.14 \div 2)$

$\quad - (20 \times 20 - 20 \times 20 \times 3.14 \div 4)$

$= (314 - 157) - (400 - 314)$

$= 157 - 86 =$ **71 (cm^2)**

18 (㉠의 넓이)$= ($원 나의 넓이$) \times \dfrac{3}{7}$

(㉡의 넓이)$= ($원 다의 넓이$) \times \dfrac{3}{10}$

(㉡의 넓이)$= ($㉠의 넓이$) \times \dfrac{3}{8}$이므로

(원 다의 넓이)$\times \dfrac{3}{10} = ($원 나의 넓이$) \times \dfrac{3}{7} \times \dfrac{3}{8}$입니다.

(원 다의 넓이)$= ($원 나의 넓이$) \times \dfrac{3}{7} \times \dfrac{3}{8} \div \dfrac{3}{10}$

$= ($원 나의 넓이$) \times \dfrac{15}{28}$

→ 원 다의 넓이는 원 나의 넓이의 $\dfrac{15}{28}$배입니다.

19 쌓기나무를 쌓아 만든 모양을 위에서 본 모양에 수를 쓰면 오른쪽과 같습니다.

• ㉠에 1개가 있는 경우

㉡, ㉢에는 모두 2개가 있어야 합니다.

• ㉠에 2개가 있는 경우

㉡, ㉢에는 모두 1개 또는 2개가 있을 수 있습니다.

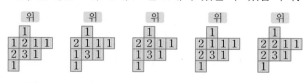

→ **5가지**

20 두 나무 막대의 길이를 각각 ㉮와 ㉯라 하면 물에 잠겨 있는 부분은

㉮의 $1 - \dfrac{1}{6} = \dfrac{5}{6}$이고,

㉯의 $1 - \dfrac{2}{9} = \dfrac{7}{9}$입니다.

㉮$\times \dfrac{5}{6} =$ ㉯$\times \dfrac{7}{9}$, ㉮ : ㉯$= \dfrac{7}{9} : \dfrac{5}{6} = 14 : 15$

㉮$= 87 \times \dfrac{14}{14+15} = 87 \times \dfrac{14}{29} = 42(\text{cm})$

→ $42 \times \dfrac{5}{6} =$ **35 (cm)**

내신과 수능의 빠른시작!
중학 국어 빠작 시리즈

동아출판

큐브
수학
심화

개념부터 응용문제 학습까지 딱 1권으로 완료!

개념만 하기에는 너무 쉽거나 부족할 것 같은데 그렇다고 심화를 하기엔 두 권을 풀어내는 게 역부족이다 싶을 때 정말 딱 괜찮은 책! 개념부터 약간의 응용까지 건드려줘서 아이도 한 권이라 부담이 덜하고 엄마 입장에서도 너무 어렵지 않은 문제를 고루 만날 수 있다는 게 가장 큰 장점이에요. 개념부터 응용까지 폭넓게 다루는 교재는 큐브수학 개념응용밖에 없어요.

닉네임
좋***

다양한 난이도 문제로 수학 자신감 UP!

세분화된 개념으로 개념을 꽉 잡을 수 있고, 문제는 간단한 기본문제부터 응용문제까지 난이도와 유형이 다양하게 구성되어 있어 단조롭지 않더라고요. 서술형 문제도 꼼꼼히 살펴보았는데 역시 짧은 서술형 문제부터 좀 더 사고를 요하는 긴 문장의 문제까지 갖춰져 있어서 지루하지 않았어요. **제대로 개념을 이해하면서, 시간이 걸리더라도 다양한 문제를 마주하고 익힐 수 있는 책이에요.**

닉네임
유*

서술형 문제 집중 훈련이 필요할 땐! 큐브수학 실력

서술형 코너는 연습→단계→실전의 3단계 학습으로 구성되어 있어요. 저는 이 부분이 가장 좋았어요. '연습'은 풀이 과정을 자연스럽게 익히면서 스스로 풀 수 있을만큼 쉽게 느껴졌고, '단계'는 연습의 복습, '실전'은 혼자 푸는 건데도 두 번의 연습으로 완벽하게 풀 수 있어 **서술형 문제를 내 것으로 만든다는 느낌이 강하게 들었습니다.** 답안 쓰기 훈련을 완벽하게 할 수 있어요.

닉네임
삼**

반복 학습으로 모든 유형을 제대로 익히기!

다양한 유형 문제가 있고, **문제마다 유형-확인-강화 순으로 반복 학습이 가능해요.** 유사 유형의 문제를 반복적으로 풀어 볼 수 있으니 실력 향상에 도움이 많이 됩니다. 또 서술형도 3단계 학습으로 답안 쓰기 훈련이 정말 잘 됩니다. 그리고 해설지도 문제에 따라 약점 포인트, 정답률까지 나와 있어서 참고하기 너무 편하게 되어 있더라고요.

닉네임
슈****

상위권 도전 첫 교재로 강력 추천!

개념과 유형 문제집까지 다 끝냈는데 심화를 안 풀고 넘어갈 수는 없잖아요? 심화 문제집도 아이에게 맞는 난이도를 선택하는 것이 무엇보다 중요한데요. **군더더기 없고 깔끔한 문제 구성과 적절하게 나누어진 난이도 덕분에 심화 시작 교재로 강력 추천합니다.**

닉네임
블***